Anne Helen Petersen

não aguento mais não aguent~~o~~ar mais

Como os Millennials se tornaram a geração do burnout

Anne Helen Petersen

não aguento mais não aguentar mais

Como os Millennials se tornaram a geração do burnout

Tradução de
Giu Alonso

Rio de Janeiro, 2022

Copyright © 2020 by Anne Helen Petersen

Copyright da tradução © 2021 by Casa dos Livros Editora LTDA

Título original: *Can't even: How Millennials Became the Burnout Generation*

Todos os direitos desta publicação são reservados à Casa dos Livros Editora LTDA.

Nenhuma parte desta obra pode ser apropriada e estocada em sistema de banco de dados ou processo similar, em qualquer forma ou meio, seja eletrônico, de fotocópia, gravação etc., sem a permissão do detentor do copyright.

Diretora editorial: *Raquel Cozer*

Gerente editorial: *Alice Mello*

Editora: *Lara Berruezo*

Copidesque: *Isis Pinto*

Revisão: *Vanessa Sawada*

Capa: *Túlio Cerquize*

Diagramação: *Ilustrarte Design e Produção Editorial*

Dados Internacionais de Catalogação na Publicação (CIP)
(Câmara Brasileira do Livro, SP, Brasil)

Petersen, Anne Helen
  Não aguento mais não aguentar mais : como os millennials se tornaram a geração do burnout / Anne Helen Petersen, Renata Corrêa ; tradução de Giu Alonso. -- Rio de Janeiro : HarperCollins Brasil, 2021.

  Título original: Can't even
  ISBN 978-65-5511-197-2

  1. Burnout (Psicologia) 2. Fadiga mental 3. Geração Y I. Corrêa, Renata. II. Título.

21-72531   CDD-305.2420973

Índices para catálogo sistemático:
1. Burnout : Geração Y : Sociologia 305.2420973
Cibele Maria Dias - Bibliotecária - CRB-8/9427

Os pontos de vista desta obra são de responsabilidade de seu autor, não refletindo necessariamente a posição da HarperCollins Brasil, da HarperCollins Publishers ou de sua equipe editorial.

HarperCollins Brasil é uma marca licenciada à Casa dos Livros Editora LTDA.
Todos os direitos reservados à Casa dos Livros Editora LTDA.
Rua da Quitanda, 86, sala 218 – Centro
Rio de Janeiro, RJ – CEP 20091-005
Tel.: (21) 3175-1030
www.harpercollins.com.br

SUMÁRIO

PREFÁCIO DA EDIÇÃO BRASILEIRA *por Renata Corrêa* 7
NOTA DA AUTORA 13
INTRODUÇÃO 17

1 Nossos pais com burnout 35
2 Miniadultos em crescimento 59
3 Faculdade, a qualquer custo 87
4 Faça o que você ama e ainda vai ter que trabalhar todos
   os dias pelo resto da sua vida 113
5 Como o trabalho ficou tão merda 145
6 Como o trabalho continua tão merda 171
7 Tecnologia faz tudo funcionar bem 205
8 O que é um fim de semana? 237
9 Os pais Millennials exaustos 267
CONCLUSÃO: Que arda 307

AGRADECIMENTOS 321
NOTAS 323

PREFÁCIO DA EDIÇÃO BRASILEIRA

Por Renata Corrêa

Estava morando em um quarto e sala ajeitadinho, recém-separada e com uma filha pequena. Eu e o pai dela vivíamos no mesmo bairro, e combinamos um esquema de guarda compartilhada que até funcionava bem, e com meu trabalho freelance fixo em uma sala de roteiro de um programa de TV infantil e mais dois ou três *jobs* eventuais, eu conseguia pagar o aluguel, a escola particular e alguns luxos como pizza aos domingos, cinema e um barzinho. Meu trabalho ativista ia bem — um documentário que idealizei sobre a proibição do aborto no Brasil foi bem recebido, e eu fui convidada para palestras e aulas em escolas e universidades. No meio disso tudo, tentava me manter saudável com exercícios esporádicos ao ar livre (quando a ressaca da noite anterior permitia) e minha vida romântica se resumia a rejeitar quem se interessava por mim e ser rejeitada por quem me interessava, numa mecânica de *ghostings*, procrastinação em aplicativos de relacionamento e uma sequência sem graça de primeiros encontros. Eu era uma jovem mulher promissora, e estava me sentindo muito sortuda por ser tão autossuficiente e independente com apenas 32 anos. Até que em uma manhã não consegui me levantar da cama.

Não é uma metáfora — eu não conseguia me levantar. Era um sacrifício me alimentar, ou caminhar até o banheiro. Minha cabeça fazia uma lista das coisas que ficariam para trás se eu não conseguisse fazê-las, e as consequências disso. Perder trabalhos, dinheiro, prazos e, claro, cuidar da minha filha. E quanto mais eu pensava nisso, mais paralisada eu ficava.

Até esse dia, eu via como qualidades muito importantes da minha personalidade uma ética de trabalho rígida e um comprometimento obsessivo com projetos e empregadores. Era comum me ver em conversas com amigos me orgulhando de como estava ocupada, e de como eu era "workaholic" ou "capricorniana", palavras que hoje vejo como justificativas que escondiam uma verdade dura de engolir: eu nunca procurei aplicar na minha saúde mental ou no meu bem-estar o mesmo empenho que aplicava na minha carreira.

O diagnóstico da minha paralisia foi fácil. Síndrome de burnout. Eu sempre tinha feito análise, apesar de ter parado naquele período específico, e me considerava uma pessoa com autoconhecimento suficiente para saber os meus limites. Isso obviamente era um julgamento indulgente. Em poucos meses, havia passado por uma separação, mudança de cidade, de trabalho, de escola para minha filha e tinha certeza de que ia dar conta de tudo, como sempre dei. E os limites foram todos ultrapassados com sucesso, sem que eu me desse conta.

Foi um período duro de autocuidado e autoconhecimento. Admitir que precisava de ajuda, pedir ajuda e receber essa ajuda. Eu estava tão desorientada que a médica que me atendeu me perguntou, de forma retórica: se você estivesse sendo espancada, você iria preferir ter forças para conseguir fugir e se recuperar ou para continuar apanhando e sobreviver? E eu demorei um pouco para perceber qual era a resposta certa.

O outro passo foi entender que o meu problema não era exatamente um problema meu — era um problema geracional. A nossa sociedade está vivendo a fase mais aguda do capitalismo. Eu não era uma exceção, aliás, eu era o oposto de uma exceção — meu corpo manifestava um sintoma banal de uma doença social que unia destruição dos direitos trabalhistas, dissolução das garantias sociais e uma instabilidade financeira e emocional que parecia não ter fim. Ao começar a ler *Não aguento mais não aguentar mais* identifiquei imediatamente a principal característica da minha geração: a falta de esperança.

Este livro relata, em grande parte, uma experiência norte-americana de uma Millennial urbana e educada em boas instituições de ensino, mas é facilmente possível transpor essa realidade para o Brasil. Nascemos nos primeiros anos de uma democracia conquistada depois de duas décadas da ditadura militar mais sanguinária do continente. Vivemos a inflação, mudanças de moeda, privatizações, sucateamento do ensino público. E, após um breve período de estabilidade econômica e política após o Plano Real, e da ação de governos de centro-esquerda que democratizaram o acesso à universidade para as classes populares, muitos de nós acreditaram finalmente na mobilidade social e econômica proporcionada pela educação superior. Infelizmente, os tapetes vermelhos foram puxados de nossos pés. Uma pandemia mortal e um governo negacionista e autoritário paralisaram os planos de quem ainda estava aprendendo a sonhar.

Quando eu era criança, minha mãe me dizia que eu poderia ser o que eu quisesse, mas que deveria ser excelente naquilo que escolhesse. "Se for vender limões, seja a melhor vendedora de limões do mundo." Minha mãe é filha de uma empregada doméstica que nunca pôde ser alfabetizada e de um motorista de caminhão, que moveram mundos e fundos para que suas seis filhas tivessem educação formal e uma vida menos dura. Eles foram bem-sucedidos, e minha mãe foi a primeira pessoa da nossa família a ter ensino superior. Para ela, o caminho natural era que eu fosse ainda melhor, mais resiliente e conquistasse ainda mais conforto e estabilidade do que ela própria conseguiu com trabalho duro e sacrifícios. Persegui por muito tempo os limões que fariam a limonada açucarada do merecimento. Porém, os limões estavam secos, e o máximo que eu pude ter era uma caipirinha de consolação enquanto trabalhei em empregos que nada tinham a ver com o objetivo de ser escritora. Minha mãe nunca se decepcionou por um segundo sequer por eu vender calças jeans em um shopping, ser uma secretária entediada em um prédio decadente do centro da cidade, ou recepcionar pessoas em um restaurante grã-fino e cafona — mas a decepção estava dentro de mim.

Em parte, estar desapontada comigo mesma vinha do fato de que as promessas que nossos pais nos fizeram pareciam verdadeiras. Conseguir uma vida estável, com acesso à moradia, alimentação, saúde, lazer e bens de consumo estava ao nosso alcance. Bastava estudar, trabalhar duro e ser uma boa pessoa que tudo isso estaria garantido. E eu fiz tudo isso, e no fim do dia eu voltava para casa com os pés doendo depois de uma madrugada inteira usando saltos, levando clientes até suas mesas e sem nenhuma perspectiva de usar todo o conhecimento que obtive durante anos de estudo.

Nossos pais, professores, mestres e adultos de confiança estavam mentindo, mas nem nós nem eles sabíamos disso ainda. Eles viveram em um mundo onde trabalhadores e patrões possuíam funções muito específicas — o trabalhador vendia sua força de trabalho e seu tempo, e o empregador dava garantias como estabilidade, salário, décimo terceiro e férias. Para os Millennials conquistarem o mínimo que deveria ser garantido a todos os cidadãos, eles se desdobram em diversos empregos, criam "empresas individuais" e não contam com garantias financeiras que permitam planejar a aquisição de bens duradouros como imóveis ou fazer um plano de aposentadoria. Nos exigem maturidade e que finalmente nos comportemos como os adultos que somos, mas o que é ser maduro e adulto num contexto econômico onde a dependência financeira e a falta de perspectiva empurram pessoas de trinta e quarenta anos de volta para a casa dos pais? Isso parece extremamente injusto — e é.

Muito do nosso cansaço e da sensação de que vivemos no limite também pode ser atribuída à ausência de separação entre o que somos e o que fazemos. Se nossos pais tinham vidas onde, para além do trabalho, suas relações de afeto, militância política, lazer e hobbies eram constituintes da sua identidade, agora os Millennials são pressionados a unir tudo isso em uma persona pública infalível que muitas vezes determina sua sorte ou sucesso na vida profissional e afetiva. Dificilmente paramos de trabalhar, pois quando não estamos efetivamente trabalhando em nossos empregos oficiais (quando existem), estamos construindo meticulosamente o avatar online que será crucial para o próximo emprego ou para o próximo relacionamento amoroso. O avanço tecnológico que iria nos libertar de cargas de trabalho exaustivas se tornou, na verdade, uma única e longa jornada que jamais se encerra, o que é particularmente esmagador para pessoas negras e mulheres.

Para completar esse cenário de desmantelamento, a nossa geração, que já foi considerada uma esperança para o futuro — politicamente engajada e disposta a promover mudanças —, vive os anos mais produtivos e saudáveis da sua juventude em um período em que as pautas políticas legítimas como o antirracismo, o feminismo e o ambientalismo foram sequestradas pelas grandes corporações como discurso, mas com pouca prática. É possível comprar um batom "empoderado" com "embalagem retornável" de uma empresa que não possui nenhuma política inclusiva para pessoas não brancas, testa seus produtos em animais e demite mulheres que retornam da licença-maternidade. Enquanto tentamos fechar um armário cheio de ecobags promocionais, o capitalismo quer nos convencer de que cada indivíduo deve se responsabilizar pelo bem comum fechando a torneira ao escovar os dentes, enquanto empresas multinacionais gigantescas desperdiçam milhões de litros cúbicos de água limpa por segundo sem que nenhuma política pública mude o cenário. Ficamos nos sentindo culpados, apáticos e cínicos no momento em que deveríamos estar mais raivosos e organizados do que nunca.

Antes do burnout, eu costumava dizer que só não estava em atividade quando estava dormindo. Quando meu corpo me obrigou a ficar de cama, foi um recado muito claro. Em um primeiro momento tive raiva de mim por ser tão fraca — afinal ser adulto é assim mesmo, eu deveria aguentar e seguir. Mas depois foi uma espécie de bênção, um chacoalhão existencial. Talvez receber um diagnóstico tão claro de exaustão era tudo que eu precisava naquele momento para entender que viver era muito mais do que colocar combustível numa máquina para que ela se mantivesse em atividade e, quando sinto que o turbilhão se aproxima, a lembrança daqueles dias faz com que eu consiga parar e cuidar de mim.

Foi assim que consegui lidar com o problema individualmente, mas isso não é o suficiente. Enquanto estivermos vivendo sob um modelo social onde gerar lucro para uma pequena parcela de pessoas é mais importante que o bem-estar da sociedade como um todo, a exaustão patológica não será um problema apenas dos Millennials, mas também de quem veio antes de nós e de quem virá depois — as perspectivas para a geração Z também não são promissoras se pensarmos que estamos saindo da maior crise sanitária do século e à beira de um colapso humanitário e ambiental.

Os Millennials caíram no golpe das soluções particulares para enfrentar violências gigantescas de governos e corporações, e, como qualquer pessoa que cai em um golpe, primeiro ficamos envergonhados. O segundo passo é nos certificarmos de que nunca mais alguém irá cair nesse estelionato político, financeiro e social. *Não aguento mais não aguentar mais* rastreia para nós as origens desse golpe e nos apresenta maneiras de enfrentá-lo. E é com esperança que entrego este livro nas mãos do leitor, mesmo sabendo que os desafios muitas vezes parecem maiores do que podemos enfrentar sozinhos, afinal estamos falando de colapsos sociais em grande escala — mas que ainda podemos resistir. Com cooperação, organização e pensando em soluções coletivas que contemplem não só os sortudos, os brancos, os bem-nascidos e os altamente educados, mas todos aqueles que dividem conosco esse limitado tempo no planeta.

NOTA DA AUTORA

"Millennials não têm a menor chance." Esse foi o título do artigo de Annie Lowrey, algumas semanas depois da quarentena generalizada necessária após a propagação da Covid-19, detalhando as inúmeras maneiras pelas quais a geração Millennial realmente está ferrada. "Os Millennials entraram no mercado de trabalho durante a pior crise econômica dos Estados Unidos desde a Grande Depressão", escreve ela. "Soterrados em dívidas, sem conseguir aumentar sua renda e presos em empregos com poucos benefícios e ainda menos futuro, eles nunca alcançaram a segurança financeira que os pais, avós e até irmãos mais velhos obtiveram." E agora, bem quando era para estarmos chegando aos nossos "melhores anos financeiros", estamos enfrentando "um cataclismo econômico mais grave que a Grande Recessão, praticamente garantindo que os Millennials serão a primeira geração na história moderna americana a ser mais pobre que os pais".[1]

Para muitos Millennials, artigos como o de Lowrey soam menos como revelação e mais como confirmação: sim, estamos ferrados, mas já sabemos disso faz anos. Mesmo quando as bolsas de valores subiram e os números oficiais de desemprego caíram na supostamente idílica economia do fim dos anos 2010, pouquíssimos de nós sentiram qualquer coisa ao menos próxima de *segurança*. Na verdade, só estávamos esperando a próxima bomba estourar, ou o fundo do poço ceder, ou qualquer outra metáfora que prefira para descrever a sensação de mal alcançar um lugar de alguma estabilidade financeira ou profissional e ao mesmo tempo ter a certeza de que tudo pode e vai desaparecer mais cedo ou mais tarde. Não importava o quanto você trabalhasse ou por quanto tempo, quanto se dedicasse ao seu emprego, quanto se *importasse*. Você se via de novo com aquela sensação de solidão e pânico, se perguntando mais uma vez como o mapa que lhe foi entregue — prometendo que, se fizesse isso, conseguiria *aquilo* — pôde estar tão errado.

Mas, repetindo: poucos Millennials ficaram surpresos. Não esperamos encontrar empregos, ou que as empresas ao menos abram vagas. Então muitos de nós vivem sob tempestades de dívidas ameaçando nos engolir a qualquer momento. Estamos exaustos pelo trabalho de tentar manter algum equilíbrio: para nossos filhos, nos nossos relacionamentos, nas nossas vidas financeiras. Fomos condicionados à precarização.

Para milhões de pessoas e comunidades nos Estados Unidos e no mundo, a precarização faz parte da vida faz décadas. Viver na pobreza, ou como refugiado, faz com que você seja condicionado a ela. A diferença, então, é que essa não foi a narrativa vendida aos Millennials — em especial os brancos e de classe média — sobre si mesmos. Como as gerações antes de nós, fomos criados à base de uma dieta de meritocracia e excepcionalismo: que cada um de nós transbordava de potencial e que tudo que precisávamos fazer para transformar esse potencial em realidade era trabalhar com afinco e nos dedicar. Que, se nos esforçássemos, não importava qual fosse nossa situação, encontraríamos a estabilidade.

Muito antes da pandemia da Covid-19, os Millennials já estavam aceitando o quão vazia e terrivelmente fantasiosa essa história era de verdade. Compreendemos que as pessoas continuam a contando para seus filhos e amigos em editoriais do *The New York Times* e em livros de autoajuda, porque parar de contá-la significa admitir que não é só o Sonho Americano que está errado, é o país. Que os clichês que repetimos — que os Estados Unidos são uma terra de oportunidades, uma superpotência mundial benevolente — são falsos. Essa é uma conclusão profundamente chocante, mas também é uma conclusão a que pessoas que não vivem com os privilégios da branquitude, da classe média e da cidadania americana já chegaram há algum tempo. Algumas pessoas só agora estão percebendo a profundidade de nossos problemas. Outras sabem disso, e sofrem por isso, a vida toda.

Enquanto escrevo este livro no meio da pandemia, é óbvio que a Covid-19 se mostrou um grande holofote. A doença deixa muito claro o que e quem importa na vida, o que são necessidades e o que são desejos, quem está pensando nos outros e quem só pensa em si mesmo. Deixou claro que os trabalhadores ditos "essenciais" são, na verdade, tratados como descartáveis, e também tornou as décadas de racismo estrutural — e a consequente vulnerabilidade à doença — indeléveis. A pandemia destacou a incompetência da nossa atual liderança federal, os perigos da desconfiança em relação à ciência que vem sendo cultivada por muito tempo e as consequências de permitir que a produção de equipamentos seja administrada como um negócio cujo objetivo principal é o lucro. Nosso sistema de saúde é errado. Nossos programas de assistência são errados. Nossa capacidade de testagem é insuficiente. Os Estados Unidos estão errados, e nós também, junto com o nosso país.

Quando a Covid-19 começou a se espalhar pela China, eu estava terminando a última revisão deste livro. Quando as cidades começaram a fechar, eu e meu editor nos perguntamos como poderíamos falar sobre as profundas mudanças emocionais, econômicas e físicas que acompanharam a disseminação da doença. Porém, eu não queria enfiar comentários em cada capítulo, fingindo que tinha escrito cada parte pensando apenas superficialmente sobre essas mudanças recentes. Isso não só seria mais difícil, mas também mais estranho e mais falso.

Em vez disso, quero convidar os leitores a pensar em cada argumento deste livro, em cada história, cada esperança por algo diferente, de forma ampliada e ainda mais necessária. O trabalho era difícil e precário antes; agora é ainda *mais* difícil e precário. Ter filhos era exaustivo e impossível; agora é *mais* exaustivo e impossível. O mesmo serve para a sensação de que o trabalho nunca acaba, de que as notícias sufocam nossas vidas pessoais e de que estamos cansados demais para conseguir algo ao menos semelhante a descanso ou lazer reais. As consequências dos próximos anos não vão mudar a relação dos Millennials com burnout ou com a precariedade que o causa. É capaz que o burnout acabe se tornando ainda mais inerente à identidade da nossa geração.

Mas não precisa ser assim. É nisso que este livro insiste, e isso também continua sendo verdade. Talvez tudo de que precisemos para lidar com esse sentimento seja um ponto sem volta irrefutável: uma oportunidade não só de refletir, mas também de construir uma forma nova de viver a partir dos destroços e da clareza que essa pandemia trouxe. Não estou falando de uma utopia exatamente. Estou falando de outra maneira de pensar sobre trabalho, sobre nosso valor pessoal, sobre incentivos ao lucro — e da ideia radical de que cada um de nós importa e de que cada um de nós é essencial e merecedor de cuidado e proteção *de verdade*. Não pela nossa capacidade de trabalhar, mas simplesmente por existirmos. Se você acha que essa ideia é radical demais, não sei o que fazer para que se importe com as outras pessoas.

É verdade que, como Lowrey diz, os Millennials não têm a menor chance. Pelo menos não no sistema atual. Mas a mesma triste previsão é verdade para grande parte da geração X e dos Boomers[*], e será ainda pior para a geração Z[**]. A verdade mais ampla que essa pandemia nos fez enxergar é que não é uma única geração que tem problemas, que está fodida ou que falhou. O problema é o próprio sistema.

---

[*] Os Baby Boomers nasceram após a Segunda Guerra Mundial, entre 1946 e 1964. Já a geração X nasceu entre 1965 e 1979 e presenciou a Guerra Fria. (*N. do E.*)
[**] A geração Z nasceu a partir de 2000, na era digital. (*N. do E.*)

INTRODUÇÃO

— Acho que você está com burnout — sugeriu delicadamente meu editor no *BuzzFeed* durante uma ligação pelo Skype. — Talvez fosse bom tirar alguns dias de folga.

Era novembro de 2018, e, para ser franca, fiquei ofendida.

— Não estou com burnout — respondi. — Só estou tentando descobrir o que quero escrever depois.

Desde que eu conseguia me lembrar, estava trabalhando basicamente sem parar; primeiro na pós-graduação, depois como professora, agora como jornalista. Durante 2016 e 2017, segui candidatos políticos pelo país, correndo atrás de histórias, muitas vezes escrevendo milhares de palavras por dia. Uma semana, em novembro, fui direto do Texas, depois de entrevistar os sobreviventes de um atirador em massa, para uma cidadezinha de Utah, onde passei uma semana ouvindo as histórias de mais de uma dezena de mulheres que escaparam de um culto polígamo. O trabalho era necessário e surpreendente — e exatamente por isso era tão difícil parar. Eu tinha descansado depois da eleição. Era para eu estar me sentindo nova em folha. Mas o fato de que me pegava lutando contra lágrimas toda vez que conversava com meus editores? Isso não tinha nada a ver.

Mesmo assim, concordei em tirar uns dias de folga, logo antes do Dia de Ação de Graças. E sabe o que fiz nesse período? Tentei escrever a proposta de um livro. Não este, mas outro, bem pior e mais forçado. Óbvio que isso não fez com que me sentisse melhor, porque eu só estava trabalhando *mais*. Mas, àquela altura, já não sentia quase nada. Dormir não ajudava; fazer exercícios também não. Recebi uma massagem e uma limpeza de pele que foram agradáveis, mas cujos efeitos se provaram incrivelmente passageiros. Ler meio que ajudava, mas a leitura que mais me interessava tinha a ver com política, o que só me fazia voltar aos assuntos que tinham me deixado exausta.

O que eu estava sentindo em novembro também não era nenhuma novidade. Havia meses que, sempre que eu pensava em ir deitar, me sentia sobrecarregada por todas as etapas que tinha que cumprir para ir do sofá à cama de forma responsável. Férias não me impressionavam muito — ou, para ser mais exata, férias pareciam só mais um item na minha lista de afazeres. Ao mesmo tempo sentia falta e me ressentia do tempo que passava com amigos, mas, depois que mudei de Nova York para Montana, recusei a me dedicar a fazer novos amigos. Eu me sentia entorpecida, insensível, só... blé.

Olhando em retrospecto, eu estava absoluta, ridiculamente, 100% com burnout — mas não consegui reconhecer isso, porque a maneira como eu me sentia não combinava com a descrição que sempre ouvi da síndrome. Não houve explosão dramática, nem um colapso, muito menos uma recuperação na praia ou em um chalé isolado. Achei que o burnout era como um resfriado, que você pegava e então se recuperava — e foi por isso que nunca recebi esse diagnóstico. Eu era uma pilha de brasas, queimando silenciosamente por meses.

Quando meu editor sugeriu que eu estava com burnout, discordei: como outras pessoas acima da média, eu não parava ao encontrar um obstáculo: dava a volta nele. Ter burnout ia contra tudo o que eu compreendia até então sobre minha capacidade de trabalhar e minha identidade como jornalista. Mesmo assim, embora eu me recusasse a chamar aquilo de burnout, havia evidências de que algo dentro de mim estava, bem, errado: minha lista de afazeres, especialmente a metade final, só era reciclada, semana após semana, uma pilha bem-arrumada de vergonhas.

Nenhuma daquelas tarefas era essencial de verdade. Eram só aquele repeteco de manutenção da vida cotidiana. Mas não importava o que eu fizesse, não conseguia levar as facas para serem afiadas, deixar minhas botas favoritas no sapateiro ou completar a papelada, fazer a ligação e encontrar o selo para conseguir o registro correto do meu cachorro. Havia uma caixa no canto do meu quarto com o presente para um amigo que eu deveria ter enviado meses antes, além de um cupom de desconto de valor razoável para lentes de contato parado na minha mesa. Todas essas tarefas de alto esforço e baixa recompensa pareciam igualmente impossíveis.

E eu sabia que não era a única com esse tipo de resistência a listas de afazeres: a internet estava cheia de histórias de pessoas que não conseguiam descobrir como fazer o registro eleitoral, enviar pedidos de reembolso do plano de saúde ou devolver roupas compradas pela internet. Se eu não conseguia descobrir o que queria escrever para o trabalho, pelo menos podia escrever sobre o que batizei ironicamente de "paralisia das tarefas". Comecei separando uma imensa variedade de artigos, em sua maioria escritos por Millennials e quase sempre publicados em sites voltados para Millennials, sobre o estresse cotidiano do "adulting" — uma palavra adotada para descrever o temor de fazer ou o orgulho de completar tarefas associadas a nossos pais. Como um dos artigos dizia: "O Millennial moderno, em grande parte, vê a vida adulta como uma série de ações, em vez de existência. Assim, *adulting*, algo como *adultar*, se transforma em verbo". E parte de adultar é conseguir fazer aquelas coisas no final da sua lista de tarefa, mesmo que sejam difíceis.

Conforme eu lia, ficava cada vez mais claro que, na verdade, havia três tipos de tarefas de adulto: 1) o tipo que é irritante porque você nunca fez antes (declarar impostos, fazer amigos fora do contexto da escola); 2) o tipo que é irritante porque demarca o fato de que ser adulto significa gastar dinheiro com coisas que não são nada divertidas (aspiradores de pó, cortadores de grama, barbeadores); 3) o tipo que é mais que irritante, é demorado e desnecessariamente labiríntico (encontrar um terapeuta, fazer pedidos de reembolso ao plano de saúde, cancelar a TV a cabo ou a matrícula na academia, pagar empréstimos estudantis, descobrir como ter acesso a programas sociais).

Então, ser adulto — e, consequentemente, completar sua lista de tarefas — é difícil porque viver no mundo moderno de alguma forma consegue ser, ao mesmo tempo, mais fácil do que nunca e *absurdamente* complicado. Pensando assim, ficou óbvio por que eu evitava essas tarefas que nunca saíam da minha lista. Todos os dias, temos coisas que precisamos fazer, lugares em que nossa energia mental precisa ser utilizada primeiro. Mas essa energia é finita, e quando você fica tentando fingir que não é... é aí que o burnout aparece.

Mas meu burnout era mais que o acúmulo de tarefas inacabadas. Se eu fosse sincera comigo mesma — sincera de verdade, do jeito que te deixa desconfortável —, as tarefas eram só o sintoma mais tangível de um problema muito maior. Algo estava errado não só no meu dia a dia. Algo estava errado, cada vez mais, durante toda a minha vida adulta.

A verdade era que todas essas tarefas tirariam o tempo daquilo que se tornara minha tarefa definitiva, a tarefa definitiva de tantos outros Millennials: trabalhar o tempo todo. Onde eu tinha aprendido a trabalhar o tempo todo? Na escola. Por que eu trabalhava o tempo todo? Porque morria de medo de não arrumar um emprego. Por que eu trabalhava o tempo todo mesmo depois de arrumar um emprego? Porque morria de medo de perder o emprego e porque meu valor como funcionária e meu valor como pessoa haviam se misturado de forma irremediável. Eu não conseguia evitar a sensação de *precariedade* — de que tudo pelo que eu trabalhara tanto poderia desaparecer — ou conciliá-la com uma ideia que me cercava desde a infância: que, se eu trabalhasse o suficiente, tudo daria certo.

Então fiz uma lista de leitura. Li tudo sobre como a pobreza e a instabilidade econômica afetam nossa capacidade de tomar decisões. Explorei tendências específicas relacionadas a dívidas estudantis e à compra de imóveis. Vi como a moda do "cultivo combinado" na criação de crianças nos anos 1980 e 1990 se ligava à transformação de brincadeiras livres e sem estrutura em atividades organizadas e times esportivos. Uma estrutura começou a surgir — e eu a coloquei bem sobre minha própria vida, me forçando a reconsiderar minha história e a forma como eu a contava. Saí para uma longa caminhada com meu parceiro que, diferente de mim, que sou uma "Millennial mais velha", cresceu bem no auge da geração, em um ambiente ainda mais competitivo academica e financeiramente. Comparamos nossas experiências: o que mudou naquela meia dúzia de anos entre a minha infância e a dele? Como nossos pais exemplificaram e apoiaram a ideia do trabalho como algo completamente dominador? O que internalizamos como o propósito do "lazer"? O que aconteceu na graduação que exacerbou minhas tendências workaholic? Por que eu me senti ótima escrevendo minha dissertação durante o Natal?

Comecei a escrever, tentando responder a essas questões, e não consegui parar. O rascunho cresceu exponencialmente: 3 mil palavras, 7 mil, 11 mil. Escrevi 4 mil palavras em um dia e senti que não havia escrito nada em absoluto. Estava dando forma à situação que se tornara tão familiar, tão onipresente, que eu havia parado de reconhecer como uma situação. Aquela era só a minha vida, mas agora eu começava a ter as palavras para descrever aquilo.

Isso não tinha a ver somente com a minha experiência individual de trabalho, de paralisia das tarefas ou de burnout. Tinha a ver com ética profissional, ansiedade e exaustão particular do mundo em que eu cresci, do contexto que eu estava inserida quando me inscrevi na faculdade ou tentei arrumar um emprego, da realidade de passar pelo maior colapso econômico desde a Grande Depressão e da disseminação rápida e onipresença das tecnologias digitais e das mídias sociais. Em resumo: tinha a ver com ser um Millennial.

O burnout foi reconhecido como diagnóstico psicológico pela primeira vez em 1974, pelo psicólogo Herbert Freudenberger em casos de colapso físico ou mental resultante de excesso de trabalho.[1] O burnout está em uma categoria bastante diferente da "exaustão", embora as duas condições estejam relacionadas. Exaustão significa ir até um ponto em que não é possível ir além; burnout significa chegar a esse ponto e se forçar a continuar, por dias, semanas ou anos.

Quando você está em meio a uma crise de burnout, a sensação de conquista ao fim de uma tarefa exaustiva — passar na prova ou terminar um grande projeto no trabalho — nunca vem. "A exaustão sentida no burnout combina um desejo intenso por um estado de completude com a sensação torturante de que essa completude nunca será alcançada, que sempre há alguma demanda, ansiedade ou distração que não pode ser silenciada", escreve Josh Cohen, psicanalista especializado em burnout. "Você sente o burnout quando exauriu todos os seus recursos internos, mas não consegue se libertar da compulsão nervosa de seguir em frente apesar disso.[2]" É a sensação de exaustão e embotamento que, mesmo depois de dormir e tirar férias, não vai embora de verdade. É a certeza de que você mal está mantendo a cabeça fora d'água e que mesmo a menor onda — uma doença, um problema no carro, um aquecedor quebrado — pode afundar você e toda a sua família. É a redução da vida a uma eterna lista de tarefas e a sensação de que você otimizou sua existência de modo a não passar de um robô que trabalha e, por acaso, tem necessidades físicas, as quais você se esforça ao máximo para ignorar. É a sensação de que a sua mente, como Cohen explica, se transformou em cinzas.

Em seus artigos sobre burnout, Cohen toma o cuidado de apontar os antecessores da condição: "um cansaço melancólico do mundo", como ele diz, aparece no livro de Eclesiastes, foi diagnosticado por Hipócrates e era endêmico durante a Renascença, um sintoma da perplexidade frente à "mudança constante". No fim do século xix, a "neurastenia", ou a exaustão nervosa, afligia pacientes destruídos pelo "ritmo e esforço da vida industrial moderna". O burnout, como uma condição generalizada não é (completamente) novidade.

No entanto, o burnout contemporâneo é diferente em sua intensidade e frequência. Pessoas que têm um emprego com horários imprevisíveis na área de serviços e complementam a renda com corridas de Uber — ainda precisando resolver com quem deixar os filhos — têm burnout. Funcionários de startups com refeitórios chiques, serviço de lavanderia grátis e trajetos diários de mais de uma hora têm burnout. Pesquisadores que dão aula em quatro cadeiras adjuntas e sobrevivem com cupons de desconto no mercado enquanto tentam publicar suas pesquisas para ter a chance de uma vaga efetiva na universidade têm burnout. Designers gráficos freelancers que trabalham com liberdade de horário, mas sem plano de saúde e férias remuneradas, têm burnout. O burnout se tornou tão comum que, em maio de 2019, a Organização Mundial da Saúde reconheceu a síndrome como um "um fenômeno ligado ao trabalho", resultado de "estresse profissional crônico que não foi resolvido de forma apropriada".[3] Cada vez mais — e cada vez mais entre os Millennials —, o burnout não é só uma situação passageira. É nossa condição contemporânea.

De certa forma, faz sentido que os Millennials sintam com mais força esse fenômeno: apesar do fato de essa geração ser muitas vezes retratada como um bando de pós-adolescentes com baixo aproveitamento, na verdade, atualmente estamos vivendo os anos mais confusos e cheios de ansiedade da vida adulta. De acordo com o Pew Research Center, os Millennials mais jovens, nascidos em 1996, completaram 24 anos em 2020. Os mais velhos, nascidos em 1981, fizeram 39. Projeções populacionais sugerem que agora existem mais Millennials nos

Estados Unidos — 73 milhões — do que pessoas de qualquer outra geração.[4] Não estamos procurando nossos primeiros empregos, mas tentando dar os próximos passos e confrontando os tetos salariais nos trabalhos que já temos. Não estamos só pagando nossas próprias dívidas estudantis, mas tentando descobrir como começar a guardar dinheiro para nossos filhos pequenos. Estamos equilibrando preços cada vez mais altos de imóveis *e* de educação infantil *e* de serviços de saúde. E a prometida segurança da vida adulta nunca parece chegar, não importa o quanto a gente tente organizar nossas vidas ou enxugar nossos orçamentos já tão apertados.

Até o termo "Millennial" ser atribuído definitivamente à nossa geração, havia outros nomes para identificar os milhões de pessoas nascidas após a geração X. Cada um desses termos dá uma ideia de como fomos definidos no senso comum: havia a "Geração Eu", que realçava nosso suposto egoísmo, e também a expressão "Echo Boomers", uma referência ao fato de que a maioria de nossos pais faz parte da maior (e mais influente) geração da história dos Estados Unidos.

O nome "Millennial" — e grande parte da ansiedade que ainda o envolve — surgiu em meados dos anos 2000, quando a primeira onda da nossa geração entrou no mercado de trabalho. Nossas expectativas eram altas demais, éramos repreendidos e nossa ética profissional era péssima. Éramos mimados e inocentes, ignorantes da realidade do mundo — ideias que se solidificaram em torno da nossa geração, ignorando todas as maneiras como enfrentamos a Grande Recessão, quantas dívidas estudantis tivemos que carregar e quão inacessíveis tantos marcos da vida adulta se tornaram.

Ironicamente, a caracterização mais famosa dos Millennials é a de que acreditamos que todo mundo deveria receber uma medalha, não importa em que lugar tenha chegado na corrida. E, se por um lado, temos dificuldade para nos livrar da ideia de que somos, cada um de nós, únicos e valiosos de alguma forma, por outro você só precisa conversar com a maior parte dos Millennials para descobrir que o mais importante na nossa criação não era o fato de que nos consideramos especiais, mas sim o "sucesso", definido de forma ampla. Você se esforça para entrar na faculdade, você se esforça durante a faculdade, você se esforça no seu trabalho e isso vai fazer com que seja um sucesso. É diferente da ética de trabalho "trabalhar na plantação do nascer ao pôr do sol", mas não significa que não seja uma ética de trabalho.

Mesmo assim, a reputação dos Millennials permanece. Parte de sua resiliência, como logo vai ficar claro, pode ser atribuída a ansiedades que havia muito germinavam sobre práticas de educação nos anos 1980 e 1990, conforme os Boomers traduziam suas ansiedades residuais sobre a forma como nos criaram em críticas à nossa geração como um todo. Mas parte disso também vem do fato de que muitos de nós tinham, sim, altas expectativas e ideias incongruentes sobre como o mundo funciona — expectativas e ideias internalizadas a partir de relações complexas e mutuamente reforçadas com pais, professores, amigos e a mídia que nos cercava. Para os Millennials, a mensagem predominante da nossa criação era enganosamente simples: todos os caminhos deveriam levar à universidade e, dali, com mais trabalho, encontraríamos o Sonho Americano, que talvez não incluísse mais uma casa de cerquinha branca, mas certamente incluía uma família, estabilidade financeira e algo parecido com felicidade como resultado.

Fomos criados para acreditar que, se nos esforçássemos o suficiente, poderíamos ganhar no sistema — do capitalismo e da meritocracia americana — ou pelo menos viver confortavelmente dentro dele. Mas algo aconteceu no fim dos anos 2010. Tiramos os olhos do nosso trabalho e percebemos que não há como ganhar no sistema quando o próprio sistema está quebrado. Somos a primeira geração desde a Grande Depressão em que muitos vão acabar em uma situação pior do que a de nossos pais. A tendência geral de ascensão social finalmente se reverteu, bem nos melhores anos financeiros da nossa vida. Estamos afogados em dívidas estudantis — estimadas em 37 mil dólares por devedor — que paralisaram permanentemente nossa vida financeira. Nós nos mudamos em números cada vez maiores para as áreas mais caras do país em busca do emprego intenso e prestigioso dos nossos sonhos. Guardamos menos dinheiro e gastamos uma fatia cada vez maior da renda mensal com creches, aluguel ou, se tivermos a sorte de, sabe-se lá como, conseguir o dinheiro para uma entrada, um financiamento imobiliário. Os Millennials mais pobres estão ficando mais pobres, e os de classe média têm dificuldade de se manter nesse nível.

E isso é só a questão mais básica, a financeira. Também sofremos mais de ansiedade e depressão. A maioria de nós preferiria ler um livro a ficar mexendo no celular, mas estamos tão cansados que rolar timelines sem pensar muito é tudo que temos energia para fazer. Temos uma probabilidade maior de ter planos de saúde ruins, quando temos, e quase nenhum plano de aposentadoria. Nossos pais estão se aproximando da idade em que vão precisar cada vez mais de ajuda, financeira e de outros tipos.

A única maneira de fazer tudo isso funcionar é ficar 100% concentrado e nunca, nunca parar de trabalhar. Mas, em algum momento, algo vai ceder. São as dívidas, mas não só isso. É a crise econômica, mas não só isso. É a falta de bons empregos, mas não só isso. É uma sensação generalizada de que você está tentando construir uma fundação sólida em areia movediça. É a sensação, como o sociólogo Eric Klinenberg diz, de que "a vulnerabilidade está no ar".[5] Os Millennials vivem com a realidade de que vão trabalhar para sempre, de que vão morrer antes de pagar os empréstimos estudantis, de que talvez seus filhos acabem indo à falência quando precisarem cuidar de nós, ou de que acabem sendo destruídos por um apocalipse global. Isso pode parecer uma hipérbole, mas é o novo normal, e o peso de viver nessa precariedade emocional, física e financeira é atordoante, em especial quando tantas das instituições sociais que antes forneciam estabilidade e orientação, da Igreja à democracia, parecem nos deixar na mão.

Parece que é mais difícil do que nunca manter nossas vidas — e a vida da nossa família — em ordem, financeiramente estáveis e preparadas para o futuro, em especial porque nos é exigido atender expectativas altas e, muitas vezes, contraditórias. Temos que trabalhar muito, mas, ao mesmo tempo, demonstrar "equilíbrio entre a vida pessoal e a profissional". Temos que ser mães atentas, mas sem ser superprotetoras. Temos que ter relacionamentos igualitários com nossas esposas, mas ainda manter nossa masculinidade intacta. Temos que construir nossas marcas nas mídias sociais, mas tendo vidas autênticas. Temos que estar atualizados, estudados e decididos sobre qualquer nova notícia que apareça, mas, de alguma forma, sem deixar que a realidade afete nossa capacidade de fazer qualquer uma das tarefas acima.

Tentar fazer tudo ao mesmo tempo, com pouca segurança ou rede de apoio... é isso que faz dos Millennials a geração burnout. Pessoas de outras gerações já sofreram de burnout, essa não é a questão. O burnout, afinal, é um sintoma da vida na nossa sociedade capitalista moderna. E, de muitas maneiras, nossos problemas são pequenos em comparação aos delas. Não passamos pela Grande Depressão nem pela catastrófica perda de vidas que acompanhou uma guerra mundial. Avanços científicos e a medicina moderna aumentaram nosso padrão de vida de maneiras muito significativas, mas a calamidade financeira que nos atingiu de forma efetiva alterou nossa trajetória econômica; nossas guerras não são "grandes", mas são guerras profundamente impopulares e duradouras que drenam nossa confiança no governo, com soldados que vêm de situações econômicas em que entrar para o Exército se torna a única chance de encontrar estabilidade. Além de tudo, ainda temos que lidar com as mudanças climáticas, que exigem esforços globais e transformações sistêmicas tão grandes que nenhuma geração nem nenhuma nação seria capaz de colocar em prática sozinha.

Há um sentimento muito difundido de que, apesar de algumas das verdadeiras maravilhas da sociedade moderna, nosso potencial foi interrompido. Mesmo assim, trabalhamos, porque não sabemos fazer mais nada. Para os Millennials, o burnout é fundamental: a melhor maneira de descrever quem fomos criados para ser, como interagimos e pensamos sobre o mundo e nossa experiência cotidiana. E não é uma experiência isolada. É nosso estado permanente.

O artigo sobre o burnout nos Millennials que enfim chegou à internet, atraindo mais de 7 milhões de leitores, era um ensaio pessoal expandido para tentar abarcar a experiência de uma geração inteira. A resposta sugeria que, em alguns pontos cruciais, ele foi bem-sucedido nisso. Uma mulher me contou que tinha forçado tanto a barra no seu prestigiado mestrado que teve que largar o curso e passou o último ano trabalhando em um canil, catando cocô e fazendo limpeza. Uma professora do ensino fundamental no Alabama ouvia o tempo todo que era uma "santa" pelo trabalho que fazia, embora recebesse cada vez menos recursos para fazê--lo. Ela pediu demissão na última primavera. Uma mulher, mãe de dois filhos, escreveu: "Recentemente me descrevi para meu terapeuta como uma 'lista de afazeres ambulante' que 'só existe do pescoço para cima'". Recebi milhares de e-mails apaixonados, muitos com várias páginas, e continuo os recebendo todos os dias. Aos poucos, ficou claro para mim que eu simplesmente tinha conseguido expressar o que até aquele ponto havia permanecido, em grande parte, indescritível. Nossa geração não tinha um vocabulário comum, e por isso lutamos para articular as especificidades do que estava acontecendo para as pessoas de outras idades.

Mas isso foi só o começo. O que você vai encontrar nas próximas páginas é uma tentativa de expandir e aprofundar aquele artigo inicial, a partir de variadas pesquisas acadêmicas e históricas, mais de 3 mil respostas a questionários que criei e inúmeras entrevistas e conversas.

Não é possível compreender como vivemos agora sem olhar de forma atenta para as forças econômicas e culturais que moldaram nossa infância e para as pressões que nossos pais enfrentaram enquanto nos criavam. Então vamos examinar tudo isso. Vamos investigar as imensas mudanças em nível macro na maneira como o trabalho é organizado e valorizado, assim como a forma como o "risco" — no emprego, nas finanças — é distribuído entre as empresas e as pessoas que as fazem funcionar. Vamos explorar o que torna as mídias sociais tão exaustivas, como o lazer desapareceu, por que ter filhos se tornou algo que é "só júbilo, sem diversão", e como o trabalho se tornou tão merda — e por que continua assim — para tantos de nós.

Este livro ainda é baseado na minha própria experiência com o burnout, mas tentei expandir a compreensão de como a síndrome acontece além da suposta experiência burguesa. Porque a forma como a palavra "Millennial" em geral é usada — para falar de nossas altas expectativas, de nossa preguiça e de nossa tendência a "destruir" indústrias inteiras, de guardanapos a alianças — descreve o comportamento típico de um subgrupo específico da população Millennial: um que é quase sempre de classe média e normalmente branco.

E essa simplesmente não é a realidade de milhões de Millennials. Dos 73 milhões de Millennials vivendo nos Estados Unidos em 2018, 21%, mais de um quinto da população, se identificam como hispânicos. Vinte e cinco por cento falam alguma língua que não o inglês em casa. Só 39% dos Millennials têm diploma de curso superior.[6] Só porque o burnout se tornou a experiência definidora dos Millennials, isso não significa que a experiência de todo Millennial com o burnout é igual. Se uma pessoa branca de classe média se sente exausta vendo as notícias, o que um imigrante sem documentos precisa suportar no seu dia a dia? Se é tedioso ter que lidar com o sexismo implícito no trabalho, que tal adicionar uma pitada de racismo bem-menos-implícito? Como funciona o burnout quando você não tem acesso a heranças? Quão pior é ter que lidar com dívidas estudantis quando você é o primeiro da família a fazer faculdade?

Decentralizar a experiência millennial branca de classe média como sendo *a* experiência millennial é um aspecto essencial e sempre presente deste projeto. Eu constantemente me pego pensando nas palavras de Tiana Clark, que escreveu um artigo em resposta ao meu sobre as especificidades do burnout para os negros: "Não importa o movimento ou a época", escreveu ela, "o burnout é o estado perpétuo das pessoas negras neste país já faz séculos".[7] E enquanto muitos estadunidenses brancos estão tentando recuperar alguma segurança econômica, esse tipo de segurança *sempre* foi difícil de alcançar para americanos negros. Como a socióloga Tressie McMillan Cottom deixa claro durante a Marcha de Washington, na economia atual, "alcançar a ascensão social, mesmo em cidades ricas que competem por empregos na área de tecnologia, capital privado e reconhecimento nacional, continua tão complicado quanto era em 1962". "Naquela economia", explica Cottom, "americanos negros lutavam contra a segregação racial legalizada e o estigma social que nos afastava das oportunidades reservadas para os americanos brancos. Em 2020, americanos negros legalmente têm acesso a grandes ferramentas de ascensão — universidades, empregos, escolas públicas, bairros, transporte, políticas eleitorais —, mas, apesar de se esforçarem e lutarem tanto quanto o restante, não alcançam os resultados esperados".[8]

Eu me lembro de uma mulher, filha de imigrantes chineses, que me mandou uma mensagem depois do artigo contando que nunca tinha ouvido as palavras "ansiedade" ou "depressão" em casa na infância. "Eu ouvia os termos 吃苦 [amargura profunda] e 性情 [sentimento do coração] quando meus pais sentiam a depressão que é comum em recém-chegados ao Canadá, lutando para encontrar trabalhos estáveis em uma sociedade que valoriza os brancos acima de todos os outros", explicou ela. "Aceitar o fato de que eu também posso sentir burnout, depressão e ansiedade e ainda ser chinesa é um processo difícil."

Eu me lembro de um relatório do Pew Research Center, examinando a diferença quanto às dívidas estudantis e de compra de imóveis entre as gerações. É útil, mas usar os mesmos dados para uma geração inteira não conta a história completa: a dívida estudantil dos Millennials como um todo aumentou, mas, para americanos negros, especialmente os que estudavam em faculdades particulares predatórias, ela explodiu. Uma pesquisa recente examinando o destino de empréstimos estudantis pedidos em 2004 descobriu que, em 2015, 48,7% dos estudantes negros haviam se tornado inadimplentes; entre os brancos, essa porcentagem era de 21,4%.[9] Essa não é só uma diferença estatística; é uma versão totalmente diferente da narrativa millennial.

Tipos diferentes de Millennials experimentaram a estrada até o burnout de forma, bem, *diferente*, seja em termos de classe social, expectativas familiares, lugar ou comunidade cultural. Afinal, muito da identidade geracional tem a ver com quantos anos você tem e em que lugar vive dentro da geração em momentos de eventos importantes, sejam culturais, tecnológicos ou geopolíticos. Por exemplo: passei meus anos de faculdade tirando fotos com a minha Vivitar e as revelando semanas depois. Porém, muitos Millennials tiveram que viver a faculdade e o início da vida adulta ao mesmo tempo em que começavam a lidar com o Facebook e com o que significava ter uma representação online. Alguns Millennials passaram pelos ataques de 11 de Setembro como se fosse um evento abstrato, algo surreal em suas mentes pré-adolescentes; outros aguentaram anos de abuso e suspeitas por causa de sua religião ou identidade étnica.

E aí veio a Grande Recessão. Sou uma Millennial mais velha, o que significa que já estava na pós-graduação quando os resgates dos bancos e as execuções hipotecárias começaram. Mas outros tinham terminado o ensino médio ou a faculdade e entraram no mercado de trabalho bem no meio da crise financeira, o que lhes dava pouca opção além de fazer aquilo pelo qual nossa geração mais tarde seria amplamente ridicularizada: voltar para a casa dos pais. Ao mesmo tempo, dezenas de milhares de Millennials assistiram aos pais perdendo os empregos, as casas em que cresceram, suas aposentadorias... tornando mais difícil ainda, quando não impossível, essa volta. A experiência da recessão para alguns Millennials foi perceber quanta sorte tinham por ter uma rede de apoio; a de outros foi perceber o quanto você pode afundar quando não tem uma.

Do que estamos falando quando tratamos dos Millennials, então, depende de quem está falando. Esses eventos e suas consequências nos transformaram em quem somos — mas nos transformaram de maneiras diferentes. Este livro nunca conseguirá abarcar todas as versões da experiência dos Millennials, mesmo os brancos de classe média. Não estou abdicando dessa responsabilidade, mas estou fazendo a seguinte declaração: isto é o começo da conversa e um convite a conversarmos mais. Não existe uma competição de burnout. A coisa mais generosa que podemos fazer uns pelos outros é tentar não só ver, mas realmente *compreender* os parâmetros da experiência de outra pessoa. Em resumo, aceitar o burnout dos outros não diminui o seu.

Ao escrever aquele artigo e este livro, não curei o burnout de ninguém, nem mesmo o meu. Mas uma coisa ficou incrivelmente clara: não se trata de um problema pessoal. É um problema da nossa sociedade, e não vai ser curado por apps de produtividade, *bullet journals*, máscaras de tratamento facial ou uma porra de um mingau de aveia orgânico. Somos atraídos por essas curas pessoais porque parecem convincentes e prometem que nossa vida pode voltar a ser mais centrada e mais fundamentada se ao menos tivermos um pouco mais de disciplina, se usarmos aquele aplicativo novo, se organizarmos nossa caixa de e-mails ou se mudarmos nossa estratégia de planejamento de refeições. Mas tudo isso são Band-Aids em um ferimento muito mais profundo. Podem parar o sangramento temporariamente, mas, quando caem, e nós falhamos em nossa disciplina recém-descoberta, a gente só se sente pior.

Antes de começarmos a lutar essa batalha que é basicamente estrutural, precisamos, primeiro, compreendê-la como estrutural. Isso pode parecer intimidador, mas qualquer truque de fácil implementação ou livro que prometa resolver sua vida só estão prolongando o problema. A única maneira de seguir em frente é criando um vocabulário e uma estrutura que nos permitam ver a nós mesmos — e aos sistemas que contribuíram para o nosso burnout — de forma clara.

Pode não parecer muita coisa, mas é um começo essencial, uma confirmação e uma declaração: *Não precisa ser assim.*

1
NOSSOS PAIS COM BURNOUT

"Você acha que tem burnout? Tente sobreviver à Grande Depressão e à Segunda Guerra Mundial!" Depois do meu artigo sobre o burnout millennial, essa foi a crítica que mais recebi. A mensagem em geral vinha de Boomers, que, ironicamente, não passaram nem pela Grande Depressão, nem pela Segunda Guerra Mundial. Outras mensagens populares: "É isso aí, a vida é difícil" e "Eu ralei demais nos anos 1980, e você não está me vendo reclamar de burnout". Essas declarações são variações do que passei a considerar o lema dos Boomers: *Parem de reclamar, Millennials, vocês não sabem o que é trabalhar de verdade.*

A questão é que, quer percebam ou não, foram os Boomers que nos ensinaram não só a esperar mais de nossas carreiras, mas também a considerar nossas ideias sobre trabalho e exaustão importantes, válidas de serem expressadas (especialmente na terapia, que estava lentamente se tornando mais comum) e abordadas. Se somos tão especiais, únicos e importantes quanto nos disseram na infância, não é de se surpreender que nos recusemos a calar a boca quando a vida não nos faz sentir dessa maneira. E isso muitas vezes soa como *reclamação*, especialmente para os Boomers.

Na realidade, os Millennials são o pior pesadelo dos Boomers porque, em muitos casos, já fomos seus sonhos mais bem-intencionados. E, conversando com Boomers e com Millennials, essa é a conexão que muitas vezes é esquecida: o fato de que os Boomers são, de muitas maneiras, responsáveis por nós, tanto literalmente (como pais, professores e técnicos) como figurativamente (criando as ideologias e o ambiente econômico que nos moldaram).

Durante anos, as pessoas da geração X e os Millennials se irritavam com as críticas dos Boomers, mas não podiam fazer muito sobre isso. Os Boomers eram em maior número e estavam em todo lugar: nossos pais eram Boomers, assim como muitos de nossos chefes, professores e superiores no trabalho. Tudo que podíamos fazer era sacaneá-los na internet com memes. "Old Economy Steve" ["Velho Steve da Economia"] apareceu pela primeira vez no Reddit em 2012, juntando um retrato de anuário dos anos 1970 com uma legenda sugerindo que ele agora é seu pai, que ama o mercado e não para de falar que você deveria mesmo começar a pagar um plano de previdência privada. Outras versões narravam seus privilégios econômicos: "AUMENTOU O DEFICIT PÚBLICO DURANTE TRINTA ANOS/ENTREGOU A CONTA PARA OS FILHOS", exclamava uma versão do meme; "QUANDO EU ESTAVA NA FACULDADE, MEU EMPREGO DE FÉRIAS PAGOU MINHAS MENSALIDADES/MENSALIDADES CUSTAVAM QUATROCENTOS DÓLARES POR ANO", dizia outra.[1]

Mais recentemente, no TikTok, a geração Z popularizou a frase "Ok, Boomer" como reação a alguém com pontos de vista ultrapassados, intratáveis e/ou preconceituosos. A frase pode ser dirigida, como Taylor Lorenz comentou no *The New York Times*, "basicamente qualquer pessoa com mais de trinta anos que diz algo condescendente sobre jovens — e sobre as questões com que eles se importam". Mas vale notar a conotação contemporânea de "Boomer" como alguém condescendente e turrão.[2]

Não é só que Boomers sejam velhos e pouco maneiros; toda geração fica velha e pouco maneira. Boomers, cada vez mais, são representados como hipócritas, pouco empáticos e totalmente ignorantes pelo fato de a vida ter sido fácil para eles — o equivalente geracional de nascer na cara do gol e achar que é um grande artilheiro. A crítica surgiu com força em

2019: o ano em que se projetou que os Boomers cederiam seus status de maior geração para os Millennials. Para ser justa, o pessoal da geração X tem uma longa e gloriosa história de antagonismo aos Boomers. Mesmo assim, esse argumento em especial se popularizou, principalmente na internet, quando as diferenças tangíveis entre a situação financeira dos Boomers e a dos Millennials se tornaram mais pronunciadas.

Mesmo que a pessoa não conheça os dados — que, digamos, o patrimônio líquido dos Millennials, de acordo com um estudo de 2018 encomendado pelo Banco Central, é 20% menor que o dos Boomers na mesma época de suas vidas, ou que a renda familiar dos Boomers era 14% maior quando tinham a idade atual dos Millennials —, é possível imaginar o papel dos Boomers na grande divisão geracional do momento. Como o comediante Dan Sheehan disse em 2019, em um tweet que foi curtido mais de 200 mil vezes, "Os Baby Boomers fizeram aquela coisa de quando você deixa o último quadradinho de papel higiênico no rolo e finge que não é sua vez de trocá-lo, mas com toda a sociedade".

Eu compartilhava dessa animosidade — e ler todos aqueles e-mails dos Boomers só aumentou minha raiva. Mas, conforme comecei a ler mais sobre as correntes que contribuíram para a imensa expansão da classe média americana, ficou claro que enquanto os Boomers, como geração, realmente cresceram em um período de estabilidade econômica sem precedentes, suas vidas adultas foram marcadas por muitas das mesmas pressões que sofremos: escárnio generalizado da geração dos seus pais, em particular em torno do fato de serem mimados e sem rumo, e o pânico em relação à sua capacidade de manter (ou obter) seu lugar na classe média.

Os Boomers se sentiam ansiosos, trabalhavam demais e se ressentiam profundamente das críticas que recebiam. O problema, e o motivo por que é muitas vezes tão difícil pensar neles de forma positiva, é sua inabilidade de usar essa experiência como fonte de empatia com a geração de seus próprios filhos. Mas isso não significa que a ansiedade ou a atitude deles em relação ao trabalho não nos influenciaram. A atmosfera Boomer dos anos 1980 e 1990 foi o pano de fundo de nossa infância, a fundação para tantas das nossas ideias de como o futuro poderia ser e sobre qual seria o caminho para conquistá-lo. Para entender o burnout dos Millennials, então, temos que compreender o que moldou os Boomers que nos criaram — e, em muitos casos, o que causou o burnout deles.

Os Boomers nasceram entre 1946 e 1964, a "explosão demográfica" que começou com a recuperação econômica da Segunda Guerra Mundial e acelerou-se conforme os soldados voltavam para casa. Eles se tornaram a maior e mais influente geração que os Estados Unidos já viu. Hoje, existem 73 milhões de Boomers no país, e 72% deles são brancos. Donald Trump é um Boomer — assim como Elizabeth Warren. Agora eles estão na casa dos sessenta e setenta anos, são pais, avós e, em alguns casos, bisavós, se aposentando e lidando com o processo de envelhecimento. Mas lá atrás, nos anos 1970, estavam na posição em que muitos Millennials estão hoje: entrando no mercado de trabalho pela primeira vez, se casando e descobrindo como é criar uma família.

A compreensão mais clichê dos anos 1970 é a de que a sociedade estava, como um todo, retrocedendo: ainda se recuperando da ressaca dos anos 1960, se afastando do ativismo e abraçando um recém-descoberto foco no âmbito pessoal. Na *New York Magazine*, o escritor Tom Wolfe deu aos anos 1970 o famoso apelido de "A Década do Eu", descrevendo, em detalhes hipnóticos, a obsessão dos Boomers com aprimoramento pessoal por meio de *ménage a trois*, espiritualismo, cientologia e cooperativas de alimentos orgânicos.[3] "O antigo sonho dos alquimistas era transformar metal comum em ouro", escreveu Wolfe. "O novo sonho é transformar a personalidade — recriando, remodelando, elevando e polindo o *self*... e observando-o, estudando-o e mimando-o. (Eu!)" Autocuidado, mas com um filtro bem anos 1970.

Não é surpresa alguma que as tendências que Wolfe descreveu e satirizou de leve em seu artigo na verdade eram a da classe média que trabalhava fora: pessoas com tempo e dinheiro para gastar mais com alimentação ou passar fins de semana em retiros de respiração profunda em salões de hotéis. Mas, por trás dessa reviravolta supostamente autocentrada, estava uma ansiedade compartilhada que se espalhava pela nação: a percepção assustadora de que, após décadas de prosperidade, as coisas nos Estados Unidos pareciam estar piorando bastante.

Mais especificamente: o trem de crescimento e progresso que marcou a vida inteira dos Boomers tinha diminuído sua velocidade de forma considerável. Havia muitas razões interligadas para essa desaceleração, e todas retornam a versões da mesma narrativa, que começa mais ou menos assim: no meio da Depressão, uma das leis mais importantes assinadas pelo presidente Franklin D. Roosevelt foi o Ato Nacional sobre Relações Trabalhistas, em 1935, que garantia proteções legais aos muitos trabalhadores da iniciativa privada se e quando tentassem organizar ou se unir a um sindicato. O Ato Nacional sobre Relações Trabalhistas também deu "dentes" aos sindicatos: a partir daquele momento, donos de negócio eram *obrigados legalmente* a participar de negociações coletivas em que representantes dos sindicatos negociavam com eles para estabelecer estruturas de pagamento e benefícios aplicadas a todos os membros sindicalizados. Se não fosse possível chegar a um acordo, os membros podiam entrar em greve — com a garantia legal de seus empregos — até que um acordo se firmasse. Antes de 1935, organizar ou participar de um sindicato tinha um risco considerável. Mas, depois de 1935, era possível organizar ou participar de um sindicato com a lei ao seu lado.

Um único funcionário nunca conseguiria enfrentar os desmandos da gerência, mas, quando todos os funcionários sindicalizados faziam isso, ficavam mais fortes. Então, entre 1934 e 1950, os sindicatos usaram esse poder para conseguir condições de trabalho mais favoráveis. Dependendo do contexto, "favorável" podia significar algumas coisas, todas relacionadas à saúde e ao bem-estar gerais dos trabalhadores: maior segurança na linha de montagem, digamos, recursos para lutar contra abuso e folgas regulares. Podia significar um pagamento por hora alto o suficiente para manter um estilo de vida de classe média, o que era coloquialmente conhecido como "salário familiar". Ou, conforme foi estipulado pelo Ato de Padrões de Justiça Laboral de 1938, receber horas extras caso sua semana de trabalho excedesse as 44 horas, o que ajudava a evitar excesso de trabalho simplesmente porque isso era caro para a empresa. "Favorável" também podia significar planos de saúde, evitando que você fosse à falência pagando dívidas médicas ou gastasse energia mental se preocupando com essa possibilidade, e uma aposentadoria, que manteria você fora da pobreza quando envelhecesse. (Não significava mesas de pingue-pongue no trabalho, nem viagens de táxi por conta da empresa quando trabalhasse até depois das nove da noite, nem almoços corporativos às segundas e quartas, nem qualquer outro "benefício" para funcionários que tantas vezes são vendidos aos Millennials hoje em dia como disfarce para o fato de que a empresa mal paga o suficiente para que seu funcionário consiga quitar o aluguel na cidade em que trabalha.)

Condições de trabalho favoráveis foram resultado de sindicatos fortes, mas teriam sido impossíveis sem o que o estudioso de relações de trabalho Jake Rosenfeld chama de "um estado ativo": um governo dedicado a aumentar a classe média, trabalhando com empresas grandes e saudáveis em todos os setores econômicos. Essa é parte do motivo pelo qual esse período pós-guerra ficou conhecido como um período de "milagre econômico", em que o crescimento sem precedentes significava que "pessoas comuns em toda parte tinham motivos para se sentir bem".[4] Conforme você envelhecia e ficava cansado, podia se aposentar pela previdência privada ou pública, diminuindo o fardo dos seus filhos. Algumas pessoas chamavam esse movimento de a "Grande Compressão", uma referência a como os ricos ficavam menos ricos e os pobres ficavam menos pobres conforme a distribuição de renda "comprimia" a população para a classe média.

Durante esse período, a Geração Grandiosa* alcançou o mais próximo de uma distribuição igualitária de renda que os Estados Unidos já viu. As empresas gastavam mais com salários e benefícios, diretores ganhavam relativamente pouco, em especial comparando-se com hoje em dia e em proporção ao restante dos empregados das empresas. (Em 1950, diretores ganhavam mais ou menos vinte vezes mais que o funcionário médio; em 2013, ganhavam aproximadamente 204 vezes mais.)[5] Empresas apreciavam o "progresso econômico incomparável", geravam lucros constantes, investiam nos funcionários e faziam experimentos inovadores — em parte porque deviam muito menos aos acionistas, que ainda não esperavam o crescimento infinito e exponencial de hoje em dia. "Os trabalhos podiam ser repetitivos, mas os contracheques também eram", escreve o historiador do trabalho Louis Hyman. "O capitalismo funcionava para quase todo mundo."[6]

Sendo clara, os benefícios da Grande Compressão não foram distribuídos igualmente. As proteções pelas quais os sindicatos lutavam e que eram garantidas pelo governo americano não se estendiam aos milhões de trabalhadores domésticos e rurais. Quando o Seguro Social se tornou lei, excluía funcionários federais e estaduais, trabalhadores agrícolas e trabalhadores domésticos, do ramo hoteleiro e de lavanderias até 1954. Como Hyman aponta, as reformas nos anos 1930 podem ter sido um "ponto de virada" para homens brancos, mas não para os homens e mulheres negros que, em muitas partes do país, ainda eram governados pelas restritivas leis Jim Crow. Ainda havia profundos bolsões de pobreza nos Estados Unidos; empregados, com ou sem sindicatos, ainda eram periodicamente sujeitos a demissões em massa durante minirrecessões;

---

* A Geração Grandiosa nasceu entre 1901 e 1924, enfrentou a Grande Depressão, uma grande crise global causada pela Quebra da Bolsa de Nova York, e lutou na Segunda Guerra Mundial. (*N. do E.*)

o "salário familiar" ainda era um sonho distante para qualquer pessoa que não trabalhasse para grandes corporações.

Os anos 1950 e 1960 não foram uma época de ouro imaculada. Porém, a volatilidade geral para empresas — e para os funcionários — era significativamente menor do que é hoje. Seguindo a catástrofe econômica e social da Grande Depressão, o cientista político Jacob Hacker argumenta que "líderes políticos e empresariais estabeleceram novas instituições criadas para dividir de forma ampla o fardo de riscos econômicos importantes, inclusive o risco da pobreza após a aposentadoria, o risco do desemprego e da deficiência e o risco da viuvez por conta da morte prematura do provedor da família".[7] Alguns desses programas, como o Seguro Social, seriam "pagos" a cada contracheque; outros, como aposentadorias privadas, fariam parte do contrato com o empregador. Contudo, a ideia era a mesma: alguns riscos são simplesmente grandes demais para o indivíduo, sozinho, suportar; assim, devem ser divididos por um grupo muito maior de pessoas, diminuindo então o impacto de catástrofes pessoais se e quando acontecerem.

Quando se fala do crescimento da classe média depois da Segunda Guerra Mundial, então, refere-se a algum tipo de utopia econômica — um grande crescimento no número de pessoas (em grande parte, mas não exclusivamente, composto de homens brancos) em todo o país, com ou sem diplomas universitários, que conseguiram encontrar segurança econômica e relativa igualdade para si mesmas e suas famílias.[8] E, como Hacker explica, por um momento isso expandiu as "expectativas fundamentais" do Sonho Americano para milhões.

Foi esse o ambiente em que os Boomers de classe média cresceram. E também é por isso que alguns deles, ao chegarem à idade universitária, se sentiram cada vez mais confortáveis lutando contra o *status quo*. Como Levinson explica, essa era de estabilidade econômica "teoricamente criou a confiança para enfrentar injustiças de modo aberto — discriminação de gênero, degradação do meio ambiente, repressão de homossexuais —, coisas que existiam havia muito tempo, mas com pouca repercussão social".[9] Mas, quando esses Boomers começaram a protestar contra a segregação racial, as normas patriarcais, a interferência americana no Vietnã ou simplesmente contra a percepção de conformidade à existência suburbana, foram rotulados de ingratos e mimados. O renomado sociólogo neoconservador Edward Shils chamou os protestos estudantis dessa era de protestos de "uma geração em particular indulgente"; em uma passagem que deve parecer familiar a qualquer Millennial, outro sociólogo, Robert Nisbet, colocou a culpa em "imensas doses de afeição, adulação, devoção, permissividade e reconhecimento incessante e infantil do 'brilhantismo' jovem por parte dos pais".[10]

Para esses críticos, cuja geração tinha sobrevivido às privações da Grande Depressão e da Segunda Guerra Mundial, os Boomers eram simplesmente ingratos. Tinham recebido as chaves do Sonho Americano sem nunca terem desenvolvido uma ética de trabalho, ou sem aquele tipo de recompensa de longo prazo que permitiria que repassassem seu status de classe média para a próxima geração. Em vez disso, os Boomers "largaram" a sociedade aos vinte e poucos anos. Escolheram "ocupações" como motorista de táxi ou pintor de parede, em vez de trabalhos de colarinho-branco. Ignoraram costumes sociais e permaneceram em programas de pós-graduação aparentemente intermináveis em vez de buscar *carreiras respeitáveis.*

Ou pelo menos essa era uma maneira de ver a situação, resumida em livros como *Liberal Parents, Radical Children* [Pais liberais, filhos radicais] de Midge Decter, lançado em 1975. Decter detalhava os diferentes arquétipos de decepção: havia o recém-formado que "antes tornara os pais a inveja dos amigos: bonito, rico, talentoso, bem-educado, bolsista de Harvard", e que "agora definha em um hospital em que os terapeutas sentem que, daqui a mais alguns meses, ele vai poder completar algumas tarefas e, no fim (o prognóstico é bom, afinal), até conseguir um emprego"; havia o outro filho que "recentemente enviou um cartão-postal à irmã anunciando que tinha começado a tirar fotografias e que assim que arrumasse uns trabalhos planejava comprar um tereninho e construir uma casa"; tinha também a filha que vivia com um homem mais velho e divorciado e a outra filha na "terceira — ou seria a quarta? — pós-graduação".[11]

Esse discurso — articulando o medo de que os Boomers brancos burgueses tivessem ficado "moles" de certa forma — era como tantas outras conversas sobre filhos e expectativas geracionais: moralizante no tom, mas baseado de forma profunda em ansiedade de classe. O consenso sobre a classe média, afinal, é que a *classe-média-zisse* deve ser reproduzida, reafirmada, a cada geração. "Em outras classes, a participação é transmitida simplesmente por herança", escreve Barbara Ehrenreich em *Fear of Falling: The Inner Life of the Middle Class* [Medo de cair: A vida interior da classe média]. "Se você nasce na classe alta, pode esperar permanecer lá durante toda a sua vida. Infelizmente, a maioria dos que nascem nas classes mais baixas também pode esperar permanecer onde começou."[12] Mas a classe média é diferente. Sua forma de capital "precisa ser renovada por cada indivíduo por meio de novos esforços e compromissos. Nessa classe, ninguém escapa das exigências de disciplina e trabalho autodirecionados; elas são impostas novamente, a cada geração, sobre os filhos, assim como foram postas sobre os pais".[13] O filho de um advogado precisa trabalhar tantos anos quanto o pai, por exemplo, para manter a posição na sociedade.

Os Boomers de classe média que recusavam esse caminho eram vistos como se estivessem negligenciando aquela luta longeva pela permanência na classe média. Ou pelo menos essa era a visão de alguns críticos céticos e conservadores que escreveram o equivalente dos anos 1970 aos artigos de David Brooks e Bret Stephens reclamando dos jovens de hoje em dia. Mas esse sentimento era só parte de uma ansiedade social muito maior e mais assustadora, uma que os Boomers internalizaram conforme envelheceram. A expansão e a solidificação da classe média americana pós-guerra — que durou só o suficiente para que as pessoas acreditassem que poderia durar para sempre — acabou.

Considere o impacto psicológico dessa reviravolta no trabalhador americano: graças à estagnação dos salários, a quantidade de dinheiro que você recebe todo mês permanece a mesma, ou até aumenta, mas seu verdadeiro *valor*, junto com tudo que você tem guardado, diminui. O desemprego bateu 8,5% em 1975 conforme os empregos nos Estados Unidos começaram a migrar lentamente para o exterior, onde as corporações podiam pagar menos (e evitar sindicatos) para produzir mercadorias similares. Mas não era só isso. Após o movimento pelos direitos das mulheres e dos negros, mais pessoas negras e mulheres estavam competindo por empregos, tanto nas indústrias como nos hospitais, que antes eram limitados a homens (brancos). Tudo isso aconteceu com o pano de fundo da Guerra do Vietnã, de Watergate, da renúncia de Nixon e de uma desesperança generalizada com o governo. Grandes mudanças demográficas, diminuição da confiança nas instituições públicas, precariedade financeira... tudo isso deve parecer familiar.

Assim, depois de anos de um coletivismo pós-Depressão, pós--Segunda Guerra Mundial, muitas pessoas de classe média começaram a se voltar para dentro. Culturalmente, e de certa forma superficialmente, isso parecia mesmo o que Wolfe descrevera como "A Década do Eu". Mas também se manifestou com uma guinada à direita na política: a adoção do Reaganismo e do "pensamento de mercado", também conhecido como a ideia de que deveria ser permitido que o mercado resolvesse as coisas sem a intervenção do governo, além da destruição dos sindicatos e de grandes cortes nos programas sociais que vinham junto.

Em *The Great Risk Shift* [A grande mudança de risco], Hacker mapeia o desenvolvimento da "Cruzada da Responsabilidade Pessoal", ou a ideia cada vez mais popular, articulada de diversas maneiras na cultura e na sociedade, evidente em políticas fiscais e teorias econômicas dominantes, de que "o governo deveria sair do caminho e deixar as pessoas serem bem-sucedidas ou falharem sozinhas".[14]

Um ponto central para essa estrutura, argumenta Hacker, era a noção de que "seria melhor para os americanos lidar com riscos econômicos sozinhos, sem a interferência presunçosa ou o custo de sistemas maiores de divisão de riscos". Em outras palavras, a divisão de riscos, seja na forma de financiamentos robustos para educação superior ou de fundos de pensão privados empresariais, era presunçosa, indulgente e desnecessária. E havia o argumento, agora tão familiar ao pensamento conservador que parece até batido, de que redes de segurança tornam as pessoas preguiçosas, ingratas ou autoindulgentes — sendo portanto, em seu âmago, antiamericanas. "Ao nos proteger das totais consequências de nossas escolhas", explica Hacker, se pensava que seguros "tiravam o incentivo para que as pessoas fossem produtivas e prudentes".[15]

A mudança quanto ao risco também significou a transferência da responsabilidade pelo treinamento para o indivíduo, e não para o empregador. No passado, muitas empresas contratavam funcionários com ou sem diplomas universitários e pagavam seus salários enquanto os treinavam para um emprego específico. Em uma fábrica, alguém contratado como empacotador poderia ser treinado para o cargo de inspetor; uma recepcionista em uma firma de contabilidade poderia conseguir um diploma de contabilidade. Uma empresa de mineração, por exemplo, poderia financiar programas de engenharia em faculdades locais, criando bolsas para os alunos que participassem. Talvez as empresas não estivessem fazendo o treinamento elas mesmas, mas estavam efetivamente pagando por ele — com o "risco" (isto é, o custo) recaindo sobre a organização, não sobre o empregado.

Hoje em dia, a maioria dos empregadores exige que candidatos a vagas absorvam o fardo de seu treinamento. Pagamos por diplomas universitários, certificados, pós-graduações, mas também arcamos com os custos de estágios e treinamentos, de forma que cada pessoa "absorve o custo do seu próprio treinamento para entrar no mercado de trabalho", seja pagando por créditos da faculdade (oferecendo seu trabalho de graça em um estágio que conta como uma "aula") ou simplesmente trabalhando sem qualquer recompensa financeira.[16] Algumas empresas ainda treinam seus funcionários por necessidade (em áreas muito específicas, como manutenção de painéis solares) e algumas organizações de colarinho-branco pagam as pós-graduações de seus executivos. Além disso, sempre existem as Forças Armadas. No entanto, a responsabilidade pelo treinamento, na maioria das vezes, agora recai sobre o trabalhador — e mesmo assim não há garantia de emprego. Essa mudança aconteceu de forma tão gradual que é difícil perceber sua profundidade, assim como quanto das dívidas estudantis são um reflexo disso, mas ela começou, por mais silenciosamente que seja, quando os Boomers chegaram à idade adulta.

O resultado mais óbvio dessa mudança de risco é o destino dos fundos de pensão, que se tornaram tão raros na economia atual, tão completamente distantes do que podemos imaginar, que, para muitos, parece até um exagero pensar nisso, quanto mais esperar algo assim. Quando penso na pensão do meu avô — que ele começou a receber ao se aposentar, aos 59 anos, do seu emprego na 3M —, minha reação imediata é que aquilo era um *disparate*. Mas a ideia de uma pensão não era, e não é, nada extravagante. É baseada na ideia de que parte do lucro que você ajudou a produzir para a empresa deveria ir não para os acionistas, não para o CEO, mas para os funcionários de longa data, que continuariam a receber parte do seu salário mesmo depois de se aposentar. Basicamente, o trabalhador dedicou anos de sua vida a tornar a empresa lucrativa; a empresa então dedica alguns anos extras de seus lucros ao bem-estar do funcionário.

Com os fundos de pensão, somados ao Seguro Social — com que todo trabalhador contribui durante a sua vida profissional —, a maior parte dos trabalhadores sindicalizados e de carteira assinada durante o período pós-guerra conseguiram se aposentar com conforto. Não foram enviados a abrigos para pobres, como muitos idosos antes da Grande Depressão e da instituição do Ato de Segurança Social; nem tiveram que depender de seus filhos. Mas, conforme a economia mudava nos anos 1970, as empresas começaram a ver os fundos de pensão como uma deficiência. A partir de 1981, algumas organizações trocaram os fundos de pensão por programas 401K, que permitem que os funcionários façam poupanças sem incidência de impostos para a aposentadoria. Parte dessas empresas também oferecia "pagamentos combinados", até certo ponto: se você depositasse um dólar, a empresa contribuía com um valor entre cinco e cinquenta centavos.

No entanto, cada vez mais empresas começaram a oferecer absolutamente nada. Em 1980, 46% dos trabalhadores do setor privado tinham algum plano de pensão. Em 2019, esse número caiu para 16%.[17] Uma análise de dados da Pew Charitable Trusts a partir da Pesquisa sobre Renda e Participação em Programas de 2012 descobriu que 53% dos trabalhadores do setor privado tinham acesso a um plano de "contribuição definida", como um 401K ou um Roth 401K IRA. Enquanto muitos celebraram a possibilidade de mudar de emprego, em vez de permanecer com o mesmo empregador só para maximizar os benefícios de pensão, essa flexibilidade criou problemas importantes em relação aos programas: empresas se esquecem de contribuir para o 401K ou empregados tiram dinheiro do programa para cobrir despesas em momentos de "dificuldade", de pagamentos a faculdade ou a emergências médicas.[18] E ter acesso a um plano é diferente de participar dele: só 38% dos trabalhadores do setor privado efetivamente se comprometeram com os planos de contribuição oferecidos. É difícil, afinal, se convencer a guardar dinheiro para segurança futura quando seu presente parece inseguro de forma tão absurda.

Quando meus outros avós se aposentaram, no fim dos anos 1980, conseguiram viver — não de forma luxuosa, mas viver — com sua aposentadoria. Hoje em dia, depender só da aposentadoria pública significa mal poder cobrir as despesas básicas. Mesmo assim, a ideia da responsabilidade pessoal persistiu: se você se planejar e começar a guardar dinheiro assim que começar a trabalhar, *teoricamente* ficará bem. Mas você também pode acabar dependendo do Seguro Social, vivendo mês a mês, mesmo depois de trabalhar duro a vida toda. Antes da Grande Depressão, era assim que os americanos viviam: com uma falta de segurança abjeta para a imensa maioria da população do país. Foi assim que a Geração Grandiosa viveu; esses são os relatos que foram passados, com uma reverência digna de qualquer história de guerra, para os filhos Boomers. E é por isso que, às vezes, é tão inacreditável que qualquer uma das duas gerações queira voltar àquele estilo de vida americano de antes.

Como tantas mudanças ideológicas contraditórias, porém, essa é ao mesmo tempo absurda e imediatamente compreensível. Americanos, afinal, amam a ideia do cidadão resiliente que veio do nada e cujo sucesso pode ser atribuído à perseverança cega não importam as barreiras. Mas o mito do americano que chegou onde chegou totalmente sozinho, como todos os outros mitos, depende de uma ignorância proposital e sustentada — muitas vezes perpetuada por quem já se beneficia dessas ideias.

A persistência da narrativa do "levantar a si mesmo pelos cadarços das botas", por exemplo, sempre dependeu do fato de as pessoas ignorarem quem podia ter botas e quem tinha dado os cadarços com que se levantar. O culto do individualismo omite todas as maneiras pelas quais o trabalho daquela pessoa pôde se estabelecer e florescer por conta de programas e políticas públicas federais, desde o Ato da Herdade até a Lei dos Veteranos da Segunda Guerra — os quais, muitas vezes, excluíram pessoas que não eram brancas ou não eram homens.

Mas é mais fácil — e mais heroico — se a história da ascensão da classe média só tiver a ver com o trabalho individual. E ninguém quer perder nenhum dos benefícios frutos desse trabalho e conseguidos a duras penas. Isso ajuda a explicar a popularidade da Cruzada da Responsabilidade Pessoal entre Boomers e seus pais: membros da classe média tão assustados com a crescente instabilidade econômica que começaram a destruir a estrada que tinham percorrido. Ajudaram a eleger líderes como o presidente Ronald Reagan, que prometeu "proteger" a classe média com a diminuição de impostos, embora suas políticas públicas, quando colocadas em prática, tenham servido para cortar investimentos dos muitos programas que permitiram à classe média chegar lá para começo de conversa. No governo estadual, elegeram legisladores que passaram leis sobre o "direito a trabalhar", que na prática tiraram o poder dos sindicatos, que cada vez mais eram retratados como avarentos e corruptos, culpados pela destruição da competitividade dos Estados Unidos no mercado global.

Destruir a estrada percorrida também significa justificar a eliminação de serviços sociais, demonizando "rainhas dos programas sociais"* e seguindo a recém-aceita sabedoria de que os programas criados com a intenção de diminuir a desigualdade social acabavam mantendo as pessoas na pobreza. Isso significou fazer cortes majoritariamente em departamentos que afetavam muito mais comunidades negras, como os setores de habitação e desenvolvimento. Como Maurice A. St. Pierre, no *Journal of Black Studies* de 1993, explicou: "As políticas da administração Reagan — baseadas na filosofia de trabalho duro, independência, economia e mínima intervenção governamental na vida dos cidadãos e na ideia de tornar os Estados Unidos fortes de novo — afetaram os pobres, muitos dos quais negros, de forma mais negativa do que as pessoas de camadas econômicas superiores".[19]

A melhor maneira de chegar ao bem coletivo, segundo Reagan, era por meio de um foco muito estreito no cultivo do eu e do meu, com mínimas considerações a como as consequências dessas ações afetariam filhos e netos nos anos seguintes. Essa ideia se desenvol-

---

* "Welfare queen" é um termo depreciativo usado nos Estados Unidos para se referir a mulheres que supostamente fazem mau uso ou recebem pagamentos excessivos por meio de fraude e manipulação. (*N do E.*)

veu até chegar ao argumento, só em parte jocoso, de que Boomers (brancos e de classe média) são, no fundo, sociopatas: sem empatia, egoístas, que sentem somente desprezo pelos outros. Em seu livro *A Generation of Sociopaths: How Baby Boomers Betrayed America* [Uma geração de sociopatas: Como os Baby Boomers traíram a América] publicado em 2017, Bruce Gibney argumenta que os Boomers também são antissociais; não no sentido "não quero ir à festa", mas sim de "não tenho compaixão pelos outros".

Não é uma hipótese cientificamente rigorosa, mas hoje, o argumento geral de Gibney parece cada vez mais crível. Lá atrás, em 1989, Barbara Ehrenreich articulou uma ideia similar. Traçando o desenvolvimento dos movimentos estudantis, as críticas a eles e a ansiedade sobre a recém-expandida e recém-ameaçada estabilidade da classe média, ela argumenta que os Boomers se afastaram da perspectiva liberal dos anos 1960 e criaram "uma visão mais maldosa, egoísta e hostil quanto às aspirações dos menos afortunados".[20] Eles quebraram o "contrato social" que, de acordo com os economistas Matthias Doepke e Fabrizio Zilibotti, definiu o período pós-guerra "e decidiram cuidar só de si mesmos: investiram mais na própria educação e no sucesso individual, enquanto desconsideravam a importância de proteções sociais".[21]

Críticos e acadêmicos que estudam esse período tomam o cuidado de notar, porém, que essa foi a trajetória básica dos ricos e da classe média "profissional", uma mistura de gerentes, bacharéis, professores universitários, médicos, escritores e consultores cujo status de classe era "confirmado" pela produção de bens e conhecimento. Eram, em grande parte, mas não totalmente, brancos; em geral viviam nos subúrbios ricos, espalhados pelos Estados Unidos, presentes tanto em faculdades como em cidades industriais. Eram assalariados, não pagos por hora, e era improvável que fizessem parte de um sindicato.

Se, por um lado, esses Boomers de classe média profissional não eram, de forma alguma, a maioria — somando apenas 20% da população —, por outro, sua proximidade com as engrenagens do poder e sua visibilidade cultural lhes deram, e às ideologias que eles abraçaram e propagaram, uma força muito maior. Eles eram "a elite", e como Ehrenreich argumenta, "uma elite que tem consciência de seu status vai defender esse status, mesmo que isso signifique abandonar de todas as maneiras, com exceção à retórica, valores estabelecidos como democracia e justiça".[22]

Tanta hostilidade perante os outros foi motivada, pelo menos em parte, pelo medo de cair de seu patamar de classe e da humilhação social que se seguiria.[23] Para evitar esse destino, alguns dos Boomers mais jovens — que se formaram no fim dos anos 1970 e início dos anos 1980 — começaram a adotar uma compreensão diferente do propósito da educação e do consumo. Como Millennials que se formaram durante e após a Grande Recessão, eles terminaram o ensino médio ou a faculdade, e os empregos que sempre supuseram que encontrariam não estavam lá. Eles foram os primeiros Boomers a entrarem no mercado de trabalho *depois* do "milagre econômico" e compreenderam, de certa forma, que teriam que seguir por uma rota diferente da dos pais se quisessem alcançar a segurança da classe média.

Ehrenreich chama essa nova filosofia de "a Estratégia Yuppie". Como os hipsters do final dos anos 2000, os *yuppies* (*young urban professionals*, ou profissionais jovens e urbanos) eram uma categoria social a que poucos assumiam pertencer e que era impiedosamente satirizada em textos como *The Yuppie Handbook* [O manual do Yuppie]. Porém, sua popularidade — como sujeito de matérias sobre tendências ou como saco de pancadas cultural — sugeria uma nova direção da sociedade, algo que, ao mesmo tempo, confundia e inspirava.

Os *yuppies* mais clichês tinham diploma de nível superior, moravam em Nova York e trabalhavam com finanças, direito ou consultoria. Eram consumistas de uma forma que rejeitava a sovinice dos pais, gastando muito em aparelhos (como eletrodomésticos Cuisinart) e alimentos sofisticados (tomates secos, sushi), além de férias (nas Bahamas) e compras motivadas por status (como relógios Rolex). Gostavam de vinho, plantas domésticas e um novo hobby descolado chamado "*jogging*". Compraram imóveis em bairros que se gentrificavam, aumentando preços e tornando os lugares inacessíveis a quaisquer outras pessoas que não outros *yuppies*. (Se tudo isso parece uma versão levemente ultrapassada de nossa cultura de consumo atual, é porque é isso mesmo.)

O mais importante é que eles não tinham vergonha de amar o *dinheiro*. Como dizia uma icônica matéria de capa da *Newsweek*, os *yuppies* tinham "marchado pelos anos 1960 e então se dispersado em um batalhão de um milhão de *joggers* solitários, navegando em suas próprias ondas alfa, e agora lá vão eles de novo, mal tirando os olhos das imensas colunas cinzentas do *The Wall Street Journal*, à toda para o aeroporto, atravessando os anos 1980 no banco de trás de uma limusine". Não eram necessariamente como Gordon Gekko no filme *Wall Street: Poder e cobiça*, lançado em 1987, mas Gekko era mesmo a personificação de seus piores traços. Diferentemente dos Boomers mais velhos, "eles não perderam tempo 'tentando se encontrar' ou participando de movimentos radicais", escreve Ehrenreich. "Eles mergulharam diretamente no *mainstream* econômico, ganhando e gastando com o mesmo entusiasmo." "*Yuppy*" era um trocadilho com a palavra "Yippie" — o nome de um dos grupos de manifestantes radicais dos anos 1960 —, e a semelhança era proposital. Os hippies tinham virado engravatados.

O primeiro passo da estratégia *yuppie*, de acordo com Ehrenreich, era um tipo de "pragmatismo prematuro": escolher uma graduação com base no que lhes colocaria em uma posição em que ganhariam muito dinheiro rapidamente. Entre o início dos anos 1970 e o início dos anos 1980, o número de formados em inglês caiu quase 50%, assim como o de formados em ciências sociais. Durante o mesmo período, o número de graduados em Administração *dobrou*.[24]

Esse "pragmatismo" deve soar familiar para os Millennials. Os *yuppies* queriam o que foram treinados para querer, que é o mesmo que Millennials de classe média também foram treinados para querer: um estilo de vida de classe média como o dos seus pais, se não a ascensão para uma faixa socioeconômica ainda mais alta. Mas, por conta das mudanças na economia, um diploma de faculdade não era mais o suficiente para assegurar esse estilo de vida. Eles tinham que escolher a graduação *certa* e conseguir o emprego *certo* para embasar aquele status de elite — e começar a nadar rápido o suficiente para conseguir se manter na superfície.

Porém, o "emprego certo" muitas vezes era algo que acentuava as condições que deixaram os *yuppies* tão loucos para começo de conversa. Como o historiador Dylan Gottlieb aponta, *yuppies* foram "os beneficiários de uma ordem social desigual que eles ajudaram a criar".[25] Para os *yuppies* continuarem a nadar, outros tinham que afundar — queda nas ações dos *yuppies* como corretores da Bolsa, consultores e advogados corporativos.

É por isso que os *yuppies* se tornaram um ponto focal de conversas sobre os anos 1980 e os Boomers em geral: "Falar sobre *yuppies* era uma forma de dar sentido ao eclipse da manufatura e à ascensão das indústrias financeira, profissional e de serviços", explica Gottlieb. "*Yuppies* eram uma indicação da crescente desigualdade entre a classe média-alta com ensino superior e aqueles que estavam sendo deixados para trás."

Nem todos os Boomers eram *yuppies* — nem de longe —, mas analisar as ações deles nos dá uma visão das ansiedades gerais da classe média Boomer. Elas se formaram ao longo dos anos 1970, sofreram metástase nos 1980 e se tornaram o estado normal da vida nos 1990. Às vezes a culpa pelo fim da prosperidade é colocada no "governo interventor", às vezes em uma compreensão vaga da competitividade global. Isso se torna mais agudo durante pequenas recessões econômicas, mas as "recuperações" só ofereciam um alívio superficial. Alguns Boomers conseguiram se agarrar ao status de classe dos pais, enquanto outros se tornaram parte do que ficou conhecido como a "classe média desaparecida", isto é, a classe média profissional, cujos empregos e cuja segurança de classe foram colocados em perigo e então, em muitos casos, completamente destruídos. Mas a questão mais premente dessa geração permanecia a mesma: para onde foi nossa segurança e por que não conseguimos recuperá-la?

Lidar com a apreensão constante sobre sua posição social e lutar para encontrar um emprego que lhe permita tentar manter essa posição... essa era a experiência dos Boomers com o que agora conhecemos como burnout. Eles não tinham celulares ou imensas dívidas estudantis para piorar a situação, mas tinham essa inquietação fundamental, o peso psicológico de lidar com a precariedade cotidiana.

Examinar os Boomers pela lente da história econômica explica muita coisa: seus hábitos eleitorais e seu retorno a si mesmos. Porém, se você ainda está se perguntando o que isso tem a ver com o burnout dos Millennials, pense bem. Cercados por ameaças imaginadas e incerteza crescente, os Boomers de classe média se voltaram com ainda mais força ao que podiam tentar controlar: seus filhos.

2
MINIADULTOS EM CRESCIMENTO

"Comecei a me sentir ocupada aos sete anos." Foi isso que Caitlin, que se identifica como birracial e cresceu nos subúrbios da capital Washington nos anos 1980, me contou. De início, havia uma variedade de atividades — natação, beisebol, artes —, pelo menos uma todos os dias depois da escola. Quando chegou à pré-adolescência, Caitlin já tinha mais influência para escolher as atividades extracurriculares e se dedicou à dança e ao teatro. Tanto o seu pai como a sua mãe trabalhavam fora, e o pai viajava com frequência. Então, uma babá levava e trazia Caitlin das atividades e supervisionava o dever de casa depois da escola. A mãe de Caitlin se importava muito com suas notas — nunca menos do que 8 — e sempre queria se certificar de que ela estava andando com as pessoas "certas".

"Quando cheguei à vida adulta, me dei conta de que fico estressada quando não estou fazendo algo", diz Caitlin. "Eu me sinto culpada quando estou só relaxando. Até na faculdade, eu me peguei fazendo seis matérias por semestre, trabalhando no campus, participando de clubes, voluntariados, peças e musicais, e mesmo assim sentia que não estava fazendo o suficiente."

Stefanie, que é branca, nasceu em 1982 e cresceu no norte de Idaho, a poucos quilômetros da fronteira com o Canadá. Seu pai era madeireiro e trabalhava das três da manhã até escurecer; a mãe ficava em casa com ela e os quatro irmãos. Seus avós e vários tios e tias moravam por perto e mantinham relações próximas com a família. Desde pequena, ela e os irmãos tinham a liberdade de andar de bicicleta por aí sem muito limite; durante o verão, iam para uma escola de ensino fundamental e lá brincavam sem supervisão por horas. Junto com os primos, jogavam futebol de latinha, pique-bandeira, polícia e ladrão — também sem supervisão — na rua, até tarde.

Na pré-adolescência, Stefanie se mudou com a família para uma casa afastada, com um terreno de dois hectares. "A gente construía muitos fortes, fazia fogueiras, basicamente ficava solto no terreno", ela me contou. Sua mãe lhe ensinou a ler, mas depois disso meio que deixou Stefanie sozinha em relação à escola e aos deveres de casa. Não havia uma "agenda" da família, com exceção da igreja aos domingos e, uma vez por mês, a reunião com todos na casa dos avós para comemorar o mais recente aniversário.

As infâncias de Caitlin e Stefanie aconteceram a milhares de quilômetros uma da outra, com panos de fundo socioeconômicos diferentes, e em extremos opostos da escala de idade dos Millennials. Elas representam dois paradigmas de criação de filhos e ideias sobre que tipo de "preparo" deve-se ter para a vida adulta — um dos quais, durante o desenrolar da infância dos Millennials, cada vez mais suplantava o outro. As pessoas sabiam que essa mudança estava acontecendo, mas isso não era estudado com profundidade ou qualquer tipo de nuance. Pelo menos não até Annette Lareau.

Entre 1990 e 1995, Lareau, uma socióloga da Universidade da Pensilvânia, acompanhou 88 crianças, começando no terceiro ano do ensino fundamental. Como Caitlin e Stefanie, essas crianças vinham de contextos econômicos e raciais variados, frequentavam escolas distintas e tinham expectativas muito diferentes do que deveriam fazer depois da escola.

Para o estudo, Lareau e seus assistentes de pesquisa passaram longas horas com as crianças e as famílias, em suas casas e arredores, tentando se misturar o máximo possível. O objetivo: observar, em detalhes, como a criação dos filhos e as expectativas sobre a infância mudavam ao longo do espectro socioeconômico. Eles conheceram o "Little Billy" Yanelli, um menino branco que morava em uma casinha bem-arrumada com os pais, que não haviam completado o ensino médio. A mãe trabalhava como faxineira para famílias ricas nos subúrbios; o pai pintava casas. Billy conseguia tirar notas boas no colégio, mas regularmente se metia em confusão; a professora o chamava de "palhaço". Tirando uma atividade esportiva regular, Billy passava a maior parte do tempo livre brincando com as crianças da vizinhança ou parentes, a maioria dos quais também moradores da área.

Além dele, havia Stacy Marshall, uma menina negra que morava em um bairro tranquilo suburbano de classe média com a irmã e os pais, que saíram do sul dos Estados Unidos para fazer faculdade. O pai era funcionário público; a mãe trabalhava no que hoje chamaríamos de "indústria da tecnologia". Stacey estudava piano, era uma ginasta de talento e passou vários verões em acampamentos variados. Quando não passou, por pouco, para o programa de alunos avançados na escola, a mãe conseguiu negociar para que Stacey fizesse a prova de novo. Embora os Marshall ganhassem bem — o suficiente para comprar o que havia de melhor de roupas e brinquedos para as filhas —, estavam sempre preocupados com dinheiro, temendo uma redução da indústria.

E havia Garrett Talinger, um de três irmãos que cresciam em um bairro de classe média-alta branca nos subúrbios. Seus pais eram formados em universidades da Ivy League e se esforçavam muito para conciliar as viagens exigidas por seus empregos como consultores. Eles tinham piscina e empregadas regulares e eram membros de um clube particular de elite. Mas seus pais raramente falavam sobre dinheiro — mesmo quando a mãe de Garrett saiu do emprego para passar mais tempo com a família e as finanças ficaram mais apertadas.

As vidas da família Talinger giravam em torno do "calendário", que estava sempre lotado de horários de treinos, testes e jogos, muitos exigindo viagens. Garrett participava de ligas especiais e torneios de três esportes diferentes e fazia aulas de piano e saxofone. Era um bom aluno e se comportava bem na escola, mas muitas vezes se sentia exausto, era "competitivo e hostil" com os irmãos e se ressentia do fato de os pais não ganharem mais o suficiente para que pudesse se matricular na escola particular cara em que estudava antes. De muitas formas, a vida de Garrett parece um estereótipo ruim da existência Millennial: ocupado demais, privilegiado demais e, pelo que se pode facilmente imaginar nos anos futuros, sofrendo com burnout.

Lareau percebeu uma divisão entre os pais que praticavam o que ela chamou de "cultivo combinado" e aqueles, em geral de classes mais baixas, que se recusavam ou não tinham tempo de orientar suas vidas inteiras em torno das atividades e dos futuros currículos dos filhos. Não é que esses pais de classe baixa fossem pais "ruins", é só que as habilidades que cultivavam nos seus filhos, incluindo independência e imaginação, não eram as mais valorizadas no mercado de trabalho burguês. Para ser valorizado ali, você precisa de planos, currículos extensos, tranquilidade e confiança para interagir com figuras de autoridade e uma compreensão inata de como a hierarquia profissional funciona. Você precisa de contatos, da capacidade de fazer muitas coisas ao mesmo tempo e da tendência a encher sua agenda de atividades.

Alguns Millennials foram criados assim, às vezes resistindo e às vezes aceitando as melhores intenções dos pais. Outros lutaram a vida inteira para adotar e imitar comportamentos que nunca aprenderam. Muita coisa depende de quando, onde e como você foi criado: se seus pais eram casados ou divorciados, se você morava na cidade grande ou em meio a áreas abertas e que tipo de "atividade" ao menos era possível, quanto mais pagável. Porém, o denominador comum entre essas experiências permanece o mesmo: para ser "bem-sucedida", uma criança Millennial, pelo menos de acordo com os padrões da classe média, tinha que se preparar para o burnout.

Os princípios do cultivo combinado parecem familiares porque são o que foi representado, e concordado de forma tácita, como "boas" práticas de criação de filhos nas últimas três décadas. O horário da criança — começando com sonecas e seguindo por competições de dança, apresentações musicais ou jogos esportivos — tem preferência sobre o horário dos pais; o bem-estar da criança e, mais importante, sua futura capacidade de sucesso, é o mais importante. A comida do bebê deve ser caseira; brincadeiras devem ser educativas; professores particulares devem ser contratados se necessário.

Dentro da estrutura do cultivo combinado, a criança deve desenvolver um vocabulário extenso, se sentir capaz de questionar autoridades e defender suas necessidades e aprender a negociar e planejar as exigências de sua agenda desde a mais tenra idade. Elas precisam ser treinadas para serem boas funcionárias, fazendo muitas tarefas ao mesmo tempo e alimentando contatos. Todas as partes da vida da criança, em outras palavras, podem ser otimizadas para melhor prepará-la para sua eventual entrada no mercado de trabalho. Elas se tornam miniadultos, com as respectivas ansiedades e expectativas, anos antes da vida adulta.

O cultivo combinado é, no fundo, uma prática da classe média. Mas, nos últimos trinta anos, seus ideais transcenderam as fronteiras de classe, tornando-se a fundação da "boa criação", em especial para aqueles que perderam (ou têm medo de perder) o status de classe média. E embora ninguém fora do meio acadêmico chamasse isso de "cultivo combinado", os Boomers de todo o país me contaram que aspiravam a qualquer que fosse a versão do ideal que pudessem alcançar.

Quando Sue e o marido estavam criando seus filhos Millennials nos arredores da Filadélfia, por exemplo, eram trabalhadores da indústria, vivendo de contracheque em contracheque. Sua versão do cultivo combinado era economizar todo mês para pagar as mensalidades na escola católica perto de casa. De 1983 a 1987, Rita era mãe solo de dois filhos e vivia se mudando de cidade em cidade nos Estados Unidos. Ela sabia que ser voluntária na escola das crianças era importante, mas seu cronograma de trabalho tornava isso difícil, embora a escola ficasse a um quarteirão de distância. E, embora a família vivesse abaixo da linha da pobreza, mesmo assim ela guardava dez dólares por mês para propiciar o único tipo de "atividade educativa" que era capaz de pagar: uma viagem para acampar nas férias de verão.

Para Cindi, uma mulher latina que vivia no sul do Texas, o dinheiro sempre estava curto, em especial depois que ela e o marido foram demitidos. A experiência aproximou a família, ela me contou, e fortaleceu sua fé. Apesar das pressões financeiras, os filhos continuaram tendo central importância. Ela ajudava os professores com tarefas na classe, acompanhava excursões e eventos e fazia campanhas de arrecadação. "Nós vivemos e nos sacrificamos pelos nossos filhos", me contou ela. "As crianças primeiro, o casamento depois."

Por causa da minha idade e do local (como Stefanie, uma cidadezinha no norte de Idaho), meus pais não sentiram, ou sentiram menos pressão para seguir, ou rejeitaram, ou simplesmente não tinham acesso a muitos dos princípios do cultivo combinado. Mas isso não significa que minha mãe, a principal cuidadora da família, não tenha incorporado seus elementos na minha infância, propositalmente ou não.

A maior parte da filosofia de criação de filhos da minha mãe, pelo que ela me contou, era principalmente baseada no que ela aprendera em suas aulas de licenciatura, em especial sobre psicologia do desenvolvimento. "Eu procurava experiências que moldariam sua forma de pensar desde pequena", ela me contou, como ler dois livros toda noite — "tanto para criar o amor pela leitura quanto para estabelecer uma rotina que deixasse claro quando você tinha que ir dormir" — e fazer três refeições saudáveis por dia com lanches limitados.

Eu frequentava a pré-escola, no subsolo da nossa igreja, durante três horas por dia. Eu me lembro de que adorava. Como minha mãe não trabalhava fora, ela podia me buscar, me deixar lá e me supervisionar o restante do tempo. Não havia competição para entrar na pré-escola, nem mesmo uma lista de espera. Quando comecei o ensino fundamental, ia caminhando por cinco minutos até o ponto do ônibus escolar, que fazia uma viagem de meia hora na ida e na volta. Em torno do quarto ano, quando minha mãe voltou a trabalhar, me foi permitido ficar sozinha em casa depois da escola — um tempo que eu apreciava muito e enchia de minipizzas e episódios de *Star Trek: The Next Generation*.

Diferentemente de muitos Millennials de classe média, só comecei a fazer atividades extracurriculares de qualquer tipo na segunda série, quando iniciei as aulas de piano. Minha mãe tocava e achava que aprender a ler partituras e saber "como a música é feita" era importante. "Não pensei em outros benefícios, como a disciplina de se lembrar de praticar, ou a importância de aprender a se apresentar em público", me contou ela recentemente.

Como minha mãe havia deixado um emprego de professora em uma escola particular de elite em Minnesota quando se mudou para Idaho, ela sentia que "devia algo" a mim e ao meu irmão.

Ela se tornou presidente da Associação de Pais e Mestres e foi eleita para a diretoria da escola. Não havia muitas "atividades recreativas" na cidade, mas ela me inscreveu no que havia disponível, em geral com meu entusiástico consentimento: fui escoteira e continuei tocando piano. Eu amava escrever, o que ela incentivou pedindo a uma das amigas, uma professora de inglês do ensino médio, que corrigisse minhas redações de tema livre. Eu amava ler, mas o acordo era que eu tinha que alternar um livro do Clube das Babás (leituras fáceis e reconfortantes) com outro diferente.

"Eu queria que vocês fossem cultos", minha mãe me contou. O interessante, então, são todas as maneiras, muitas altamente camufladas, como essa educação acontecia *fora* da sala de aula. Ela estava me preparando para a vida adulta, mais em específico me preparando para a vida adulta de *classe média*, profissional e culta. Eu e meu irmão acompanhávamos nossos pais a restaurantes chiques onde aprendemos boas maneiras à mesa e fomos expostos a "diferentes" tipos de comida (uma das minhas memórias sensoriais de infância mais vívidas é a de provar escargot, uma versão incrivelmente oitentista de comida "sofisticada"). Recebíamos um jantar "chique" como recompensa quando conseguíamos, nas palavras da minha mãe, "um feito que tinha levado bastante tempo para ser alcançado". Meus pais também nos levavam a passeios fora da nossa cidadezinha — para Seattle ou Spokane — para visitarmos museus e aprendermos a nos comportar em público.

Mesmo assim, todo o cultivo combinado dos meus pais tinha como pano de fundo brincadeiras longas e quase sem supervisão. Morávamos em uma rua sem saída, em um condomínio relativamente novo. Não tinha parques por perto, mas havia um imenso terreno baldio atrás da nossa casa, coloquialmente conhecido como "matinho", que deu à minha infância a sensação, se não a realidade, de liberdade total.

A vizinhança tinha muitas crianças, e eu brincava com elas — no meu quintal, no quintal delas e, depois, quando ficamos mais velhos, nas ruas e no "matinho" — por longos períodos. Meu primeiro amigo de infância morava na casa ao lado, e as fronteiras entre a casa dele e a minha pareciam fluidas. Andávamos de bicicleta juntos, fazíamos fortes de acácias caídas, caçávamos grilos por horas. Os verões sempre tinham a sensação de uma infinitude selvagem, pontilhados de aulas de natação, viagens para acampar e uma semana de aulas de catecismo na igreja. Mas na maior parte do tempo eu passava infinitas horas tentando me divertir sozinha: do lado de fora, andando de bicicleta, na piscina ou no meu quarto.

Eu e meu irmão tivemos a infância em grande parte desestruturada que, como muitos Millennials, com frequência resgatamos para comparar com o que parece a vida extremamente regrada das crianças de hoje. Outros Millennials mais velhos se lembram de liberdades semelhantes: Ryan, que cresceu nos subúrbios de classe média de Kansas City, Missouri, se lembra de tardes infinitas em casa com os irmãos enquanto os pais trabalhavam nos anos 1980 e no início dos anos 1990. "Em geral a gente ficava em casa, muitas vezes pentelhando uns aos outros", contou ele. "Eu subia na árvore do nosso quintal para fugir dos meus irmãos, e eles pegavam a mangueira e me molhavam até eu descer. Quando pelo menos um dos nossos pais estava em casa, a gente tinha mais liberdade para brincar na vizinhança toda, sem supervisão."

Mary, que nasceu em 1985, cresceu "quase que totalmente sem supervisão" na parte rural de Virginia — seu pai era pastor de uma congregação rica, mas sua família quase nunca tinha dinheiro. "Eu brincava e lia sozinha nos hectares de mata atrás da nossa casa", ela relembra, "caminhando solitária pelo terreno da igreja do outro lado da rua, aprendendo a cozinhar coisas bizarras sozinha na cozinha e saindo para longos passeios sem mais ninguém pela vizinhança". Emily cresceu em uma fazenda em Illinois, a oito quilômetros da cidadezinha mais próxima. "Eu subia num cavalo sem sela nem nada sempre que queria", contou, "e me pendurava nas cordas no celeiro cheio de pilhas de feno, catava lagostins debaixo da ponte e construía nossa cidade de mentira na mata".

Mas a maioria dos Millennials com quem conversei e que tinham esse tipo de liberdade eram mais velhos ou cresceram em áreas rurais onde não havia tanta preocupação com crimes. Conforme os ideais do cultivo combinado seguiram se espalhando, se consolidaram em comportamentos que hoje consideramos "parentalidade helicóptero", que também pode ser descrita como *mais* parentalidade, e particularmente mais tempo passado com as crianças, em especial depois da escola e nos fins de semana, quando elas antes ficavam sozinhas.

Em "A criança superprotegida", artigo publicado na *The Atlantic* em 2014, o marido de Hanna Rosin percebe que sua filha, na época com dez anos de idade, provavelmente não havia passado mais do que dez minutos sem supervisão *na vida*.[1] Rosin relaciona a mudança em direção à supervisão cada vez maior — e a concomitante tentativa de eliminar o risco nas brincadeiras infantis — a dois importantes eventos no final da década de 1970. Primeiro, em 1978, um garotinho se feriu gravemente em um escorregador de três metros e meio de comprimento em Chicago. A mãe, que estava bem atrás dele quando o menino caiu por uma fresta no topo do brinquedo, processou o Chicago Park District e as empresas responsáveis por construir e instalar o escorregador.

O processo, que mais tarde foi concluído com o pagamento de 9,5 milhões de dólares, foi um de vários que instauraram uma onda de "reforma de parquinhos", e milhares por todo o país trocaram aparelhos recém-considerados "perigosos" por novos equipamentos, ostensivamente mais seguros e quase sempre padronizados. (Na minha escola do fundamental, gangorras e gira-giras foram substituídos por escorregadores feitos daquele plástico amarelo duro que sempre dava choquinhos; se você é um Millennial mais velho, pode se lembrar de coisa parecida.)

O segundo evento aconteceu em Manhattan, em 1979, quando um menino de seis anos chamado Etan Patz, que implorara para a mãe deixá-lo ir até o ponto do ônibus escolar sozinho, finalmente conseguiu o que queria... e desapareceu. A história se tornou notícia no país inteiro e, com o sequestro e assassinato de Adam Walsh, um menino de quatro anos da Flórida, ajudou a criar um pânico nacional sobre o desaparecimento de crianças, o "perigo de estranhos" e a onipresente ameaça de pedófilos. Fotos de crianças desaparecidas começaram a surgir nas caixas de leite no início dos anos 1980; 38 milhões de pessoas assistiram a uma dramatização do sequestro de Walsh, nomeada simplesmente de *Adam*, exibida em 1983; Ronald Reagan transformou o dia do desaparecimento de Patz no Dia Nacional das Crianças Desaparecidas.

Apesar de toda essa ansiedade, "crimes contra crianças" na verdade não aumentaram no início da década de 1980, e, inclusive, desde o início dos 1990, estão diminuindo. "Uma criança de uma família feliz e intacta que vai até o ponto de ônibus e nunca volta para casa ainda é uma tragédia nacional", escreve Rosin, "não uma epidemia nacional". Mas a *percepção* de um maior perigo para as crianças, seja no parquinho ou em outros lugares públicos, fez com que pais (com a habilidade e tempo para tanto) tentassem evitar ou diminuir a exposição dos filhos a esses espaços.

A ansiedade sobre o "perigo de estranhos" era, de muitas formas, um reflexo de outras ansiedades sobre a compreensão do conceito de família que se transformava, o aumento do número de mães que trabalhavam fora e o enfraquecimento das comunidades e da coesão social que o acompanhava. Havia muita coisa aparentemente fora do controle dos pais, mas onde e como as crianças brincavam, se precisavam ou não ser supervisionadas o tempo todo… *isso* podia ser monitorado de perto.

Quando os Millennials chegaram ao ensino médio e à faculdade no curso dos anos 2000, esse tipo de parentalidade helicóptero tinha se espalhado — facilmente identificada e ridicularizada. Porém, em 1996, a socióloga Sharon Hays descreveu o fenômeno em seu livro *The Cultural Contradictions of Motherhood* [As contradições culturais da maternidade]. "Em resumo", escreveu, "os métodos de criação infantil apropriados são considerados focados nas crianças e guiados por especialistas, sendo emocionalmente cansativos, trabalhosos e de alto custo financeiro."[2]

A palavra crucial aqui é *considerados* — só porque pais de classe média decidiram que certo estilo de criação é superior não significa que, de modo empírico, ele *seja*. Por exemplo, como Lareau mostra, há elementos do estilo de criação das classes baixas e trabalhadoras que são incrivelmente válidos e, em geral, estão ausentes no cultivo combinado. Um dos mais importantes: "crescimento natural", ou a separação, consciente ou não, de tempo *não* estruturado no qual é permitido à criança cultivar a curiosidade, independência e capacidade de lidar com as dinâmicas sociais entre seus pares sozinha.

Na prática, essa inclinação ao cultivo combinado significou menos tempo livre e solto, do qual eu e Rosin nos lembramos tão bem. Significou que os jogos da vizinhança começaram a ter treinadores adultos, se tornando ligas esportivas supervisionadas e competitivas. Significou menos chances de procurar e testar limites pessoais, menos tempo passado somente com outras crianças, desenvolvendo hierarquias não supervisionadas, regras comunitárias e lógicas internas, e a sensação de competência e independência que acompanhava o término de pequenas tarefas realizadas sozinho (ir ao mercado, caminhar até o ponto de ônibus, voltar para a casa vazia e esquentar minipizzas). "O gerenciamento de risco era uma prática de mercado", escreve Malcolm Harris em *Kids These Days: Human Capital and the Making of Millennials* [As crianças de hoje: Capital humano e a formação dos Millennials]. "Agora é nossa estratégia de criação de filhos predominante."

Existem consequências dessa estratégia no desenvolvimento humano — mas às vezes é mais fácil vê-las quando observamos o que acontece na sua ausência. Danielle, que é branca e cresceu nos arredores de Orlando, se lembra de sua infância como, em grande parte, sem supervisão e livre por toda a vizinhança. Sua família era uma das mais pobres do seu grupo de amigos, periodicamente precisando de auxílio governamental para comprar comida. A única atividade regular de que ela se lembra era o coral, que era de graça e organizado pela escola. "Meus pais não fizeram faculdade, então não acho que eles tinham a ideia de 'encher o dia dos filhos com atividades para tornar a candidatura deles mais atrativa'", lembra ela. "Acho que o foco deles era garantir que teríamos um teto e comida na mesa."

Em retrospecto, ela fica grata por essa atitude: "Eu vi desde cedo como o trabalho pode acabar destruindo sem remorso as pessoas, assim como vi os benefícios de ter tempo livre", me contou. "Tenho amigos que são só um pouco mais novos que eu e que levam o trabalho muito mais a sério (e de forma muito mais pessoal), e não consigo deixar de pensar que minha infância quase selvagem, sem compromissos, tem algo a ver com isso."

Como Danielle, estou cada vez mais convencida de que uma das razões pelas quais consegui evitar ter burnout por tanto tempo pode estar diretamente ligada à quantidade de "crescimento natural" que pude ter. No entanto, muitas outras crianças Millennials não tiveram essa experiência, nem de longe. Como Rosin aponta, "uma preocupação comum dos pais hoje é que as crianças crescem rápido demais. Mas às vezes parece que na verdade as crianças não encontram espaço algum para crescer. Só se tornam fluentes em imitar os hábitos da vida adulta". Crianças da classe média se tornam miniadultos cada vez mais cedo — mas como o surgimento da retórica do "adultando" deixa claro, não estão necessariamente prontas para a realidade da vida adulta. Elas passaram muito tempo com adultos e aprenderam os sinais externos da performance da maturidade, mas lhes faltam a independência e o forte autoconhecimento que acompanham uma infância menos vigiada e protegida.

Vejamos, por exemplo, a história de Maya. Ela é branca e nasceu em 1996 — no final da geração Millennial —, crescendo nos subúrbios de classe média de Chicago, com os dois pais trabalhando fora. Seu bairro era "bom" e havia muitas crianças da sua idade, mas ela nunca via ninguém. "Não havia qualquer sensação de proximidade ou união, de que nós poderíamos brincar juntos ou nos encontrar", conta ela. Todas as crianças já estavam emparedadas em atividades distantes da vizinhança, inclusive ela. "Sempre tive a sensação de eu tinha mais um fiador do que uma 'agenda'. Pagava minhas dívidas de tempo na creche, nos programas depois da escola, nas atividades depois do ensino médio, e como não tinha carro, tinha que esperar meus pais me buscarem. Eu sentia que era forçada a morar na escola."

Ela se lembra de os pais serem totalmente focados nas notas e nas atividades extracurriculares, "mas nem tanto em me ensinar a fazer amigos" ou "a passar o tempo sem compromissos". Sua mãe lhe ensinou a sempre dar presentes aos professores; ela mandava cartões de Natal para todos os adultos que conhecia, fazia anotações em qualquer conferência ou palestra de que participava. Maya chama essas tendências — que ainda pratica, de maneiras ligeiramente alteradas — de "comportamento de CDF extremo", mas também podem ser chamadas de se preparar para o mercado de trabalho e para subir na vida.

A mãe de Maya era extremamente zelosa e sabia o que tinha que dizer para parecer uma boa mãe, muitas vezes repetindo o refrão "Você pode me contar tudo". Mas, quando Maya tentava conversar sobre suas inseguranças com a aparência, pensamentos negativos ou medos obsessivos, sua mãe logo ficava frustrada. Ela levou Maya à terapia, mas parecia pouco disposta a lidar diretamente com a confusão que é ter um filho. Hoje, Maya faz uma ligação direta entre a ocupação cultivada de sua infância e sua atual exaustão, vergonha e o burnout. "Eu penso nas cinco horas de sono, nas inúmeras atividades que queria fazer, na tese a que tanto me dediquei, e sei que não teria como eu me esforçar ainda mais sem que isso me machucasse ou me fizesse odiar o que estava fazendo", conta ela. "Mas minha parte prática me diz: *Você deveria ter se machucado. Agora tem que correr atrás do prejuízo.*"

O estereótipo da criança supervigiada e superprotegida diz que ela cresce fraca e preguiçosa. Mas, na minha experiência, o traço de "preguiça" dos Millennials tem muito mais a ver com a segurança econômica — seja a segurança real da família ou o total isolamento da precariedade durante a infância ou a idade adulta. Os Millennials mais preguiçosos que conheço são os que nunca tiveram que enfrentar as consequências, econômicas ou de outra natureza, de todos os erros que cometeram. Mas isso é só uma pequena fração da população Millennial. A maioria das pessoas que cresceu na classe média e foi superprotegida também cresceu com a hipervigilância de manter ou obter o status de classe: trabalhar mais, como diz Maya, fazer mais contatos, buscar mais estágios, dormir menos. Muitos Millennials acabam se definindo *exclusivamente* pela sua habilidade de trabalhar mais, de ser bem-sucedidos e não arriscar — em vez de se definirem por seus gostos pessoais, sua vontade de correr riscos, de experimentar e até de falhar.

Amanda, que cresceu no subúrbio de Detroit, ainda tem dificuldades em lidar com tempo livre não estruturado. Quando chegou à faculdade, no início dos anos 2000, não tinha mais a agenda lotada de atividades ao redor da qual orientava sua vida. "Todo tempo livre começou a me fazer pensar que eu estava sendo preguiçosa e pouco produtiva", ela se lembra, "o que, consequentemente, me fez questionar meu valor como pessoa". Hoje, se não está fazendo algo, Amanda sente que está perdendo tempo. Ela começou a fazer terapia depois de um ataque de ansiedade que a levou à emergência, mas acha difícil dar ouvidos à sugestão do terapeuta de que ela não deveria se sentir culpada por tirar um dia para fazer o que quiser — mesmo que seja assistir à Netflix o dia inteiro ou descansar —, porque ela não sabe muito o que poderia *querer* fazer além de trabalhar.

Para alguns Millennials, essa superproteção dos pais não era uma reação exagerada à ansiedade de classe. Era a reação apropriada e correta a uma ameaça real, não imaginária — e ao racismo estrutural. Rhiann se lembra de um início de infância em Gary, Indiana, de trancas e lugares proibidos. Havia grades de ferro nas janelas e o quintal era fechado com muros de tijolos. Sua garagem havia sido invadida várias vezes, e a casa já tinha sofrido algumas tentativas de invasão também. "Eu cresci sabendo que o mundo é um lugar assustador, e que as pessoas às vezes fazem coisas terríveis e que não existe 'tomar cuidado demais'", ela me contou. "A gente não ia a lugar nenhum sozinho. Não podia brincar do lado de fora sem supervisão."

Isso mudou, um pouco, quando a família saiu de Gary e se mudou para um subúrbio da cidade, onde era a única família negra da vizinhança. Havia menos perigos no sentido de arrombamentos e crimes registrados, mas sua família teve que lidar com a perseguição constante, em especial de jogadores de golfe que passavam pelo campo atrás do quintal da família. "Homens brancos, meio bêbados e barulhentos, vinham perguntar a mim e ao meu irmão se nós éramos empregados do campo de golfe", lembra ela, "e nos interrogavam sobre o emprego e a renda dos nossos pais".

Antes da mudança, Rhiann e o irmão em geral brincavam em casa ou no quintal, ficavam isolados de outras crianças, e sempre, sempre com supervisão. Depois, podiam andar de bicicleta e patins em espaços bem mais abertos, contanto que permanecessem na área de recepção dos walkie-talkies que o pai havia comprado para eles.

Enquanto cresciam, Rhiann gostava de estudar, e a mãe, que era professora, era "especialmente atenta" ao seu dever de casa. Mas a prioridade dos seus pais era a segurança, depois a educação. Para pessoas brancas, isso pode parecer coisa de "pais-helicóptero"; para uma família negra, era simplesmente bom senso. Ela internalizou a ideia de que o mundo era um lugar instável, e nada, com certeza não a estabilidade de classe da família, era garantido. "Muitas vezes falamos como, em geral, os sistemas nos quais as pessoas confiam não são feitos de fato para ajudar todo mundo", lembra Rhiann. "Meus pais também deixavam claro que era possível que muitas vezes houvesse pessoas que se ofenderiam com nossa existência e nossa presença. Eles nos ensinaram que a educação era como se conquista a liberdade, e a gente precisava se esforçar muito mesmo para chegar lá."

No sexto ano, Rhiann começou a estudar em uma escola predominantemente branca. Ela se viu sendo subestimada por professores e colegas de maneira contínua. "A frase 'Você vai ter que se esforçar o dobro para conseguir metade do resultado' fez todo o sentido para mim", ela me contou, "e não diminuí o ritmo desde então." Ela era a melhor aluna da sala e participava de todos os clubes e comitês. "Estar sempre ocupada me fazia sentir 'em casa' porque aquela atitude de atividade constante era proeminente na minha casa", explicou. "Sempre se movendo, sempre melhorando, sempre aprendendo algo. De certa forma, era como se o que havia de ruim no mundo não pudesse vencer se você não parasse de correr." Os pais de Rhiann eram adeptos do cultivo combinado — mas com uma modificação muito consciente para abarcar o que é preciso para ser uma mulher negra de sucesso em um mundo branco.

Essa estratégia… bem, funcionou. Hoje, Rhiann tem quase trinta anos, vários diplomas e uma família. "Tenho altas aspirações na minha carreira e meu coração ainda bate no ritmo da produtividade", ela me contou. "Mas, por outro lado, eu estou muito cansada."

Pais Boomers se preocupavam com todas as coisas que pais sempre se preocupam. Mas também sentiam uma ansiedade profunda sobre a criação, manutenção ou "doação" do status de classe média em um período de mobilidade social descendente generalizada — preparando uma geração de crianças para o trabalho, não importava o custo, até que conseguissem. Essa ansiedade se consolidou em um novo conjunto de ideais, comportamentos e padrões de criação de filhos considerado como as bases de uma criação "boa" a que se deveria aspirar.[3] Você concordar ou não com a utilidade dessas práticas importa bem menos do que a pressão que muitos pais Boomers sentiram para segui-las.

E, enquanto pais se esforçavam para ser "bons" pais, as crianças dessas famílias internalizaram ideias sobre o que o próprio trabalho poderia ou não prover. Como Katherine S. Newman escreve em *Falling from Grace* [Expulso do Paraíso], uma das principais mensagens tiradas da mobilidade social descendente de uma família é que "você pode seguir todas as regras, pagar todas as dívidas, e ainda assim ser expulso do Sonho Americano. Não há garantias de que seu trabalho duro será recompensado no fim".[4]

Para Brenna, que cresceu em Marin County, na Califórnia, nos anos 1980 e 1990, a mensagem de sua infância foi que seu status de "inteligente" era a única maneira de sua família recuperar a segurança financeira. Seus pais tinham sido expulsos da classe média quando o pai, um executivo de televisão, foi diagnosticado com tumores cerebrais. A mãe, que antes ficava em casa com a família, foi forçada a voltar ao trabalho. Eles ainda mantinham a "identidade" de classe média, dando um jeito para que Brenna estudasse em um colégio particular caro, embora suas finanças nunca estivessem estáveis.

Na adolescência, Brenna tinha uma agenda cada vez mais pesada, principalmente centrada em notas — ela acreditava, e seus pais reforçavam essa crença, que notas boas ajudariam a restaurar a estabilidade de classe média da família. "Eu não percebi até depois da faculdade", admitiu ela, "que essas coisas não eram, na verdade, o que deixava as pessoas ricas". A essa altura, sua postura em relação ao trabalho já estava estabelecida, copiada de sua mãe, que sustentou a família sozinha depois que o pai de Brenna faleceu quando ela estava com dezesseis anos. "Hoje em dia minha mãe trabalha de casa, e eu tenho dificuldade para convencê-la a sair de casa ou tirar férias", Brenna me contou. "Eu me vejo repetindo esses comportamentos e tenho que me esforçar para separar um tempo para ver um filme com meu marido ou preparar o jantar."

Amy passou a infância no Meio-Oeste e me contou que, quando o pai foi demitido de uma fábrica no início dos anos 1980, isso "mudou toda a trajetória" da sua família. Sua mãe começou a trabalhar em período integral; seu pai levou anos para encontrar outro "bom" emprego fixo. Ela teve que entrar no programa de assistência à alimentação no colégio e seus pais simplesmente não tinham como pagar muitas das atividades e experiências que gostariam que ela tivesse — ir a acampamentos, viajar. "As palavras 'Não temos dinheiro para isso' deveriam estar bordadas em uma almofada na nossa casa", ela falou.

"Isso com certeza me transformou", explicou Amy. "Eu sabia desde cedo que não havia garantia de emprego." Quando começou a pensar em possíveis carreiras, só considerou as que ofereceriam uma boa segurança financeira. Ela foi a primeira pessoa da família a fazer faculdade e as únicas coisas que considerava financeiramente confiáveis eram direito e medicina. "Eu só sabia que advogados e médicos ganhavam muito dinheiro", disse ela.

E também temos Pam, que cresceu em Flint, Michigan. Seus pais eram professores, então ela não foi diretamente afetada pelo fechamento das fábricas da General Motors que, em poucos anos, fizeram metade de seus colegas de turma se mudar. Eles iam "do Michigan para o Tennessee, seguindo as fábricas", explicou ela, "de casas para trailers, de trailers para apartamentos". Por conta da variação na população, seus pais e outros professores com frequência eram demitidos no fim do ano letivo e então recontratados, de acordo com o número de estudantes, no início do ano seguinte. O sindicato dos professores entrou em greve, aumentando a insegurança; suas duas irmãs mais velhas tiveram que sair do estado para trabalhar quando os maridos foram demitidos de seus empregos nas fábricas.

"Eu internalizei a insegurança", disse Pam. "Quando descobri que professores universitários tinham estabilidade no emprego, aquilo pareceu a única profissão segura do mundo, então foi o que decidi fazer." O que ela não compreendia era como entrar no mercado de trabalho em 2008 destruiria suas chances de arrumar um emprego. Como veremos, a desconexão entre as aparentemente "mais estáveis profissões do mundo", seja na academia, na medicina ou no direito, e a realidade da economia pós-recessão, é um fator importantíssimo para o burnout dos Millennials: se todo o esforço para conseguir aqueles empregos não é suficiente para oferecer segurança, o que mais seria?

Durante minha infância e adolescência, eu sabia que, se seu pai era médico, sua família tinha coisas boas, e que havia outras crianças, cujos pais eram diferentes tipos de médicos, que tinham coisas ainda melhores. Mas, em geral, esse é o máximo da hierarquia da classe média-alta em uma cidade pequena: ligeiras variações de profissões de classe média--alta, que praticam uma versão diluída da "estratégia *yuppie*". Uma das razões pelas quais meu pai foi estudar medicina era porque sabia que aquela seria uma forma de conquistar o estilo de vida de classe média no qual seus pais estavam sempre oscilando, às vezes um pouco acima, às vezes um pouco abaixo.

Quando eu era criança, tinha pouca noção das dificuldades financeiras da minha família, de que meu pai mal conseguia pagar os empréstimos estudantis e as prestações da casa naqueles primeiros anos, ou que minha mãe se sentia deslocada nos eventos em que todas as esposas dos médicos tinham vestidos de marca enquanto usava algo que ela mesma tinha costurado no ano anterior. Mas essa é a questão da classe média-alta: ela quase não fala sobre dinheiro, pelo menos não sobre a precariedade do dinheiro. Não uns com os outros, e raramente com seus filhos. Um dos comportamentos típicos da classe média, afinal, é evitar falar sobre as especificidades desconfortáveis de como se manter nela — ou mascará-las sob a retórica simplista de "trabalho duro".

O resultado foi que cheguei ao primeiro ano do ensino médio sentindo pouca ou nenhuma precariedade de classe — mesmo enquanto minha cidade era tomada por mudanças sísmicas, primeiro com o estabelecimento das leis estaduais de "direito a trabalhar" que esvaziaram o poder dos sindicatos que ajudavam a manter a classe média de colarinho azul, e depois com o litígio sobre a gestão florestal, que gradualmente eliminou os bem-pagos empregos em madeireiras da região. Tenho lembranças das casas em toda a cidade com placas nas janelas dizendo: "Esta casa é mantida pelos dólares da madeira". Porém, como as crianças eram ensinadas a não discutir questões financeiras umas com as outras, e minha família não estava sofrendo com aquilo diretamente, achei que era uma crise comunitária, não financeira.

Na minha cidade, a maioria dos pais que eu conhecia eram trabalhadores de classe média com "bons empregos" que, no decorrer das décadas de 1980 e 1990, passaram por períodos de desemprego conforme a indústria madeireira colapsou, ou de precariedade geral, depois que a legislação do "direito a trabalhar" passou e os sindicatos começaram a desaparecer. Alguns eram fazendeiros, que cada vez mais precisavam arrumar outros empregos para complementar a renda imprevisível do plantio. E ainda havia as pessoas que nunca tiveram "bons" empregos, ou que os perderam e só conseguiram vagas de meio expediente e precisavam fazer dois turnos ou encontrar outros serviços. Pessoas que trabalhavam no comércio, mães solo com dois empregos para sustentar suas famílias. Pessoas cujos pais não falavam inglês. Pessoas que se sustentavam como faxineiras, cabeleireiras, atendentes de bar, auxiliares de enfermagem ou em muitos outros empregos sem sindicatos. Pessoas que permaneciam, em grande parte, invisíveis. Algumas não tinham ofício; outras estavam presas no que ficou conhecido como classe pobre trabalhadora: gente que trabalhava muito e mal conseguia se manter.

Conforme os Millennials cresciam em cidades como a minha em todo o país, nossas famílias estavam no meio — ou reconheciam e tinham medo — da mobilidade descendente. Mulheres divorciadas eram algumas das mais afetadas — embora pouco estudadas — por essa tendência. Antes do divórcio, os homens eram a principal ou única fonte de sustento da família. Depois, as mães "se viravam" com 29% a 39% da renda que tinham antes.[5] Lenore Weitzman, autora de *The Divorce Revolution* [A Revolução do Divórcio], aponta que, enquanto o padrão de vida dos homens muitas vezes melhora depois do divórcio (com um aumento médio de 42% no primeiro ano), o das mulheres e dos filhos menores de idade diminui muito (uma queda média de 73%). Se você passou por um divórcio, seja próprio ou na família, provavelmente compreende esses números de forma visceral.

Para quem não conhece de forma íntima a experiência de um divórcio, ou só conhece um extremamente tranquilo, pode ser difícil entender esses números. O pai não continuaria contribuindo com o mesmo apoio financeiro de antes? É claro que não: pagamentos de pensão alimentícia muitas vezes só cobrem os custos mais básicos dos cuidados com uma criança; muito raro são o suficiente para trazer a "renda da casa" ao mesmo nível de antes do divórcio. (Além disso, nos anos 1980, o pagamento médio de pensões também estava caindo — e menos de metade das pessoas conseguia ao menos receber o que lhes era devido.)

De maneira irônica, parte da razão para esse tipo de mobilidade descendente era o crescimento do "divórcio sem culpa", primeiramente adotado pelo estado da Califórnia em 1969, que permitia a ambas as partes pedirem o divórcio sem evidência de má conduta de qualquer um dos dois. Isso facilitou que mulheres em casamentos infelizes ou abusivos deixassem seus maridos, mas havia pouca atenção da sociedade ao que aconteceria a essas mulheres após o divórcio.

Para a maior parte das mulheres divorciadas, era incrivelmente difícil, se não impossível, ganhar dinheiro a ponto de se tornar financeiramente independente. Não é que essas mulheres não trabalhassem muito — mas muitas delas tiveram que largar seus empregos para criar os filhos. Quando o casamento acabava, era comum que fosse difícil ou impossível se restabelecerem na carreira de antes ou até encontrarem novos empregos. Seus ex-maridos, por outro lado, ainda tinham o mesmo emprego ou carreira de antes do divórcio, além do que Newman chama de "mobilidade empregatícia" — a habilidade de, caso perdessem o emprego, procurar oportunidades de trabalho ou outras vagas no mesmo nível.

O impacto psicológico da mobilidade descendente pós-divórcio, e o sentimento de precariedade que a acompanha, tem muitas camadas: as crianças são confrontadas não só com a dissolução da unidade familiar, mas também de sua ideia da situação financeira da família, sua posição de classe, do que podem ou não comprar. Em famílias que previamente eram de classe média, isso muitas vezes cria uma dinâmica em que as crianças são colocadas na posição de pedir, implorar ou negociar com um dos pais por coisas "extras" não explicitamente cobertas pela pensão alimentícia: consertos de carro, óculos, inscrições em acampamento ou auxílio com a faculdade.

Foi exatamente isso o que aconteceu quando meus pais se divorciaram, quando eu tinha dezesseis anos. Minha mãe, trabalhando como professora, ajudou meu pai a pagar pela faculdade de medicina — e depois teve que largar o emprego para cuidar de mim e do meu irmão, principalmente com base no potencial de remuneração muito mais alto do meu pai. Quando eles se divorciaram, minha mãe contratou um bom advogado para deixar claro o quanto ela perderia financeiramente com o divórcio, pedindo uma pensão.

Nisso, a situação da minha mãe — e, logo, da minha família — era bastante única. Ela conseguiu completar seu mestrado, que tinha optado por não fazer enquanto meu pai estava na faculdade de medicina. O pagamento de muitas das atividades que eram parte da minha "educação" mais ampla foi estipulado no acordo do divórcio. Mas houve outras realidades financeiras — detalhes, no grande esquema da privação econômica — que, mesmo assim, me desestabilizaram profundamente. É isso o que a mobilidade descendente faz, seja causada por um divórcio ou pela perda de um emprego: ela tira o seu chão. Pela primeira vez na vida, tive uma consciência aguda do dinheiro — não do meu, mas de quanto meu pai e minha mãe tinham à disposição por mês. Eu sabia que não podíamos pagar o financiamento da casa em que morávamos todos juntos, e, conforme procurávamos uma casa nova, sabia exatamente que tipo de casa, em que tipo de bairro, a gente poderia pagar. Eu conhecia a sensação de pedir, implorar e pentelhar meu pai por consertos no carro que usava para ir à escola, ao mesmo tempo me esforçando ao máximo para não demonstrar quaisquer indicadores de instabilidade de classe para meus amigos e o restante do mundo.

Para ser clara, mesmo depois do divórcio, minha família ainda conseguiu manter um estilo de vida de classe média. Mas, para isso — e para tentar diminuir a dependência do meu pai, em especial após o fim da pensão —, minha mãe adotou uma postura de trabalho rigorosa que mais tarde eu adotaria também. Em especial, a mentalidade de trabalhar o tempo todo. Eu não guardo mágoa dela por isso — ela estava assustada, irritada e desesperada por uma migalha que fosse de segurança financeira. Mas eu assisti ao seu trabalho se espalhando, como um copo de água derramado, por todos os cantos das nossas vidas. Ela corrigia provas enquanto a gente assistia à TV; ela escrevia à noite, depois que a gente tinha ido dormir. Em uma tentativa de ganhar um dinheiro extra para complementar a pequena quantia que recebia para auxiliar na universidade local, ela começou a escrever livros didáticos de matemática, o que ocupava mais ainda o seu tempo nos fins de semana e nas férias.

Eu já tive conversas sobre essa época com a minha mãe — e o que foi preciso para que, muitos anos mais tarde, ela desenvolvesse uma atitude diferente, bem menos carrasca, em relação ao trabalho. Não é culpa dela que eu tenha reagido à ansiedade econômica da nossa família de um jeito que reforçaria minha dedicação a evitar uma situação semelhante na minha própria vida. Por exemplo, eu me recusei, e sigo agindo dessa maneira, a me colocar em uma situação em que minha carreira e meu bem-estar financeiro pudessem ser ameaçados pelo término de um relacionamento. Fiz pós-graduação quando quis fazer pós-graduação; era cética e permaneço assim em relação à necessidade de casamento. E internalizei a ideia de que trabalhar o tempo todo era o jeito mais seguro de sentir menos pânico em relação às coisas que não posso controlar. Esse pode parecer um mecanismo de defesa lógico, mas, como muitos Millennials podem comprovar, raramente é algo saudável ou duradouro.

Na conclusão de *Falling from Grace*, a visão de Newman sobre os efeitos da mobilidade descendente generalizada é amarga — mas também, de certa forma, revolucionária: "A mobilidade descendente não é simplesmente uma questão de aceitar um emprego braçal, suportar a perda da estabilidade ou testemunhar com tristeza a evaporação do conforto material antes palpável; também é um pacto quebrado", escreve ela. "É uma reversão tão profunda das expectativas da classe média que nos faz questionar todas as premissas nas quais nossas vidas foram construídas."

A maior parte dos Millennials que conheço que teve burnout chegou a esse ponto de questionar essas expectativas, mas isso não aconteceu de repente; na verdade, levou *décadas*. Mesmo depois de ver nossos pais serem expulsos, deixados para trás ou simplesmente lutarem com ansiedade para se manterem no Sonho Americano, nós não o rejeitamos. Tentamos trabalhar *mais*, e *melhor*, de forma mais eficiente, fazendo mais cursos, para alcançá-lo. E todos, inclusive nossos pais, pareciam concordar em qual era a primeira e mais necessária parada nessa jornada: a faculdade, a melhor possível, não importava o custo.

3
FACULDADE, A QUALQUER CUSTO

No seu penúltimo ano no ensino médio, um aluno conhecido na escola como "Frank Avançado" tinha tantas matérias que não podia tirar o recreio de folga. Todas as suas aulas eram avançadas — daí o apelido —, num esforço para levar Frank à Harvard: "A Xanadu do sonho de sua mãe, a passagem para uma vida livre de falhas". No fim, Frank conseguiu entrar em Harvard, mas antes de se mudar para a faculdade, em meados dos anos 2000, escreveu um post no seu blog:

Média final:* 4.83
SAT: 1.570, 1.600
SAT II de física: 790, 800
SAT II de inglês: 800
SAT II de matemática nível 2: 800
Aulas avançadas completadas: 17
Notas máximas alcançadas: 16

---

* A média escolar nos Estados Unidos é contabilizada em uma escala entre 0 e 5 pontos, sendo 5 a pontuação máxima. O SAT é o exame de admissão mais comum utilizado no país, cuja pontuação vai dos 400 aos 1.600 pontos. Os exames de disciplinas individuais têm pontuação máxima de 800 pontos, sendo que o de matemática tem dois níveis possíveis. Além disso, é possível prestar o SAT mais de uma vez, o que explica os dois valores de Frank nos testes gerais e no teste específico de física. *(N. do T.)*

Quantas vezes quis que meus pais me vissem como uma pessoa, não um currículo ambulante: 4 anos = 365 dias + 1 dia do ano bissexto = 1.461 dias.

O restante do post explicita as outras atividades não curriculares que Frank perdeu: nunca tinha ficado bêbado, nunca tinha "ficado" com uma garota, só tinha dormido na casa de amigos duas vezes em toda a vida.

Ler o post de Frank hoje é profunda e assustadoramente triste. Mas, para muitos leitores adolescentes daquela época, a trajetória de sua vida, como apareceu no livro *The Overachievers: The Secret Lives of Driven Kids* [Os brilhantes: As vidas secretas de crianças motivadas], de Alexandra Robbins, era uma inspiração. Publicado em 2006, *The Overachievers* é uma leitura compulsiva — Robbins, que mergulhou em mais de meia dúzia de diferentes "subculturas", retrata cada um de seus protagonistas como personagens complicados e cativantes, enquanto passam pelo inebriante processo de se inscrever para a faculdade. Mas o livro também parece um preâmbulo do burnout: "Quando adolescentes inevitavelmente olham para si mesmos pelo prisma de nossa cultura de perfeccionismo excessivo", escreve Robbins, "muitas vezes chegam à conclusão de que, não importa o quanto conquistem, nunca será o suficiente".[1]

O primeiro capítulo do livro é cheio de avisos semelhantes sobre o peso psicológico desse tipo de comportamento — e o custo de pensar em si mesmo como um currículo ambulante. Porém, várias pessoas me contaram que leram esse livro como um tipo de manual de instruções. Claro, esses jovens eram infelizes, estressados, não conseguiam dormir e tinham dúvidas. Mas, mesmo assim, entraram em boas faculdades, certo?

Dependendo de quando a pessoa nasceu na escala geracional dos Millennials, onde cresceu e como era sua escola de ensino médio, essa atitude pode parecer incrivelmente familiar. No final dos anos 1990, eu passei pelo que parecia um protótipo disso — Estresse da

Universidade 1.0 —, em que eu tinha a convicção de que minha escolha de faculdade determinaria minha trajetória de vida. Mas não havia uma cultura de competição sobre isso na minha escola. Eu tive que dirigir quase cinquenta quilômetros para fazer o SAT, que só prestei uma vez; meu conselheiro da escola chegou a questionar por que eu estava interessada em me inscrever em faculdades em outros estados.

Porém, a seis horas de distância, em Seattle, jovens em escolas preparatórias e públicas competitivas tinham uma experiência muito diferente. Em uma escola de elite em que uma das minhas futuras melhores amigas estudou, os alunos mostravam suas cartas de aceite ou rejeição em um quadro de avisos público na sala de notícias do jornal do colégio. Isso em 1998.

Nos quinze anos seguintes, o processo de inscrição universitária continuou evoluindo conforme Millennials começaram a inundar as faculdades com inscrições. Conforme mais e mais alunos disputavam as vagas (que só tinham aumentado ligeiramente) nas instituições de elite, os que ficavam de fora se reuniam em torno de outros tipos de universidades de elite: faculdades de artes de elite, universidades estaduais de elite, escolas que recebiam conotações de elite por meio de destaque nos esportes, "faculdades que mudam vidas". As universidades da Ivy League eram o pináculo. Mas a *promessa* das Ivy — de que entrar em uma universidade de ponta controlaria sua ansiedade econômica e lhe compraria uma passagem para "uma vida livre de falhas" — aos poucos se estendeu a qualquer tipo de educação superior.

Millennials se tornaram a primeira geração a se definir completamente como currículos ambulantes para as faculdades. Com ajuda dos nossos pais, da sociedade e dos professores, passamos a nos compreender, conscientemente ou não, como "capital humano": sujeitos a serem otimizados para melhor performance na economia.

Essa pressão para conquistar coisas não teria existido sem a ideia de que fazer uma faculdade, não importasse o custo, proveria um caminho para a prosperidade e a estabilidade da classe média. Mas, como milhões de Millennials com múltiplos diplomas, imensas dívidas estudantis e subempregos podem lhe contar, só porque todo mundo ao seu redor acredita em algo, não significa que isso seja verdade.

A faculdade não aliviou a ansiedade econômica dos nossos pais. Nem mesmo garantiu nossa posição na classe média e, em muitos casos, nem sequer nos preparou para o mercado de trabalho. Mas a preparação para a faculdade nos ensinou uma lição valiosa e duradoura: como orientar nossas vidas inteiras em torno da ideia de que trabalhar muito traz sucesso e satisfação, não importa quantas vezes sejamos confrontados com provas do contrário.

Até a Segunda Guerra Mundial, o ensino superior era uma experiência rara, disponível para aqueles que eram brancos, homens e de família rica. A maior parte das pessoas aprendia seus trabalhos sendo aprendizes ou com treinamento no local; até médicos e advogados eram, de certa forma, autodidatas (estudavam sozinhos ou só com um mentor) até a formalização de universidades, no final do século XIX. Em 1940, só 4% das mulheres americanas com mais de 25 anos tinham um diploma de bacharelado, assim como somente 5,9% dos homens.[2] Só 14% da população tinha completado o ensino médio. (Em 2018, 90,2% da população com mais de 25 anos completaram o ensino médio, enquanto 45,4% obteve um diploma de ensino superior.)[3]

Depois do fim da guerra — e em meio à preocupação crescente sobre o lugar dos Estados Unidos na ordem global —, uma comissão indicada pelo presidente Truman lançou um relatório em seis volumes intitulado "Educação Superior para a Democracia Americana". Entre suas recomendações, havia a de dobrar o número de alunos matriculados nas universidades até 1960, consequentemente explorando o potencial de milhões de americanos que tinham sido excluídos do ensino superior.

Algo essencial para aumentar a frequência na universidade era a assistência do governo, fosse na forma de empréstimos ou de subsídios. "Deve-se desenvolver nesse país a certeza disseminada de que dinheiro gasto com educação é o investimento mais sábio e confiável para o interesse público", declarava o relatório. "A comunidade democrática não pode tolerar uma sociedade em que a educação é somente para os ricos. Se as oportunidades de ensino superior são restritas àqueles nas classes superiores, o caminho está aberto à criação e à perpetuação de uma sociedade de castas que não tem lugar no modo americano de vida."

A ideia de que a educação tornaria a sociedade mais democrática e igualitária, mais fundamentalmente americana, era essencial para o desenvolvimento do que W. Norton Grubb e Marvin Laverson chamaram de "o evangelho da educação", que incluía a ideia de que a educação, e as credenciais que vêm dela, era a única maneira de acompanhar as mudanças conforme a economia se transformava da produção industrial para a "Revolução do Conhecimento" e os trabalhos baseados em informação que muitos temiam que tal revolução viria a criar.

Grubb e Laverson escolheram a palavra "evangelho" justamente para evocar o quão ideologicamente integrada — quão naturalizada — essa ideia precisava se tornar. É claro que mais educação é melhor que menos educação, é claro que você deve fazer faculdade, não importa o que seja necessário — mesmo quando os custos superam os benefícios —, apesar da evidência crescente de que a faculdade não "vale" o custo para quem não termina o curso ou para quem vem de famílias de baixa renda.[4] Eles apontam para a Comissão Nacional do Último Ano do Ensino Médio, lançada em 2001: "Na era agrícola, a educação superior era um sonho impossível para a maioria dos americanos", declarava. "Na era industrial, era o direito de nascença de poucos. Na era espacial, ela se tornou comum para muitos. Hoje, é simplesmente bom senso a todos."[5]

Lily, que frequentou uma escola preparatória em Nova York, me contou que nunca sequer cogitou não fazer faculdade. "Minha irmã mais velha quase não fez faculdade, e a história contada na família era que ela corria o risco de desperdiçar a própria vida e se condenar ao fracasso." Essa ideia é comum entre muitos Millennials — em especial entre os de classe média, ou qualquer um que quisesse fugir de sua cidade ou encontrar uma vida melhor do que a dos pais. "Nunca me ocorreu que a faculdade fosse algo opcional", contou Caroline, que se formou no ensino médio em 2000 em uma escola perto de La Jolla, Califórnia, "ou que minha vida valeria a pena sem um diploma universitário".

Capital humano é, nas palavras de Malcolm Harris, "o valor presente dos ganhos futuros de uma pessoa, ou o valor imaginado da venda de uma pessoa, se fosse possível comprar e vender trabalhadores livres — tirando a manutenção".[6] Por mais grosseiro que isso pareça, é uma visão clara do que o capitalismo faz com os humanos que trabalham dentro desse sistema. Como as máquinas com que trabalhamos, nosso valor é medido pela nossa habilidade de *criar valor* para quem nos emprega. Pense em qualquer processo de contratação ou de negociação de salário. O empregador se pergunta: "O quanto essa pessoa vale?" e "Será que essa pessoa é um bom investimento?". Um empregador pode conseguir um "bom negócio" (oferecendo menos do que o valor verdadeiro daquele trabalhador) ou apostar que o valor ostensivamente baixo do trabalhador vai aumentar com o tempo.

Se você é um trabalhador braçal, seu valor primário está baseado em sua saúde e em seu corpo. Se você é um trabalhador do setor de serviços, é sua habilidade de completar uma tarefa com conhecimento, precisão e eficiência. Se trabalha no setor criativo, é o que sua mente pode produzir — e com que regularidade. Se qualquer uma dessas qualidades diminuir ou desaparecer, você se torna menos valioso: seu capital humano, pelo menos naquela indústria, diminui.

Dá para ver como esse conceito, mapeado na sociedade como um todo, cria problemas. Quando o valor de uma pessoa depende de sua capacidade de trabalho, pessoas com deficiência ou idosos, pessoas que não podem trabalhar em período integral ou cujo trabalho é cuidar dos outros de formas que não são pagas ou sequer valorizadas... todas se tornam "menos importantes" na equação geral da sociedade. E, por mais que queiramos acreditar em uma sociedade em que o valor de uma pessoa está no seu caráter ou na generosidade e gentileza para com os outros, é difícil até mesmo digitar essa frase sem perceber como nossa realidade atual está tão distante disso.

Ter valor na sociedade americana significa conseguir trabalhar. Historicamente, mais trabalho, mais labuta, mais comprometimento, mais lealdade, mais obstinação... tudo isso pode tornar você *mais* valioso. Essa é a base do Sonho Americano. Mas, no nosso momento econômico atual — muitas vezes chamado de "capitalismo tardio", evocando o quanto da economia é baseada na compra, na venda e na negociação de coisas que não são, bem, *coisas* —, o trabalho só se torna verdadeiramente valioso quando é acompanhado de conexões pré-existentes (ou seja, status e privilégio de classe) ou de credenciais (diplomas, recomendações, currículos).

O que explica nossos "passos preferenciais" para alcançar o sucesso da classe média: alimentar seu currículo, entrar na faculdade, alimentar seu currículo, fazer conexões no LinkedIn, alimentar seu currículo, suportar um terrível trabalho malpago pelo qual você deveria ser grato, alimentar seu currículo, trabalhar muito, e enfim, um dia, acabar encontrando o emprego perfeito, estável, gratificante e bem-pago que vai lhe garantir seu lugar na classe média. É claro que qualquer Millennial vai lhe contar que esse caminho é árduo, difícil de trilhar sem conexões ou conhecimento cultural, e que o emprego estável no fim do arco-íris não é garantido.

Ainda assim, é fácil ver como pais de todas as classes sociais ficaram enlouquecidos para preparar seus filhos para a faculdade: se ao menos conseguir entrar nesse caminho, seu emprego bom e estável está ao alcance! Para melhorar as coisas para a próxima geração, não é preciso revoluções, mudanças de regime ou aumento de impostos. Tudo que é necessário, pelo menos de início, é a carta de aprovação do seu filho.

Essa ideia, é claro, não é totalmente nova. Milhões de pessoas da geração X e dos Baby Boomers também cresceram com a crença de que o ensino superior seria sua passagem garantida para a classe média. Mas, como os economistas Matthias Doepke e Fabrizio Zilibotti apontam, o aumento da desigualdade econômica e o medo da instabilidade de classe mudaram significativamente as atitudes e os comportamentos dos pais, em especial no que se trata de conquistas educacionais. "Em um mundo com riscos tão altos, o apelo de uma criação mais permissiva sumiu", escrevem eles. "Os pais de classe média começaram a incentivar seus filhos a adotarem comportamentos maduros de busca pelo sucesso." Em vez de criar filhos, muitos pais, consciente e inconscientemente, começaram a criar *currículos.*

Em *Kids These Days* [As crianças hoje em dia], Harris aponta como a obsessão por criar valor — isto é, criar currículos — fez uma interseção com os princípios básicos do cultivo combinado. Jogos infantis, por exemplo, se transformaram em ligas organizadas de esporte — um registro em potencial, alguns anos no futuro, para o currículo. Tocar um instrumento para se divertir se transformou em tocar um instrumento para apresentações públicas e avaliadas — outro registro para o currículo.

O processo de adição de valor começa com as notas, o que, dependendo do local e da classe social, significa que começa na pré-escola. "A ideia subjacente à educação contemporânea é que notas altas, no futuro, se transformam em dinheiro, ou se não em dinheiro, em escolhas, ou o que cientistas sociais às vezes chamam de 'melhores possibilidades de vida'", escreve Harris.[7] "Quando alunos estão estudando, o que estão desenvolvendo é sua própria habilidade de trabalhar."

Para colocar de outra maneira: o que você está fazendo quando pratica a tabuada, faz um teste de múltipla escolha ou escreve uma redação não é aprender, é *se preparar para o trabalho*. Essa é uma visão incrivelmente utilitária da educação, implicando que o objetivo final do sistema é nos moldar como trabalhadores eficientes, e não nos preparar para pensar ou para ser bons cidadãos. E essa visão utilitária combina com a forma com que nosso sistema educacional atual opera, na qual o sucesso depende da habilidade do estudante de seguir uma ideia muito estreita do que são comportamentos "bem-sucedidos": tirar notas boas, se sair bem em testes padronizados, se comportar de forma "apropriada" e reverente para com os professores, estabelecer laços sociais "normais" com os colegas e estar disposto a participar das aulas de educação física.

E nenhum desses "comportamentos bem-sucedidos" têm, na verdade, algo a ver com a inteligência do aluno. Muitas vezes, lembro de algo que ouvi quando estudava para a prova do mestrado e que é verdade para muitos tipos de testes padronizados: esse não é um teste da sua inteligência, e sim um teste da sua habilidade de fazer este teste em específico. E o que cada um desses testes quer avaliar, tantas vezes na nossa juventude, é nossa capacidade de performar a atividade laboral na sua forma mais crua: ser apresentado a uma série de problemas, com uma série de regras rígidas sobre como resolvê-los, e completar essa tarefa de forma acrítica, tão rápida e eficiente quanto possível. Mas o curioso sobre esses testes, pelo menos nos Estados Unidos, é que o resultado de um aluno sempre pode — com a quantidade certa de dinheiro ou conexões — ser melhorado.

Depois de conversar com centenas de Millennials que sentiram ou rejeitaram a pressão da faculdade, descobri que existem três grandes categorias de alunos: 1) aqueles cujos pais orientaram toda a vida dos filhos em torno da aprovação na faculdade, como o Frank Avançado; 2) aqueles cujos pais não compreendiam bem a realidade do processo de entrar na faculdade, forçando o aluno a absorver ele mesmo o peso desse desenvolvimento; 3) aqueles cujos pais caíam em algum ponto entre esses extremos, apoiando os desejos de crescimento e entrada na faculdade dos filhos, mas sem forçá-los, sistematizá-los ou pressioná-los.

De novo, muito da variação tem a ver com localização, experiência e histórico dos pais com faculdades e/ou mobilidade descendente. Meus pais se formaram em uma pequena faculdade luterana em Minnesota, e a questão nunca foi *se* eu e meu irmão faríamos faculdade, mas simplesmente *onde* faríamos — e que oportunidades, a maioria social e cultural, nos ofereceria a experiência na universidade que nossa criação numa cidade pequena em Idaho não pôde dar. (Meu principal interesse no ensino superior, sendo sincera, era encontrar caras que achavam garotas inteligentes atraentes.)

Tive uma experiência similar, de muitas maneiras, à de Daria, que cresceu em uma família branca de classe média em Sodoma County, onde estudou em uma escola de ensino médio de elite com um programa de intercâmbio internacional no final dos anos 1990 e início dos anos 2000. "Eu não me lembro de *não* pensar na faculdade", ela me contou. "Eu fiquei fixada na ideia de que seria professora universitária no oitavo ano, então sempre me imaginei fazendo doutorado."

Seus pais tinham sido os primeiros da família a fazer faculdade e tiveram poucas informações ou escolhas quando cursaram o ensino superior. "Eles queriam que minha irmã e eu fôssemos para as universidades mais incríveis que nem eles sabiam que existiam", disse Daria. "Meu pai, em especial, era apaixonado pelas universidades pequenas de formação mais humanista. Um exemplar do guia *Colleges That Change Lives* [Faculdades que mudam vidas] surgiu na nossa casa logo no início do meu ensino médio."

Para tornar esse sonho realidade, seus pais priorizaram atividades desde cedo. Ela começou a fazer balé aos cinco anos, por exemplo, mas eles permaneceram dispostos a deixar que Daria encontrasse "organicamente" sua paixão, que acabou sendo o teatro. Então os pais se concentraram em liberar o caminho para que ela se tornasse "a melhor": sua passagem pelo ensino médio foi recheada de ensaios em cidades vizinhas, cursos intensivos de verão e participações em todos os acampamentos de verão de teatro disponíveis.

Daria era dedicada à escola, mas não ficava muito estressada; ela se lembra com carinho de quando ela e o namorado alternavam estudos para os exames finais com beijos. Trabalhava em um emprego de meio expediente e fez o período exigido pelo colégio de trabalho voluntário, mas, em geral, se concentrava no teatro. Tirou 800 no componente verbal do SAT e uns 600 na parte matemática, nota que seus pais ajudaram a aumentar contratando um professor particular. Mas, tirando o professor particular para o SAT, a construção de capital humano não era exagerada, nem mesmo consciente. "Não me lembro de ouvir meus pais dizendo nenhuma vez coisas tipo: 'Você deveria fazer isso para sua inscrição na faculdade'."

Do outro lado do país, Elliott cresceu em uma família trabalhadora na área rural da Pensilvânia, ao pé dos Apalaches, e estudou em um colégio que estava entre os piores do estado. A mãe tinha mestrado em patrimônio material do século XIX, mas trabalhava como professora substituta; o pai trabalhava na usina de tratamento de esgoto local. A faculdade, para Elliott, era sua "passagem para longe" — para "fazer algo mais libertador, para ser pago para fazer coisas que você ama".

E ele começou a pensar em como tornar isso realidade quando era bem pequeno.

Poucas pessoas ao seu redor tinham feito faculdade, então ele não sabia bem onde buscar informações. Tudo o que ele sabia era que precisava se destacar dos colegas. Elliott se matriculava em atividades acadêmicas todo verão a partir do sétimo ano. Prestou o SAT pela primeira vez no ano seguinte, por meio de um programa apoiado pelo Centro de Jovens Talentosos da Universidade Johns Hopkins. Ele encheu seu currículo de atividades extracurriculares "de que nem gostava". Quando passava as férias em programas acadêmicos, seus amigos se ressentiam. Ele evitava qualquer cenário que pudesse lhe causar problemas, por medo de que qualquer marca no seu registro permanente atrapalhasse sua chance de entrar na melhor universidade possível. A mãe de Elliott o ajudou com as inscrições, mas o ímpeto de desenvolver seu currículo era totalmente autoimposto.

A tendência de construção de currículo autoimposta se tornou comum nos anos 1990, quando os Millennials começaram a entrar no ensino médio, mas se intensificou durante os anos 2000. Uma razão: tecnologia que facilitava a visualização (e o acompanhamento) dessa competição de formas sem precedentes. Danielle, uma americana de ascendência coreana que estudou em uma escola de elite no subúrbio do sul da Califórnia, se lembra de um estresse constante e imenso, exacerbado pelo "advento de portais escolares na internet, em que você entrava e verificava suas notas, vendo suas flutuações conforme as notas de provas/redações/trabalhos eram atualizadas pelos professores".

Ao mesmo tempo, sites como *College Confidential*, *Collegewise* e *College Prowler*, e comunidades no LiveJournal e no Tumblr ofereciam um aparato online para comparar, avaliar e verificar obsessivamente quando outras pessoas espalhadas pelo país recebiam suas cartas de aceitação. No College Confidential, o fórum mais extenso, "basicamente qualquer ansiedade que você pudesse imaginar sobre qualquer assunto tinha um tópico imenso", alguém que passou pelo processo de inscrição na faculdade em meados dos anos 2000 me contou. No Parchment, você podia pedir para outros membros te avaliarem — ou seja, imaginarem sua chance de ser aceito em determinada universidade — baseados no seu currículo, na sua localização e nas suas notas.

O objetivo geral era se tornar a versão mais interessante e mais vendável de si mesmo — mesmo que só no papel. Conrad, que estudou em uma escola católica no Texas em meados dos anos 2000, internalizou a ideia de que, para entrar na faculdade, tinha que "enfatizar a identidade hispânica com a qual na verdade não tinha muita conexão" e começou a entrar em clubes com nomes impressionantes no primeiro ano do ensino médio. Os membros da maioria dos clubes nem sequer se encontravam.

Gina, uma imigrante sino-americana das proximidades de Detroit, se lembra de chorar no quarto ano depois de tirar um B+ em ciências, porque uma criança mais velha lhe falou que todas as notas eram revistas pelo departamento de admissões de Harvard. No ensino médio, ela sabia que suas notas impecáveis não seriam "um ângulo tão interessante" para um aluno asiático, então ficou desesperada atrás de um esporte, qualquer esporte, para preencher seu currículo, antes de, enfim, se decidir pelo nado sincronizado. Gina ficava tão exausta que desenvolveu tricotilomania, que a fazia arrancar os cabelos compulsivamente. Ela ainda tem uma pequena área calva na cabeça desde aquele tempo.

Muitas pessoas que conversaram comigo sobre o estresse da época em que se preparavam para a faculdade também relataram problemas físicos e psicológicos: formas de tricotilomania, insônia, ataques de ansiedade — sintomas que, para alguns, duram até hoje. Muito dessa preocupação vinha de ser colocado em uma posição com tão poucas opções: para a maioria, parecia que os únicos resultados possíveis eram o sucesso total ou o fracasso abismal. Uma mulher diagnosticada com discalculia, uma deficiência de aprendizado, sentiu uma pressão enorme para tentar entrar na faculdade com a mesma tenacidade de seus colegas. Todo ano, durante as provas finais, ela se estressava tanto que sua menstruação atrasava. Outra mulher, que começou a fazer SATs simulados no quinto ano, desenvolveu síndrome do intestino irritável e insônia.

"Quando todo mundo espera que você tire A, não há como exceder as expectativas", contou Meghan, que cresceu nos subúrbios de Portland. "Fisicamente, a pressão era uma dor e uma ardência no esterno. Uma vez, tirei um raio-X do peito por causa dessa dor. Agora sei que tenho ataques de pânico, então imagino que fosse isso... Eu vomitava tanto que a cartilagem entre as costelas inflamou." É fácil ver a mensagem internalizada durante esse processo: a única rota para o sucesso envolve se esforçar ao ponto — e depois *ignorar*— de sentir dor física.

Algumas pessoas relataram desejar pelo menos ter a possibilidade de optar por não fazer faculdade. "Eu achava a escola exaustiva", me contou Marie, que é branca e estudou em um colégio para alunos superdotados na Flórida. "Mas nunca considerei não fazer faculdade, porque sabia que era improvável ter segurança financeira tendo só o ensino médio. Além disso, também teria decepcionado a minha família." Então, ela passou os anos do colegial em um cronograma de estudos "insuportavelmente intenso", com quantidades mínimas de sono. "Aprendi a dormir em qualquer lugar, durante qualquer intervalo, incluindo sentada na calçada", contou. "Continuo dizendo até hoje que o ensino médio foi a coisa mais difícil que fiz na vida."

David, um imigrante chinês, se formou em uma escola preparatória só para meninos em Nova York na mesma época. As mensagens mais importantes sobre a faculdade vieram de sua mãe, que queria que ele fosse para Harvard, "que mantém um status singular como uma faculdade para imigrantes sino-americanos", e estudasse medicina, a carreira que ela deixara para trás ao ir para os Estados Unidos.

Ele se lembra da importância de entrar nas faculdades corretas, mas foi só no segundo ano do ensino médio que se tornou, em suas próprias palavras, "automotivado". Sua escola era chique, mas ele crescera na pobreza, e logo percebeu o que seria necessário "para subir de estrato social". David lotou seu currículo acadêmico, sem sequer um período de folga, e evitou todas as atividades sociais, com a exceção de alguns raros encontros, coisa que, como não contribuía explicitamente para levá-lo à faculdade, fazia em segredo. "Todos os meus objetivos tinham a ver com entrar na faculdade", disse ele.

Dependendo da escola, existem muitas histórias de pessoas que escaparam ou rejeitaram essa compulsão — ou só não suportaram a pressão. Mas a conclusão maior, internalizada entre esses adolescentes de classe média ou que aspiravam a entrar na classe média, era a mesma: otimize-se até se transformar em um robô feito para entrar na faculdade.

Para muitos Millennials, o processo de se preparar para a faculdade parecia pré-programado — mas também difícil, frio e fora do seu controle. Se os amigos estão atrapalhando seu sucesso, afaste-se deles. Se uma atividade não pode virar uma linha no seu currículo, ela desaparece. Se uma situação apresenta um potencial "risco" para o valor geral do seu currículo — beber, sair demais, acusar um professor de conduta inapropriada, até transar —, ela deve ser evitada a todo custo.

"Eu me lembro de ouvir meu pai dizer, sobre meninos: 'Gravidez significa PCC', ou seja a Portland Community College*", contou Meghan, que cresceu no subúrbio de Portland. "Era comum que eu não fosse a festas, eventos sociais e encontros durante a faculdade, e tenho a estranha suspeita de que minha incompetência geral em re-

---

* Nos Estados Unidos é a universidade pública. (*N. do E.*)

lacionamentos tem a ver com a prioridade absoluta que dei à escola, sem desenvolver habilidades sociais."

É difícil ver esses comportamentos de construção de currículo como destrutivos quando eles são constantemente validados. "Minha escola de ensino médio permitia que você não almoçasse para fazer aulas extras", me contou Mary, que estudou no subúrbio de Chicago. "Eu *ainda* penso em como é bizarro que, aos catorze anos, eu tenha passado anos comendo cereal matinal direito do saco em vez de almoçar." Na escola de Antonia, na capital, Washington, os alunos podiam se inscrever em "apenas" nove universidades; os pais tinham um limite de reuniões com os conselheiros. "Anos depois eu perguntei à minha conselheira por que a escola tinha regras tão estritas sobre inscrições", me contou Antonia. "Ela riu e só falou: 'Para segurar os pais'."

E também há a decepção dolorosa de que nada disso importa *de verdade*, nem lá atrás, nem agora. Peter, que cresceu em um subúrbio branco de classe média-alta de Boise, Idaho, desenvolveu ansiedade e depressão graves por conta do "perfeccionismo forçado" no ensino médio. Os pais não tinham ideia do quanto ele amarrava seu valor como pessoa à média no colégio. "Sinceramente, acho que se eu não tivesse conseguido manter a média acima de 4, eu teria me matado", ele me contou.

Os efeitos do perfeccionismo de Peter ainda permanecem, mas ele também teve outra sacada: "Um comentário comum que ouvi sobre crianças superdotadas ou mais inteligentes que a média é que nenhum de nós de fato aprendeu a pensar", disse ele. "Nós simplesmente conseguíamos reter informação com muito mais facilidade, e o mais importante, tínhamos ótima compreensão verbal e escrita, o que é 90% dos trabalhos escolares. Quando cheguei à faculdade, percebi o quão pouco eu realmente sabia sobre estudar e verdadeiramente *aprender* e *pensar* em vez de só *ler* e *saber*."

Outros me contaram que, por causa da agenda louca de atividades e da grande carga de trabalhos, eles nunca tiveram tempo de ler os clássicos indicados ou se dedicar a projetos criativos. "Eu era vergonhosamente orgulhoso de ter lido as cinquenta primeiras e as cinquenta últimas páginas de *Um conto de duas cidades* e tirado 10 na prova só pelo contexto", explicou Tyler, que estudou em uma escola de ponta em Louisville, Kentucky. "Às vezes, quando algo realmente me tocava, como quando me apaixonei por *O grande Gatsby*, eu sentia que estava desperdiçando tempo por não só passar os olhos e seguir em frente."

E ainda tinha a "encheção de currículo", como Tyler diz — que envolvia muitos trabalhos voluntários na comunidade. "A gente ouvia tantos elogios dos conselheiros por coisas como 'Pintar a casa de um idoso!' ou 'Varrer folhas caídas!', quando basicamente eu e meus amigos só ficávamos sem fazer nada por algumas horas no sábado de manhã", explicou Tyler. "Acho que isso me tornou muito mais cínico quando percebi que todo mundo, incluindo os adultos, só estavam falando merda para parecerem pessoas melhores. Eu não achava que estava mesmo melhorando a vida das pessoas. Só achava que era um adolescente enchendo linguiça para entrar na faculdade."

Se você precisa de um bom currículo para entrar na faculdade, e o currículo está cheio de conquistas que em grande parte são vazias, para que serve, então, a faculdade? E por que tantas pessoas fingem que tem a ver com educação quando, na verdade, tem a ver com "saltar para a próxima classe social" — como David, o estudante sino-americano de Nova York descreve — ou manter o status de classe atual dos seus pais? As chamadas "mães-tigres"* muitas vezes foram demonizadas pela imprensa, consideradas grosseiras, dominadoras

---

* "Mãe-tigre" é um conceito criado pela professora universitária Amy Chua que se refere em especial de pais asiáticos que pressionam os filhos para obter o mais alto nível de performance acadêmica, sem se importar com o desenvolvimento de suas habilidades sociais ou emocionais. (*N. do T.*)

e *não americanas* por sua determinação em preparar os filhos para a faculdade. Mas "bons" americanos — ou seja, americanos brancos de classe média e classe média-alta — fazem a mesma coisa. Eles só disfarçam essas conversas sobre o ensino superior com a retórica de "felicidade", "participação" e "conquista do seu potencial". É menos grosseiro, mas ainda é besteira.

Ideias se tornam comumente aceitas por um motivo — e, nesse caso, o ensino superior foi considerado a solução do "bom senso" para um grupo de problemas econômicos muito mais complicados: automação, competição com a Rússia (e depois Japão, e depois China), a mobilidade social descendente e o "desaparecimento da classe média", que, como Ehrenreich nos lembra, era basicamente o desaparecimento da classe média industrial.

É fácil ver como a faculdade se tornou a solução fácil — embora imprecisa — para esses problemas imensos, assustadores e complexos. Existiam e ainda existem muitas falhas nesse conceito. Primeiro, ainda há vários empregos bem-pagos nos Estados Unidos que *não* exigem um diploma tradicional de quatro anos: profissões como as de técnico de ar-condicionado, encanador, eletricista e outras no ramo de construção, em especial quando há sindicatos, oferecem padrões de vida de classe média relativamente estáveis. Mas muitos Millennials internalizaram a ideia de que qualquer trabalho que não exige um diploma de faculdade é de alguma forma inferior — e acabam com educação demais, pagando empréstimos estudantis por diplomas de que não precisavam. Já ouvi esse argumento sendo rebatido com a ideia de que não existe "educação demais": todo mundo deveria poder ir para a faculdade. Sem as dívidas exorbitantes, eu concordaria. É claro que um encanador ainda deveria ter a oportunidade de conseguir um diploma de letras. Mas também temos que ser honestos e assumir que, se você quiser ser encanador, não *precisa* de um diploma de letras nem de qualquer outro diploma universitário.

Muitas vezes — especialmente em escolas "preparatórias para a faculdade" — essa ideia pode parecer uma blasfêmia. Uma mulher me contou que o marido, que estudou em uma escola semelhante às que já descrevemos, rejeitou todo o processo e foi tremendamente julgado pelos professores e colegas. "Ele quase acabou virando militar pela falta de recursos para carreiras técnicas ou projetos de jovens aprendizes", contou ela. "Ele teve que descobrir como fazer isso sozinho."

O segundo problema é a distinção. No passado, muitos trabalhos intelectuais usavam o diploma universitário como um mecanismo de filtro: se você tem um, pode concorrer à vaga; se não, é excluído automaticamente. Mas, conforme o ensino superior se tornou cada vez mais comum durante os anos 1980 e 1990, os empregadores precisavam de novos meios de diferenciação e distinção. Na prática, isso significa ainda maior dependência do suposto prestígio de uma universidade — e também uma recém-descoberta demanda por programas de pós-graduação. É o caso clássico de um fenômeno bem conhecido: depois que uma experiência elitizada se abre para muitos, não é mais de elite, *outra* separação precisa ser criada para redesenhar as linhas de distinção.

Embora estudantes tenham internalizado a ideia de que *precisavam* fazer faculdade, eles e seus pais muitas vezes não sabiam bem como tornar essa ideia realidade. Em *The Ambitious Generation: America's Teenagers, Motivated but Directionless* [A geração ambiciosa: Adolescentes da América, motivados, mas sem direção], Barbara Schneider e David Stevenson examinaram estudos longitudinais de alunos de ensino médio da metade para o final dos anos 1990, os agora conhecidos como Millennials mais velhos. O que descobriram foi profundo: no final da década, mais de 90% dos alunos do último ano do ensino médio imaginavam que fariam faculdade e mais de 70% esperavam trabalhar em empregos "tradicionais": médicos, advogados, professores universitários, administradores de empresas.

No entanto, muitos foram confrontados pelo que Schneider e Stevenson chamam de ambições "desalinhadas": aqueles com "conhecimento limitado sobre as ocupações escolhidas, sobre as exigências educacionais ou sobre a demanda futura dessas ocupações". Sobre o fato, por exemplo, de que havia seis vezes mais alunos que queriam ser médicos do que o número de vagas na área médica previstas para o momento em que eles chegassem ao mercado de trabalho.

Toda essa ambição jovem vem de algum lugar — e, se não for dos pais, da cultura pop ou de amigos, muitas vezes vem da própria escola. Liz, que se formou na escola em 2002, fazia parte de uma pequena população latina na escola pública em Orange County, na Califórnia. Sua irmã, que era dois anos mais velha, tinha sido aceita no programa preparatório para a faculdade, e Liz a seguiu. Mas os pais dela "não acreditavam na faculdade como uma coisa real", Liz me contou. "Eles nem chegaram a terminar a escola no México. Era uma bolha amorfa de ambição, algo pelo qual ansiar sem sequer ter um mapa."

Liz queria sair da Califórnia, de preferência ir para a Universidade de Nova York ou algum lugar "intelectualmente interessante", e começou a se concentrar nesse objetivo no primeiro ano do ensino médio. "Eu me certifiquei de participar dos clubes que enfatizavam como eu era esperta e que chamariam a atenção na minha inscrição para as faculdades", ela me contou. Liz passava o tempo todo estressada, mas não, pelo que ela se lembra, por causa da escola, e sim pela vida doméstica, que era "horrível e reservada". Havia atividades de que ela queria participar mas evitava porque exigiam participação dos pais. Ela queria participar do coral, mas isso custaria quinhentos dólares, soma que sua família não podia gastar.

O programa preparatório para a faculdade exigia que ela se inscrevesse em um número mínimo de instituições na Califórnia, o que ela fez, com isenção das taxas de inscrição por conta da renda familiar. Porém, Liz teve que se desviar um pouco do que tinha imaginado para fazer o que lhe parecia correto. Em vez de se inscrever em qualquer uma das universidades na cidade ou no estado da Califórnia em que fora aceita, optou por entrar em uma faculdade comunitária gratuita e pediu transferência para a UC Berkeley dois anos depois.

Para outros alunos, a realidade desse desalinhamento só ficou clara quando chegaram à faculdade. Ann, que é branca, cresceu em Long Island em uma família em que ninguém fez faculdade e nem mesmo a incentivou a fazer — a única exceção foi quando usaram o endereço de outro parente para inscrevê-la na escola pública preparatória de um bairro mais rico. Naquela escola, a porcentagem de alunos que ia para a faculdade era extremamente alta — e havia pressão, Ann se lembra, para manter esse número alto. Quando ela falou ao conselheiro escolar que não podia pagar as mensalidades da faculdade, a resposta foi que "é isso que se faz" e que ela podia pedir empréstimos estudantis. "Eu ouvi que, se fizesse faculdade, conseguiria um empregão chique e um contracheque gordo", disse ela. "Isso me conquistou porque meus pais são divorciados e nunca tiveram empregos muito estáveis."

Ann nunca ficou entre os melhores alunos da escola, mas conseguiu entrar na lista de honra e fez todas as aulas avançadas que podia. Suas lembranças do ensino médio são de chorar o tempo todo e ficar estressada durante as provas a ponto de quase desistir no fim. Com o incentivo dos conselheiros estudantis, ela se inscreveu em doze universidades diferentes no estado de Nova York. Escolheu a que oferecia os melhores benefícios para alunos de baixa renda, embora nunca tenha visitado o campus porque sua família não tinha como pagar pela viagem. A mãe de Ann sempre falava que elas "fariam o que fosse preciso para pagar a faculdade", mas sua situação financeira era tão instável que ela não pôde ser a fiadora dos empréstimos estudantis da filha. Em vez disso, uma vizinha para quem Ann trabalhava como babá assinou o pedido de empréstimos dela.

"Eu não tinha ideia do que estava fazendo", Ann me contou. "Ninguém na minha família sabia o que estava fazendo. Minha escola, que forçava tanto para que a gente fizesse faculdade, não nos preparou nem um pouco para aquilo. Eu apareci na universidade, comecei as aulas e fui levada para a emergência na minha primeira semana porque achei que estava tendo um ataque cardíaco." Era um ataque de pânico — o primeiro diagnóstico de problemas com ansiedade que nunca sumiram, especialmente depois que ela se formou com uma dívida de 56 mil dólares "logo antes de a economia ficar uma merda".

Hoje Ann trabalha para uma ONG em Nova York e está tentando pagar o máximo de seus empréstimos que pode. Ela nunca atrasou uma parcela, e sua pontuação de crédito é de 800* — quase tão perfeito quanto possível. Mas, quando ela pensa em burnout, lembra dos pagamentos dos seus empréstimos estudantis — mais de quinhentos dólares por mês, o que significa que *talvez* ela consiga zerar sua dívida quando tiver 42 anos — e em como está exausta por pagar por um erro que lhe foi vendido como solução.

"Eu nunca deveria ter feito faculdade", diz Ann, e eu acredito nela. O que ela queria era estabilidade e uma vida diferente da dos pais. Ann conseguiu parte disso, mas também tem uma vida marcada por um tipo diferente de medo e estresse, exacerbado pelo arrependimento.

Existem muitas razões para o burnout dos Millennials, mas uma das mais difíceis de aceitar é a de que Ann precisa encarar todos os dias: que aquilo pelo qual você se esforçou tanto, pelo qual você se sacrificou e sofreu fisicamente para conseguir, não é felicidade, nem paixão, nem liberdade. Talvez a universidade tenha oferecido escolhas, ou ajudado alguém a sair de uma cidade pequena ou de uma situação

---

* A pontuação de crédito nos Estados Unidos vai de 350 (mínimo) a 850 (máximo). (*N. do T.*)

difícil. Porém, para a vasta maioria dos Millennials, ter um diploma não resultou na estabilidade financeira de classe média que foi prometida tanto para nós como para os nossos pais. É só a mesma coisa que sempre foi, mesmo quando disfarçada na beca chique do evangelho da educação: mais trabalho.

4

FAÇA O QUE VOCÊ AMA E AINDA VAI TER QUE TRABALHAR TODOS OS DIAS PELO RESTO DA SUA VIDA FAÇA O QUE VOCÊ AMA E AINDA VAI TER QUE TRABALHAR TODOS OS DIAS PELO RESTO DA SUA VIDA FAÇA O QUE VOCÊ AMA E AINDA VAI TER QUE TRABALHAR TODOS OS DIAS PELO RESTO DA SUA VIDA FAÇA O QUE VOCÊ AMA E AINDA VAI TER QUE TRABALHAR TODOS OS DIAS PELO RESTO DA SUA VIDA FAÇA O QUE VOCÊ AMA E AINDA VAI TER QUE TRABALHAR TODOS OS DIAS PELO RESTO DA SUA VIDA FAÇA O QUE VOCÊ AMA

Quando eu ainda era professora universitária, falei para uma aluna, cujas dezenas de inscrições em programas de estágio e mentoria não tinham dado resultado, que ela deveria fazer algo mais divertido e descobrir o que lhe interessava e que tipo de trabalho não queria fazer. Ela começou a chorar. "Mas o que vou falar para os meus pais?", perguntou. "Quero um emprego legal pelo qual eu seja apaixonada!"

Essas expectativas em geral são uma consequência inesperada do cultivo combinado presente na infância de tantos Millennials. Se uma criança é criada como capital, com o objetivo implícito de criar um ativo "valioso" que vai ganhar dinheiro o suficiente para obter ou sustentar o status de classe média dos pais, faz sentido que ela internalize que um salário alto seja a única coisa que efetivamente importa sobre um trabalho. Tem alguns alunos que conseguem isso: alguns médicos, a maioria dos advogados, talvez todos os consultores.

Mesmo assim, muitas vezes consideramos uma pessoa que expressa o desejo de um emprego "bem-pago" meio grosseira, embora essa compreensão de trabalho seja bastante similar à dos nossos antepassados, cuja relação com trabalho era, acima de tudo, utilitária. Um mineiro poderia ter orgulho de seu trabalho duro, mas a mineração — ou plantação, ou criação de animais — não era uma vocação que ele tinha escolhido por ser descolada ou porque era "apaixonado" pelo trabalho. Ele era minerador porque o pai dele era minerador, ou porque era a opção mais viável, ou porque ele fora treinado para tal, de uma forma ou de outra.

Millennials, pelo contrário, internalizaram a necessidade de encontrar um emprego que satisfaça bem os pais (estável, com salário decente, reconhecido como um "bom emprego"), que também seja impressionante para os seus pares (em uma empresa "descolada"), que cumpra aquilo que eles ouviram ser o objetivo final da otimização de suas infâncias: fazer um trabalho pelo qual você é apaixonado, que naturalmente vai levar a outros "resultados melhores na vida".

O desejo pelo emprego descolado pelo qual você é apaixonado é um fenômeno particularmente moderno e burguês — e, como veremos, uma forma de tornar certo tipo de trabalho a tal ponto desejável que os trabalhadores vão tolerar todo tipo de exploração pela "honra" de ocupar aquela vaga. A retórica do "Faça o que você ama e não vai trabalhar um dia sequer na sua vida" é uma armadilha para o burnout. Ao disfarçarmos o trabalho na linguagem da "paixão", somos impedidos de pensar no que fazemos como aquilo que verdadeiramente é: um ofício, não a totalidade de nossas vidas.

A crua realidade da busca por emprego mostra as contradições, meias verdades e mitos malconstruídos que motivaram os Millennials na infância, na adolescência e durante a faculdade. Empregos não aparecem magicamente depois que você obtém um diploma universitário. Os empréstimos adquiridos para pagar por essa educação superior podem limitar as escolhas de emprego — em especial quando o salário inicial de uma área é baixo demais para cobrir o pagamento mínimo dos empréstimos e o custo de vida. Planos de saúde são ruins ou nem estão disponíveis. Os bicos, mesmo fazendo algo que você ama, mal pagam as contas. Seu currículo do ensino médio e superior, não importa o quão impressionante, ainda assim pode ser algo quase sem valor. Na maior parte das vezes, tudo o que a paixão lhe traz é a permissão para receber bem pouco.

Em 2005, Steve Jobs fez um discurso de formatura na Universidade Stanford — e reafirmou a ideia de que os formandos Millennials da universidade tinham passado grande parte da vida internalizando. "Seu trabalho vai preencher uma parte maior da sua vida, e a única maneira de ficar verdadeiramente satisfeito é fazer o que você acredita ser um grande trabalho", disse Jobs. "E a única maneira de fazer um grande trabalho é amar o que você faz. Se você ainda não encontrou o que é isso, continue procurando. Não aceite nada menos."

Miya Tokumitsu, autora de *Do What You Love and Other Lies About Success and Happiness* [Faça o que você ama e outras mentiras sobre sucesso e felicidade], vê o discurso de Jobs como uma cristalização da narrativa do trabalho "amável": que, quando você ama o que faz, não só o "trabalho" por trás disso desaparece, mas suas habilidades, seu sucesso, sua felicidade e sua riqueza, tudo aumenta exponencialmente por causa disso.

Essa equação é, em si, baseada em uma integração trabalho-vida perfeita para o burnout: o que você ama se torna seu trabalho; seu trabalho se torna o que você ama. Não há separação do dia (de trabalho e fora do trabalho) ou do eu (meu "eu" profissional *versus* meu "eu" real). É só uma longa faixa de Moebius em que uma pessoa derrama toda a sua personalidade em um trabalho "amável", com a expectativa de que fazer isso vai trazer tanto felicidade quanto estabilidade financeira. Como disse o artista Adam J. Kurtz ao reescrever essa máxima no Twitter: "Faça o que você ama e ~~não vai trabalhar um dia na sua vida~~ vai trabalhar muito mesmo o tempo todo sem nenhuma separação e nenhum limite, e também vai levar tudo extremamente para o pessoal".

Dentro da máxima de "fazer o que você ama", qualquer emprego teoricamente pode ser amável, contanto que seja o que você, pessoalmente, ama. Mas empregos "amáveis", pelo menos nesse momento, são empregos *visíveis*, empregos que acrescentam informações sociais e culturais, empregos nos quais você trabalha para si mesmo ou com pouca supervisão direta. Podem ser empregos considerados socialmente altruístas (professores, médicos, defensores públicos, assistentes sociais, bombeiros), empregos considerados descolados de alguma forma (guardas-florestais, fabricantes de cervejas artesanais, instrutores de ioga, curadores de museu) ou aqueles em que você tem total autonomia sobre o que faz e onde faz.

São os empregos com os quais as crianças sonham, sobre os quais as pessoas *falam*, que recebem um "Nossa, que emprego maneiro" quando você fala sobre isso. Servir mesas pode ser um emprego maneiro se for no restaurante certo; trabalho braçal nos bastidores pode ser maneiro se for para a companhia de teatro certa. Michael, que é branco e de classe média de Kansas City, só tinha noções vagas do que seu emprego ideal seria: "Algo em que eu pudesse 'ser criativo' o dia todo". Rooney, que é negra e de classe trabalhadora, imaginava um trabalho que fosse "significativo", pelo qual ela fosse "apaixonada" e sentisse um "chamado". Greta, que é branca e de classe média, disse que suas histórias favoritas — de *Legalmente loira* a *Gilmore Girls* — lhe ensinaram que um emprego "descolado" é aquele em que você persegue sua paixão com afinco.

O quanto empregos "amáveis" são desejáveis é parte do que os torna tão insustentáveis: tantas pessoas estão competindo por tão poucas posições que os padrões de pagamento podem ser reduzidos de forma contínua sem muitas consequências. *Sempre* vai ter alguém igualmente apaixonado pelo trabalho para ficar no seu lugar. Benefícios podem ser reduzidos ou cortados por completo; pagamentos para freelancers podem ser diminuídos a ponto de mal serem capazes de sustentar alguém, especialmente na área das artes. Em muitos casos, em vez de um escritor receber dinheiro para publicar em um site, ele basicamente paga ao site com trabalho de graça pela oportunidade de receber os créditos pela publicação. Ao mesmo tempo, empregadores podem aumentar as qualificações mínimas para o trabalho, exigindo mais estudo, outra graduação e mais treinamento — mesmo que isso não seja necessário — para que a pessoa pelo menos seja considerada para a vaga.

Dessa forma, empregos e estágios "descolados" se tornam estudos de caso sobre oferta e demanda: mesmo que o trabalho em si não seja tão satisfatório, ou exija tanto empenho com remuneração tão baixa que é capaz de extinguir qualquer paixão que possa existir, o desafio de ser um entre mil que "fazem as coisas funcionarem" torna o emprego muito mais desejável.

Para muitas empresas, esse é o cenário perfeito: uma posição que custa a elas pouco ou nada para preencher, com um número aparentemente infinito de candidatos superqualificados e muito motivados. Isso explica por que, no mercado de trabalho na teoria robusto do final dos anos 2010, empresas se viram cada vez mais desesperadas para preencher empregos não amáveis de baixo salário — em especial considerando que muitos, não importa o quão básicos, agora exijam um diploma de nível superior. Como Amanda Mull apontou na *The Atlantic*, esse desespero tomou a forma do "anúncio de emprego descolado" e do gasto cada vez maior no aperfeiçoamento desse anúncio (em vez de, digamos, oferecer aos candidatos melhores salários, benefícios ou flexibilidade).[1]

De acordo com o site *Indeed.com*, entre 2006 e 2013 houve um aumento de 2.505% nas descrições de vagas de emprego que usavam a palavra "ninja"; um aumento de 810% nas que usavam "estrela do rock" e 67% de aumento nas que tinham a palavra "jedi".[2] No momento em que escrevo isso, você pode se candidatar a uma vaga de "Herói do Atendimento ao

Cliente" na empresa Autodesk, a uma de "Ninja do Cacau" numa fábrica de chocolates na Pensilvânia e a uma de "Faz-tudo Astro do Rock" para uma imobiliária em Orlando, Flórida. A maioria desses anúncios é para empregos de nível júnior, que pagam pouco mais que o salário mínimo, com poucos ou nenhum benefício. Alguns são simplesmente trabalhos freelancer propagandeados como "oportunidades de lucro". Quanto mais merda for o trabalho, maiores as chances de que receba um título e um anúncio "descolados" — uma forma de convencer o candidato de que um trabalho nada legal é na verdade interessante e, portanto, válido, apesar do salário que mal dá para viver.

Essa é a lógica do "Faça o que você ama" na prática. É claro que nenhum funcionário pede ao empregador que o valorize menos, mas a retórica do "Faça o que você ama" torna o pedido de valorização parecer o equivalente a uma conduta antidesportiva. Fazer o que você ama "expõe a pessoa à exploração, justificando trabalho não pago ou malpago com as motivações dos próprios funcionários", argumenta Tokumitsu, "quando *paixão* se torna a motivação socialmente aceita para o trabalho, falar de salário, responsabilidades ou horários se torna grosseria".[3]

Veja o exemplo de Elizabeth, que se identifica como uma latina branca que cresceu na classe média da Flórida. Durante o início da faculdade, participou do Disney College Program, que oferece um estágio híbrido com uma experiência de "estudo no exterior", só que, em vez de ser em um país, estrangeiro, é na... Disney. Depois, ela ficou desesperada para conseguir um emprego, qualquer um, na empresa — mesmo que fosse no call center. A vaga era totalmente sem saída, sem nenhuma forma de progressão na empresa, só a expectativa de que você deveria ser grato simplesmente por ter um emprego na Disney. "Na Disney, eles dependem do seu amor pela empresa", contou ela. "Eu amava a empresa e os produtos, mas isso não tornava aceitável o pagamento pouco acima do salário mínimo."

Quando um grupo de funcionários "apaixonados" chega a pedir melhores salários e condições de trabalho — digamos, entrando num sindicato —, sua devoção à vocação é questionada. (As exceções são ocupações sindicalizadas há décadas, como bombeiros ou policiais.) Defender um sindicato significa se identificar, em primeiro lugar, como trabalhador, em solidariedade com outros trabalhadores. Isso promove o tipo de consciência de classe que muitos empregadores se esforçaram tanto para negar, repaginando "empregos" como "paixões" e "locais de trabalho" como "família". E Deus me livre de falar de dinheiro com alguém da família.

É fácil ver como um profundo deslize pode se desenvolver entre buscar sua "paixão" e "trabalhar demais". Se você ama o seu trabalho, e ele é muito recompensador, faz sentido que você queira fazer isso *o tempo todo*. Alguns historiadores traçam o culto americano ao excesso de trabalho às práticas de contratação das empresas de defesa pós-Segunda Guerra Mundial no Vale de Santa Clara, na Califórnia. Durante os anos 1950, essas empresas começaram a recrutar cientistas que eram, como Sara Martin descreve em sua história do excesso de trabalho publicada em 2012, "obstinados, socialmente ansiosos, emocionalmente distantes e abençoados (ou amaldiçoados) com um foco único, exato e preciso em alguma área particular de interesse obsessivo".[4]

Depois de contratados, esses cientistas criaram o novo padrão para o "bom funcionário": "trabalho não era só trabalho; era a paixão da vida deles", explica Martin, "e eles dedicavam todas as horas do seu dia, em geral em detrimento de relacionamentos não profissionais, exercício físico, sono, alimentação e às vezes até cuidados pessoais". Psicólogos em Lockheed, uma das proeminentes empresas no que viria a se tornar o Vale do Silício, batizaram essa mentalidade particularmente desejável em funcionários de "personalidade da ciência e tecnologia", diz Martin, e moldaram a cultura das empresas ao redor deles: trabalhe quantas horas quiser, quando quiser, nas roupas que quiser, e vamos fazer dar certo. Na HP, os engenheiros recebiam café nas salas — "para que se lembrassem de comer" —, um predecessor das cafeterias, refeições e lanches grátis que vieram a caracterizar a cultura de startup.

Mas foi só após o sucesso estrondoso de *In Search of Excellence* [Em busca da excelência] — publicado em 1982 por dois consultores da McKinsey — que essa ética profissional em particular se espalhou pelo país e se tornou o padrão. O argumento do livro era simples: se as empresas conseguissem encontrar empregados como os que trabalhavam no Vale do Silício (ou seja, funcionários dispostos a serem engolidos pelo trabalho), também poderiam obter o sucesso recém-mitificado da indústria de tecnologia. Dessa forma, o excesso de trabalho se tornou moderno, vanguardista, inovador — enquanto proteções sindicalizadas da semana de trabalho de 44 horas se tornaram não só antiquadas e fora de moda, mas distintamente *não descoladas*.

E, conforme os sindicatos — e a legislação que os protegia — se tornaram impopulares, o mesmo ocorreu com a solidariedade entre trabalhadores. A missão de encontrar e ganhar trabalhos "amáveis" criou uma atmosfera de competição impiedosa; sentir-se pessoalmente apaixonado e realizado pelo trabalho é mais importante do que as condições de trabalho da coletividade.[5] "A solidariedade se torna suspeita quando cada indivíduo se vê como um trabalhador independente, preso em uma batalha de soma zero com o resto da sociedade", explica Tokumitsu. "Cada momento que se passa sem trabalhar significa que outra pessoa está saindo à sua frente."[6]

Tentar encontrar, cultivar e manter seu emprego dos sonhos, então, significa abrir mão da solidariedade em troca de *mais serviço*. Se um colega de trabalho insiste em horários determinados ou até está tirando umas simples férias, ele não está criando limites saudáveis entre vida pessoal e profissional — está dando a você uma oportunidade de mostrar que pode trabalhar com mais afinco, com mais qualidade, *mais* do que ele. Na redação do jornal em que eu trabalhava, por exemplo, repórteres tinham a opção de tirar um ou dois dias de folga depois de cobrir um evento traumático, como um tiroteio em massa. Porém, poucos tiravam esses dias de folga, porque em uma profissão como o jornalismo, em que milhares estão babando pelo seu emprego, essa não é, na verdade, uma oportunidade de descanso — é uma chance de se distinguir como alguém que *não* precisa de tempo para se recuperar mentalmente.

Quanto todo mundo num ambiente de trabalho pensa em si mesmo como um trabalhador independente em constante competição, isso cria as condições perfeitas para o burnout. Um funcionário determina o quão cedo pode chegar ao escritório e quão tarde pode sair; os outros tentam bater ou exceder esse limite. É claro que o resultado cumulativo dessa atmosfera raramente é positivo: no meu caso, não tirar nem um dia de folga depois de cobrir o tiroteio em massa de Sutherland Springs, no Texas, me transformou em uma meleca triste que negava o burnout por meses. E uma cultura de excesso de trabalho não significa trabalho melhor, ou mais produtivo — só significa mais tempo no serviço, o que se transforma em uma demonstração de devoção à empresa.

O burnout acontece quando toda essa devoção se torna insustentável — e também quando a fé de que fazer o que você ama é o caminho para a realização financeira e em outros campos começa a falhar. Ainda assim, em geral leva-se anos, até décadas, para se perder uma fé que você passou tanto tempo internalizando. Considere o caso de Stephanie, que se identifica como meio branca, meio asiática, e cresceu na classe média da Carolina do Norte. Stephanie admite que nunca sequer considerou a possibilidade de não encontrar um emprego imediatamente depois da formatura. Ela foi uma das três melhores alunas do Departamento de Literatura, fazia parte da Lista de Honra, escrevia para o jornal e ajudava a editar a revista literária da universidade. Como não tinha carro e trabalhava em período integral durante as férias de verão, não conseguiu arrumar um estágio — o tipo de coisa que poderia ajudá-la a construir um portfólio. Dito isso, ela supôs que suas boas notas e as atividades extracurriculares seriam o suficiente.

"Eu ia tão bem academicamente que meio que imaginei que um emprego cairia no meu colo", disse ela. "Afinal, era assim que tudo na academia funcionava: eu me esforçava na minha parte do trabalho e as coisas acabavam bem. Eu pensei que, por ser uma pessoa motivada e capaz, com excelente escrita, não precisava me preocupar muito."

O emprego ideal de Stephanie era em algum lugar com "uma quantidade razoável de 'capital de interesse', sabe, trabalhar na *Vice* ou algum outro lugar maneiro e diferente. Um lugar de que todo mundo já ouviu falar". Quando essas oportunidades não se manifestaram, ela disse para quem perguntava que queria trabalhar para "ONGs", embora, olhando para trás, esse desejo tivesse muito mais a ver, segundo ela, com "receber as recompensas sociais de ser 'boa'". Stephanie conseguiu encontrar uma vaga na AmeriCorps — mas o ambiente de trabalho era horrível, então ela pediu demissão em dois meses. Começou a trabalhar como garçonete em uma pizzaria para pagar as contas e passou a se inscrever em vagas, tentando mandar dez currículos por semana. Ela usava uma planilha para acompanhar quando e para onde havia se candidatado. No fim, enviou seu currículo para mais de 150 lugares. Só meia dúzia respondeu.

Isso continuou por mais dois anos. Ainda na pizzaria, Stephanie começou a beber muito com os colegas e a sair com um bartender que acabou sendo abusivo. "Eu passava o tempo todo sem energia, de ressaca e, em certos momentos, pensava em suicídio", lembra ela. A única maneira que conseguia pensar para sair da pizzaria era escrever de graça para construir um portfólio. Então foi isso que começou a fazer — assim, quatro anos depois de se formar, finalmente conseguiu um emprego em uma ONG: por quinze dólares a hora, sem benefícios e sem fundo de aposentadoria.

Hoje em dia, Stephanie tem dúvidas de que seu diploma de uma universidade de artes de elite tenha valido a pena. "Sair da indústria de serviços foi uma conquista muito grande para mim", diz ela. "Mas, quanto mais tempo passei na indústria de serviços, mais eu me perguntei se fui egoísta ou ingênua por querer tanto uma carreira direcionada como queria."

O resultado dessa experiência é que Stephanie recalibrou radicalmente sua compreensão do que um emprego pode e deve ser para ela. "Eu sempre quis que meu trabalho fosse a minha vida, mas agora sinto que um bom emprego é algo que não exige que eu trabalhe mais que quarenta horas semanais com frequência e com tarefas que sejam desafiadoras e interessantes, mas ainda possíveis. Eu não quero mais um emprego 'descolado', porque acho que empregos que são seu 'sonho' ou sua 'paixão' consomem demais da sua identidade fora das horas de trabalho de uma maneira extremamente tóxica. E eu não quero perder minha identidade se perder meu emprego, entende?"

Quando muitos Millennials entraram no mercado de trabalho, ele ou estava completamente destruído, ou estava em uma recuperação muito, muito lenta. Entre dezembro de 2007 e outubro de 2009, a taxa de desemprego dobrou, de 5% para 10%. O número de pessoas empregadas despencou 8,6 milhões. E se uma grande recessão nacional afeta quase todo mundo de algum jeito, afeta especialmente quem está entrando no mercado pela primeira vez. Quando milhões de trabalhadores com experiência perderam seus empregos, foram procurar novas oportunidades em qualquer lugar que pudessem encontrar: incluindo as vagas iniciais de baixo salário que as pessoas que buscam trabalho pela primeira vez em geral usam para colocar o pé no mercado. Para os Millennials entre 16 e 24 anos, a taxa de desemprego subiu de 10,8% em novembro de 2007 para 19,5% em abril de 2010 — uma alta histórica.[7]

"Millennials foram destruídos na curva descendente", escreveu Annie Lowrey na *The Atlantic*. Eles "se formaram no pior momento do mercado de trabalho nos últimos oitenta anos. Isso não significava só alguns anos de desemprego alto, ou alguns anos morando no porão dos pais. Significa uma década inteira de renda perdida". A extensão dos efeitos dessa situação só agora entra em foco: um relatório de 2018 feito pelo Banco Central americano, por exemplo, descobriu que "Millennials estão em situação financeira pior que membros das gerações anteriores quando eram jovens, com salários menores, menos bens e menos renda".[8]

Não ter emprego, afinal, significa não ter como juntar dinheiro — para comprar uma casa, para se aposentar — ou investir. Alguns Millennials voltaram a estudar para aguardar o fim da tempestade e emergiram, dois ou seis anos depois, com dezenas de milhares de dólares em dívidas estudantis — e a perspectiva de arrumar um emprego quase igualmente ruim. Aqueles que foram forçados a voltar para a casa dos pais também foram forçados a suportar um discurso ansioso deles e da mídia, dizendo que nunca mais sairíamos: preguiçosos e sem rumo, em vez de suportar um cataclisma econômico totalmente fora de seu controle.

Era, e permanece sendo, uma realidade triste. Mas os Millennials, mesmo aqueles que voltaram aos seus quartos de infância, não foram criados para se resignar às forças do mercado. Fomos criados para nos esforçar ainda mais e encontrar aquele prometido emprego perfeito, ansiosos para fazer o que Kathleen Kuehn chama de "trabalho de esperança": "trabalho pouco ou não remunerado, muitas vezes feito em troca de experiência ou exposição, na esperança de que oportunidades futuras virão dele".⁹ Em outras palavras, estágios, bolsas e outros subempregos, muitos dos quais oferecem recompensas duvidosas, mas que parecem obrigatórios para a maioria dos trabalhos, especialmente, como Tokomitsu reitera, os "amáveis".

Quando me formei na faculdade em 2003, poucos dos meus amigos tinham feito estágios, ou ao menos imaginavam que tinham que buscá-los. Dez anos depois, como professora, já recebi mais questões de alunos sobre como eu poderia conectá-los a estágios do que pedidos para explicar, digamos, seu trabalho sobre a teoria psicanalítica de Lacan. Porque, por mais difíceis e incompreensíveis que sejam os conceitos teóricos de Lacan, para a maioria dos alunos, ainda são menos difíceis que conseguir um estágio.

Você pode só ler mais para entender uma teoria: se esforçar mais e, em algum momento, a incompreensão vai se solucionar sozinha. Porém, estágios têm a ver com conexões e, acima de tudo, com a disponibilidade e a capacidade de trabalhar por pouco ou nenhum dinheiro. E se você não consegue um emprego sem um portfólio, e não pode criar um portfólio sem estágios, e não tem como trabalhar de graça para conseguir esses estágios, então, bem: em teoria, só certo tipo de pessoa (leia-se: uma pessoa com dinheiro, uma pessoa com financiamento particular da universidade, uma pessoa que pode pegar mais empréstimos para cobrir o tempo de estágio enquanto está na universidade) pode se dedicar a esse "trabalho de esperança".

Alguns de nós só puderam fazer esses estágios porque moravam na casa dos pais. Outros, para pagar as contas, dependiam dos pais, de empréstimos ou de segundos empregos. Muitos desistiram por completo do sonho de trabalhar na área que escolheram. Mas isso não significava que a ideia maior de que você deve trabalhar com o que ama, não importa o custo, tivesse desaparecido.

Sofia, uma mulher branca que cresceu "privilegiada para cacete", fez uma série de estágios não remunerados em pequenos museus e no

Sotheby's antes de se formar em uma pequena universidade de artes de elite com diploma de história da arte. Mas era 2009, e um trabalho prometido no Sotheby's de repente desapareceu. Ela se inscreveu em centenas de estágios remunerados e não remunerados em Nova York e Chicago; enfim, conseguiu uma única entrevista com uma companhia de teatro e aceitou a proposta, sabendo que seus pais podiam ajudar a pagar suas contas, já que o estágio não era remunerado.

Ela tentou arrumar um segundo emprego como garçonete, batendo de porta em porta em Astoria, no Queens, distribuindo o currículo para todos os restaurantes. Nunca recebeu uma ligação, conseguindo um emprego só quando uma vaga abriu no restaurante em que um amigo trabalhava. "Se aprendi algo nessa busca, é que networking, nepotismo e conexões internas são basicamente a única maneira de conseguir um emprego", disse ela. "E, mesmo assim, esse emprego era um estágio não remunerado."

Mesmo assim, esse estágio levou a um outro, remunerado, que enfim a levou ao seu programa de doutorado. Mas, antes de chegar tão longe, Sofia foi assistente do coordenador de estagiários em um dos museus em que trabalhou — e "descobriu em primeira mão o quanto eles casualmente exploram estagiários (com baixos ou nenhum salário) porque sabem como esses programas são competitivos".

Cada oportunidade de estágio atraía milhares de candidatos; era mais difícil, de certa forma, conseguir a vaga do que entrar em uma universidade da Ivy League. "Eles sabiam que, por terem uma marca de prestígio, podiam fazer tudo que queriam quando se tratava de pagamento", disse Sofia. "Ninguém entra no mundo das artes pelo dinheiro, não é mesmo? Você precisa ser *apaixonado* por isso! Aí depois eles se perguntam por que os museus têm uma reputação tão ruim quando se trata de diversidade no quadro de funcionários."

Na verdade, há três opções para cobrir trabalho não remunerado ou pouco remunerado durante a graduação: pegar empréstimos estudantis para pagar os custos de vida, trabalhar em outro emprego para ganhar dinheiro ou depender de apoio dos outros (seja vivendo ou comendo na casa dos pais ou tendo as contas pagas por eles). Em um post de 2019 em seu blog, Erin Panichkul, a primeira da família a fazer faculdade, escreveu sobre como tinha pegado empréstimos durante todo o período em que esteve na universidade, não só para a mensalidade, mas para pagar aluguel, comida, contas e livros: primeiro na Santa Monica Community College, depois na UCLA, e enfim na especialização em direito. Quando surgiu a possibilidade de um estágio não remunerado na Organização das Nações Unidas, ela sabia que precisava aceitar — mesmo que isso significasse pegar mais empréstimos (ou seja, pagar) para trabalhar de graça.

"Exposição não paga conta", escreveu Panichkul, em um post intitulado "Estágios não remunerados mantêm mulheres como eu fora do direito". "Experiência não paga aluguel. Não paga meu transporte para chegar até o estágio. Não me alimenta. Mas acreditei que a experiência era tão importante que pegar um empréstimo valia a pena." É uma "regra não escrita" que os currículos alimentados com estágios são essenciais para conseguir um emprego em uma empresa. Portanto, é uma "regra não escrita" que você precisa fazer um estágio, não importa o quão pouco pague, para conseguir um emprego. "Ser pago para trabalhar não deveria ser um luxo", escreve Panichkul. "Quando eu estudava direito, estava tão grata por essas oportunidades que só comecei a questionar essas práticas agora."

Quando as pessoas seguem uma "vocação", dinheiro e benefícios são considerados secundários. A própria ideia de uma "vocação" vem de preceitos antigos do protestantismo e da noção de que todo homem pode e deve encontrar um emprego por meio do qual possa melhor servir a Deus. Calvinistas americanos interpretaram a dedicação à vocação de alguém — e a riqueza e o sucesso que se sucedem — como evidência do status de eleito da pessoa. Essa interpretação funcionava para o capitalismo, argumenta o teórico cultural Max Weber, pois encorajava todo trabalhador a ver seu ofício não só como significativo em geral, mas como valoroso, até sagrado.

Em um estudo seminal sobre tratadores de animais, J. Stuart Bunderson e Jeffrey A. Thompson examinaram as dificuldades enfrentadas pelas pessoas que pensavam em seu trabalho com animais como uma "vocação". Tratadores de animais são altamente especializados, mas muito mal pagos, com um salário médio anual de 24.640 dólares em 2002. A maioria tinha que arrumar um segundo emprego para poder pagar as contas. Há pouquíssimo espaço para avanços na carreira, e eles passam uma quantidade significativa dos seus dias limpando fezes e fazendo outros "trabalhos sujos". Mas também articularam uma resistência a pensar em demissão, ou a encontrar outro campo de trabalho. Como Bunderson e Thompson apontam: "Se a pessoa se sente criada para determinado trabalho e pensa que o destino a levou até ali, então rejeitar esse chamado seria mais do que uma escolha ocupacional; seria uma falha moral, um abandono negligente daqueles que necessitam de seus talentos, habilidades e esforços".[10]

Alex, que é branco e cresceu na classe média-baixa, se formou na faculdade em 2007 e começou a procurar emprego como pastor de igreja. Nos doze anos desde que começou sua busca, já se candidatou a mais de cem vagas. Às vezes, trabalha em múltiplos empregos; às vezes não consegue encontrar nenhum. Agora, está trabalhando em uma igreja, mas seu contrato termina no próximo verão, e ele não sabe o que vai acontecer com a sua família, que foi morar com os pais dele ano passado para poder pagar as contas. Agora, Alex está procurando qualquer emprego com horários consistentes, que não fique muito longe de casa e que tenha uma missão ou foco claros. "Plano de saúde", diz ele, "seria incrível".

Mas, conforme continua a procurar — e não consegue encontrar — trabalho como pastor, ele se vê alternando entre ansiedade, vergonha e depressão, e tudo acaba resvalando nessa questão da "vocação". "Existe uma ideia de que estamos sendo guiados por algo maior que nós: Deus, o universo, sei lá", ele me contou. "Então, quando estamos com burnout ou colocamos limites no trabalho, há uma sensação de que estamos de alguma forma traindo nossa vocação por não amar cada minuto que passamos fazendo isso."

Uma "vocação", em outras palavras, é muitas vezes um convite para a exploração, seja você um tratador de animais, um professor ou um pastor. Em *The Job: Work and Its Future in a Time of Radical Change* [O trabalho: O trabalho e seu futuro em uma época de mudanças radicais], Ellen Ruppel Shell aponta que empregadores até criaram algoritmos que examinam candidaturas de modo a diferenciar os aspirantes "vocacionais" daqueles que só estão se inscrevendo, com base no entendimento de que "aqueles vão alegremente fazer qualquer tarefa sem discussão ou exigência".[11] Não importa quantas pessoas admitam que estágios não remunerados são excludentes e exploradores. Recém-formados ainda estão desesperados por eles. Uma bolsa no *BuzzFeed* atrai milhares de candidatos; uma recrutadora para diferentes programas de estágio me contou que, no verão de 2019, ela recebeu 10 mil candidaturas para cinquenta vagas em dois deles. A promessa do trabalho de esperança é que, se ao menos você conseguir colocar o pé para dentro, não importa como você ou os outros na mesma posição são tratados. O que importa é que existe uma *chance* de você acabar fazendo o que ama, não importa o quão baixo seja o salário.

Erin, que se identifica como branca e do Meio-Oeste, cresceu na zona rural da Califórnia. Ela estudou em uma universidade estadual, onde conseguiu um diploma em estudos globais, e estava animada para conseguir um emprego na área da educação ou no terceiro setor, "fazendo algo que seria significativo ou lhe permitiria fazer o bem, mas que também lhe desse a oportunidade de viajar e morar fora". Nos últimos meses antes de se formar, ela, como tantos outros, passou muito tempo no centro de carreiras da faculdade, participando de workshops, patrulhando o site, cumprindo as tarefas que, somadas ao seu diploma, ela supunha que a colocariam no caminho de um emprego estável.

Na sua primeira busca pós-formatura, Erin se candidatou a "empregos demais para se lembrar", mas só foi chamada para dois: uma vaga malpaga de divulgadora em uma ONG voltada para o meio ambiente (pense nas pessoas que param você na frente do metrô e perguntam se você "tem um minutinho para falar sobre a Amazônia") e uma posição como analista financeira júnior, para a qual era extremamente subqualificada. Ela odiava a ideia de voltar para a casa dos pais, mas, depois de um tempo, percebeu que não tinha opção: "Eu não podia fazer mais nada sem um emprego", ela me contou.

De início, ela ficou envergonhada — era 2008 e, pelo menos na sua cidade, os efeitos mais amplos da recessão ainda não tinham se manifestado. Porém, na época, quase todo mundo da sua turma do ensino médio que não tinha feito uma faculdade de exatas ou seguido a carreira acadêmica também tinha voltado para a casa dos pais. Ela passou vários meses procurando emprego, lutando contra uma sensação crescente de ansiedade e vergonha, até enfim conseguir um trabalho de meio expediente em um programa extracurricular na ACM local, que "não pagava nada".

Um dia, a professora da primeira série de Erin apareceu e lhe deu uma pasta: tinha guardado todos os seus antigos escritos e uma coleção dos melhores trabalhos que ela fez na escola até o oitavo ano. A professora tinha a intenção de que o presente mostrasse quanto potencial sempre vira em Erin, mas ela o internalizou como uma decepção profunda. "Eu sempre fui a mais esperta, e na minha cidade natal era vista como uma daquelas crianças com um futuro brilhante", conta. "E é por isso que foi tão devastador voltar para a casa dos meus pais. Era para eu estar indo resolver a crise no Oriente Médio… e cá estava eu, de volta à minha cidadezinha natal."

O cultivo da esperança — não importa quão pequenas as chances de real sucesso — se tornou uma estratégia de negócios. Participantes de estágios e bolsas criam conteúdo e fornecem mão de obra a uma fração do preço de um empregado contratado, mas são só o exemplo mais óbvio do trabalho de esperança. Escritores freelancer também fazem trabalho de esperança. Assim como empregados temporários, torcendo por aquela tão desejada "efetivação para a carteira assinada". Indústrias inteiras se baseiam em um excesso de trabalhadores dispostos a pedir menos para trabalhar mais — contanto que possam dizer a si mesmo e aos outros que têm um trabalho que "amam".

Isso é comum especialmente no setor acadêmico, que se tornou, na verdade um complexo industrial de trabalho de esperança. Dentro desse setor, professores titulares — aparentes provas de que você pode, sim, estudar sobre seu tema de escolha pelo resto da sua vida, com estabilidade de emprego, se ao menos você se esforçar o suficiente — encorajam seus alunos mais motivados a se candidatar a mestrados. As instituições de pós-graduação dependem do dinheiro de alunos pagantes e/ou do trabalho barato deles, então aceitam muito mais alunos para o mestrado do que o número de vagas para doutorado, e muito mais alunos de doutorado do que o número de vagas para professores adjuntos.

Durante todo esse percurso, alunos de pós-graduação ouvem que o trabalho vai, essencialmente, salvá-los: se publicarem mais, se forem a mais conferências para apresentar seus trabalhos, se conseguirem um contrato de publicação antes de se formarem, suas chances no mercado de trabalho aumentam. Para alguns poucos, isso se prova verdadeiro. Mas não há garantia — e com o financiamento cada vez menor para as universidades públicas, muitos alunos assumem os custos de viagens para conferências (muitas vezes por meio de empréstimos estudantis), lutando para pagar as contas durante as férias de verão quando se candidatam aos já escassos empregos acadêmicos disponíveis, muitos em locais remotos, com pouca chance de estabilidade em longo prazo.

Alguns acadêmicos exaurem seu suprimento de trabalho de esperança durante o mestrado. Já outros levam anos no mercado, muitas vezes atuando em posições de assistência com condições de trabalho humilhantes e exigentes, para que o sonho comece a se despedaçar. Mas o próprio sistema é construído para se alimentar durante o maior tempo possível. A maioria dos programas de doutorado nas ciências humanas ainda oferece pouco ou nenhum treinamento para empregos fora da academia, criando um tipo de túnel obrigatório do mestrado para aspirante a professor universitário. Nas ciências humanas, em especial, obter um doutorado — se tornar um *doutor* no seu campo de conhecimento — significa adotar o lema "Eu não tenho qualquer habilidade vendável". Muitos acadêmicos não têm escolha além de continuar ensinando — a única coisa que se sentem preparados para fazer —, mesmo sem pagamento justo ou segurança profissional.

Instituições acadêmicas são incentivadas a manter os pós-graduandos "fazendo o que amam" —, mas há uma pressão adicional de colegas e mentores que têm interesses profundos na manutenção da viabilidade da instituição. Muitos acadêmicos em posição sênior com pouca experiência na realidade do mercado contemporâneo dizem aos seus alunos, implícita e explicitamente, que o único emprego bom é um acadêmico de professor titular. Quando não consegui um emprego acadêmico em 2011, senti um desânimo suave, mas nada sutil, vindo de vários professores ao contar a eles que tinha escolhido lecionar em uma escola de ensino médio para poder pagar as contas.

Não importava que eu não tivesse outras opções. O que importava era que eu tinha me afastado do único caminho aceitável: permanecer na academia, não importava o que acontecesse. "Era para a gente aceitar o *status quo* porque estávamos indo bem", lembra Erin. "Quando larguei a docência para trabalhar na área de tecnologia — porque estava literalmente morrendo de fome! —, me senti julgada pelos meus antigos colegas." Se você deixa a docência, a ideia é que você "não tem o que é necessário" ou está negligenciando as "necessidades dos alunos". Ela se sentiu uma traidora por não "aguentar".

Se e quando acadêmicos se veem decepcionados com o sistema, essa decepção muitas vezes é acompanhada de uma vergonha sufocante e teimosa. Não importa que eles tenham seguido todos os conselhos sobre como se moldar como um candidato perfeito, ou que o sistema tenha florescido no seu estoque aparentemente infinito de ambição e trabalho. O que importa é que eles passaram uma década ou mais de suas vidas atuando no que amavam — e falharam em alcançar a linha de chegada. É isso que acontece quando não falamos sobre trabalho como trabalho, e sim como a busca de uma paixão. Isso faz com que pedir demissão de um emprego que o explora implacavelmente faça parecer que você está desistindo de si mesmo, em vez do que na realidade é: que você está defendendo, pela primeira vez em muito tempo, suas necessidades básicas.

Para Hiba, uma mulher paquistanesa que imigrou para os Estados Unidos, a realidade desse trabalho de esperança, totalmente sem reconhecimento, foi demais para suportar. Na graduação, ela escrevia com regularidade para o jornal do campus e para o jornal muçulmano local; quando se formou, seus professores lhe falaram que logo ela conseguiria emprego em um jornal local e, depois de um tempo, conseguiria subir para uma posição de mais prestígio. Porém, quando Hiba começou a se candidatar a vagas — às vezes chegando a trinta por dia, por todo o país —, não recebeu resposta alguma. Embora escrever sobre questões que envolviam a comunidade muçulmana fosse sua paixão, conselheiros lhe disseram para deixar a experiência no jornal muçulmano fora do currículo para evitar preconceito. Mesmo assim... nada.

Depois de um tempo, Hiba conseguiu um emprego como analista de pesquisa em uma empresa de tecnologia. O salário era decente —

38 mil dólares por ano —, mas o trabalho era enfadonho. Ela ficava numa mesa dando entrada no banco de dados e fazendo ligações para possíveis clientes, e se viu "desesperadamente entediada e deprimida". Um dia, descobriu que o orador da sua turma de graduação — um cara que ela tinha certeza de que teria uma carreira incrível no jornalismo — trabalhava a apenas algumas mesas de distância.

No entanto, Hiba ainda estava determinada a encontrar algum trabalho na área de jornalismo: ela continuou enviando currículos e recebeu uma oferta para atuar como assistente editorial em uma revista científica, mas o salário — de apenas 26 mil dólares por ano — não seria capaz de sustentá-la. Hiba começou a fazer cursos noturnos na área de estudos feministas e, nas suas palavras, "se apaixonou" de tal forma que, depois de um tempo, completou seu mestrado no tema. Foi isso que, enfim, fez com que ela conseguisse seu tão desejado emprego descolado, em uma "revista de atualidades famosa e de esquerda" em Nova York. Embora fosse só meio expediente, apenas recebesse oito dólares por hora e tivesse que dormir no sofá de uma amiga, Hiba aceitou a oportunidade sem pensar duas vezes.

"Parte de mim simplesmente queria de forma desesperada ficar famosa como escritora", disse ela. "Eu queria estar ligada às revistas que os intelectuais leem. Eu pensei que traria um ângulo interessante, escrevendo sobre a intersecção de ser muçulmana e mulher, depois de passar três anos estudando e pesquisando esses assuntos para o mestrado. Em vez disso, eu estava exausta, malpaga e extremamente deprimida." Quase ninguém no escritório falava com ela.

Hiba havia atuado tempo suficiente em um emprego que não era descolado para ser capaz de reconhecer como eram horríveis as condições de trabalho quando conseguiu um. Talvez não fosse entediante, mas também não era nada das outras coisas que ela imaginou que seria. "Eu pensei que aguentar ia valer a pena", contou. "Mas, no fim, a experiência foi tão deprimente que tive que ir embora."

FAÇA O QUE VOCÊ SIMPLESMENTE GOSTA

A fetichização do trabalho amável significa que empregos *normais* — empregos que não são ninja ou jedis e que talvez não sejam "descolados", mas que mesmo assim oferecem poderes mágicos como "estabilidade" e "benefícios" — passaram a ser indesejados. Dentro dessa lógica, carteiros e eletricistas passaram a parecer os empregos dos nossos pais e avós, o tipo de trabalho com um começo e fim determinados, o tipo de emprego que não domina toda a identidade do trabalhador. Talvez você não ame, ou sinta *paixão* por instalar ar-condicionados, mas também odeia. O expediente é razoável, o pagamento é decente, o treinamento é tranquilo. Mesmo assim, esses empregos são muitas vezes vistos, pelo menos entre a classe média educada, como desinteressantes.

Isso é algo com que Samantha, que cresceu na classe média-alta de Connecticut e largou a faculdade antes de se formar, ainda tenta fazer as pazes. Depois de sair da faculdade, ela disse para todos que conhecia que queria dar aulas e que estava só dando um tempo. Mas o que realmente queria era se tornar gerente do mercadinho em que trabalhava. Hoje ela ainda está nesse mercado, onde ganha um bom salário por hora e tem flexibilidade. "Eu ainda sinto que não é o suficiente, porque não é algo com que eu sonhava fazer quando era criança", explica ela. "Mas isso significa que não é um bom emprego? Será que meu avô *sonhava* em ser carteiro por trinta anos? Provavelmente, não, mas aposto que ninguém reclamava para ele que aquele não era um bom emprego."

A decepção crescente dos Millennials com o pensamento "Faça o que você ama", adicionada à crescente e constante demanda por todos os serviços nada atraentes fornecidos por esses empregos, deu a eles um novo brilho. Entre meus amigos, percebi um momento de epifania de "Venha para Jesus" em relação às exigências e aspirações profissionais. Eles não querem mais um emprego dos sonhos — só querem um emprego que não pague um salário miserável, que não os force a trabalhar sem parar e que não os chantageie a aceitar qualquer condição de trabalho. Afinal, fazer o que se ama transformou todos em pó. Agora eles têm só empregos normais — e que reorientam de forma fundamental seu relacionamento com o serviço.

Considere o novo emprego de Erin na área de tecnologia: é estável, ela consegue pagar por coisas como comida e, diferentemente da academia, ela consegue manter limites claros entre sua vida pessoal e profissional. Na juventude, Erin achava que um bom emprego era algo em que você ganhava muito dinheiro, fazia o que amava *e* fazia o bem; agora sua definição de um bom emprego é "o que pagar mais e me permitir desligar o computador às cinco da tarde". É uma trajetória que parece cada vez mais comum entre Millennials: encontrar uma forma de fazer algo de que você *simplesmente goste*.

Milhões de Millennials, independentemente de classe, foram criados com ideias sublimes, românticas e burguesas sobre o trabalho. Livrar-se dessas ideias significa abraçar outras que nunca desapareceram para muitos funcionários da classe trabalhadora: um bom emprego é um que não o explora e que você não odeie. Jess, que se identifica como negra, cresceu "terrivelmente pobre" com pais ausentes. Quando se formou na faculdade com um diploma em literatura afro-americana, ela queria um emprego em alguma área de marketing, mas precisando de um trabalho urgente em 2009, no auge da recessão, acabou trabalhando na Starbucks.

Jess teria voltado para a casa dos pais, mas isso não era uma opção. Ela fez trabalhos como freelancer de graça, tentando construir seu portfólio. De início, estava feliz de simplesmente ter se formado e se divertia no trabalho de barista, mas logo começou a ficar ansiosa quando via seus amigos mais jovens se formando e arrumando empregos direto. Hoje em dia, Jess ama o trabalho — em uma ONG que ajuda crianças que esperam adoção —, em parte porque nunca sentiu a compulsão de encontrar o emprego perfeito, mesmo quando os amigos ao seu redor buscavam posições claramente mais aspiracionais. "Eu tenho uma visão mais realista", disse ela, "porque cresci com uma mãe que não tinha carreira. Ela trabalhava em vários empreguinhos ruins para criar os quatro filhos sozinha".

Sofia, que fez todos aqueles estágios na área artística, recentemente terminou seu doutorado em uma universidade da Ivy League. "Eu achava que um bom emprego seria trabalhar com algo que me fizesse sentir que estava criando e aprendendo mais sobre arte, em uma instituição de prestígio e fama", admitiu ela. "E a questão do prestígio continuou na minha cabeça por um *tempão*. Foi só depois de acabar o doutorado e começar a procurar emprego que percebi que prestígio não tem nada a ver com satisfação profissional. Por sorte, eu tive sete anos de pós-graduação, além de todos aqueles estágios, para perceber quais partes do trabalho me deixavam feliz e satisfeita."

Depois disso, ela encontrou seu primeiro emprego estável com benefícios. Não é exatamente um cargo acadêmico — e sim ensinar história para alunos entre onze e treze anos. "É um trabalho que me faz muito feliz, paga bem e me desafia e satisfaz todos os dias", conta. "Não tem prestígio, mas é incrível."

Uma das suposições mais perniciosas do "Faça o que você ama" é que todo mundo nos Estados Unidos está fazendo o que ama — e, em contrapartida, todo mundo que está fazendo o que ama é muito bem-sucedido. Se você não é bem-sucedido, está agindo errado: "É central nesse mito do trabalho-como-amor a noção de que a virtude (correção moral de caráter) e o capital (dinheiro) são dois lados da mesma moeda", explica Tokumitsu. "Onde há riqueza, há trabalho duro, inteligência e a pitada individual de brilhantismo que torna isso possível."

Onde não há riqueza, essa lógica sugere, não há trabalho duro, inteligência ou a pitada individual de brilhantismo. E embora essa correlação já tenha sido provada incorreta inúmeras vezes, sua persistência no condicionamento cultural é a razão pela qual as pessoas trabalham mais, trabalham por menos, trabalham sob péssimas condições.

Quando aquele emprego descolado e amável não aparece, ou aparece e é impossível de ser mantido por alguém que já não é rico, é fácil ver como a vergonha se acumula. Nos últimos dez anos, Emma, que é branca, tenta entrar no mundo da ciência da informação — que o restante de nós conhece como biblioteconomia. Quando terminou o mestrado, recebeu uma oferta de emprego temporário em período integral, com a ideia de que a vaga se tornaria permanente "se ela se esforçasse o suficiente".

"Era o meu trabalho dos sonhos", explicou Emma. "Pensei que eu era a pessoa mais sortuda do mundo." Mas a organização passou por uma "mudança de liderança" e ela foi mantida em contrato temporário após contrato temporário, se esforçando além dos seus limites psicológicos e físicos. "Eu fazia tudo o que me pediam e muito mais, colocando cada gota de energia que tinha de modo a ser a funcionária mais dedicada e animada de todas", contou ela. "Mas os novos chefes não gostavam de mim, não importava o que eu fizesse."

Durante suas infrutíferas buscas por emprego, ela sentiu depressão, baixa autoestima, intenso arrependimento de seu investimento em educação e uma generalizada falta de dignidade. "Eu questionei todos os aspectos da minha identidade", diz ela. "É o jeito que eu falo? Meu cabelo? Minhas roupas? Meu peso?"

Parte do problema foram as expectativas desalinhadas: quando estava no mestrado, seus professores diziam que ela se formaria e encontraria um emprego formal, com um salário mínimo de 45 mil dólares anuais, com benefícios e a possibilidade de se inscrever imediatamente em um programa de perdão de empréstimo para servidores públicos. Na prática, depois de inúmeras buscas, ela tem um emprego fora da sua área de estudo para o qual é qualificada demais. Está ganhando 32 mil dólares. Mesmo assim, sente todos os dias que tem sorte, porque é uma das poucas da área que encontrou um emprego de período integral.

Quando Emma olha para os últimos dez anos, se sente cínica, mas grata. "Sempre ficou implícito que, se você não for bem-sucedido, é porque não é apaixonado o bastante", disse ela. "Mas eu não me envolvo mais emocionalmente com o trabalho. Não vale a pena. Eu aprendi que todo mundo, sem exceção, é substituível. Nada é justo ou baseado em paixão ou mérito. Eu não tenho saco para entrar nesse joguinho."

Quando ouço histórias como a de Emma, tão similares às de milhares de outros Millennials, percebo mais uma vez o quanto tantos de nós nos esforçamos de forma incansável e determinada para conseguir aquele emprego dos sonhos. É por isso que é tão difícil para os Millennials suportar a crítica mais duradoura à nossa geração: que somos mimados, preguiçosos ou privilegiados. Millennials não germinaram nem cultivaram a ideia de que um "trabalho amável" era o ideal. Mas nós tivemos que lidar com o fato de que essa ideia é muitíssimo frágil quando exposta ao mundo real.

Quando alguém diz que os Millennials são preguiçosos, quero perguntar: que Millennials? Quando alguém diz que somos mimados, eu pergunto: quem nos ensinou que a gente deveria trabalhar com que amamos? Fomos ensinados que a faculdade seria a forma de conseguir um emprego de classe média. Isso não é verdade. Fomos ensinados que a *paixão* nos levaria ao *lucro*, ou pelo menos a um emprego sustentável em que seríamos valorizados. Isso também não é verdade.

Entrar na vida adulta sempre teve a ver com modificar expectativas: do que a vida adulta é e do que ela pode trazer. A diferença com os Millennials, então, é que passamos entre cinco e vinte anos fazendo o trabalho doloroso de ajustar nossas expectativas: recalibrando a compreensão muito tranquilizadora dos nossos pais e conselheiros sobre o mercado de trabalho *versus* a realidade da nossa própria experiência nele, mas também chegando a uma visão totalmente utilitária do que um emprego pode e deve ser. Para muitos de nós, foram necessários anos em empregos de merda para entender a nós mesmos como empregados, como *trabalhadores*, sedentos por solidariedade.

Por décadas, os Millennials ouviram que são especiais, que cada um de nós é cheio de potencial. Tudo que precisávamos fazer era nos esforçar o suficiente para transformar esse potencial em uma vida perfeita, livre de todas as preocupações econômicas que definiram nossos pais. Mas, enquanto os Boomers cultivavam e otimizavam seus filhos para o trabalho, também estavam destruindo as proteções sociais, econômicas e profissionais que poderiam tornar essa vida possível. Eles não nos mimaram, e sim destruíram a possibilidade de que nós, algum dia, obtivéssemos o que eles prometeram que estaria no fim de todo aquele trabalho duro.

Poucos Millennials tiveram a sabedoria de compreender isso quando chegaram ao mercado de trabalho. Em vez disso, acreditamos que, se as oportunidades não chegavam, o problema era conosco. Nós compreendemos o quão competitivo era o mercado, o quanto precisávamos diminuir nossas expectativas, mas também tínhamos certeza de que, se trabalhássemos o suficiente, triunfaríamos — ou pelo menos encontraríamos estabilidade, ou felicidade, ou chegaríamos a algum outro objetivo nebuloso, mesmo que fosse cada vez menos claro por que estávamos buscando aquilo.

Lutamos essa batalha perdida por anos. Para muitos, inclusive para mim mesma, é difícil não sentir vergonha: eu aceitei tão pouco porque tinha certeza de que, com dedicação suficiente, as coisas seriam diferentes. Mas só dá para trabalhar como "contratado independente" em um emprego de salário mínimo sem benefícios e pagando quatrocentos dólares por mês em empréstimos estudantis — mesmo que seja em um campo pelo qual você seja "apaixonado" — por algum tempo antes de perceber que há algo profundamente errado. Para muitos de nós, foi preciso chegar ao ponto do burnout para perceber isso. Porém, o novo refrão dos Millennials — "Foda-se a paixão, me pague" — parece mais convincente e poderoso a cada dia que passa.

5
COMO O TRABALHO FICOU TÃO MERDA

Nos anos 1970, as agências de empregos temporários estavam em ascendência. Fundamentados no trabalho, ao menos para quem via de fora, de esposas ávidas para fazer um dinheirinho rápido, empregos temporários eram anunciados como uma solução muito fácil e simples para as necessidades laborais imediatas de uma empresa. Um anúncio de uma das maiores empresas do tipo prometia que um temporário:

- nunca tira férias ou viaja nos feriados;
- nunca pede aumento;
- nunca vai lhe custar um centavo a mais por uma carga de trabalho menor (se o trabalho diminuir, é só demitir);
- nunca fica gripado, tem hérnia de disco ou quebra um dente (não no horário do expediente, pelo menos!);
- nunca vai lhe custar o pagamento de rescisões ou de aposentadoria (e nada de burocracia também!);
- nunca vai lhe custar outros tipos de benefícios adicionais (somados, eles podem representar 30% de cada dólar na folha de pagamento);
- nunca deixa de agradar (se o seu funcionário temporário não funcionar, você não paga).

Em resumo, você não precisava tratar um temporário como um funcionário — ou ao menos não como o que sindicatos e companhias concordaram que era um empregado. Temporários, como funcionários que trabalhavam no exterior, forneciam uma maneira para empresas contornarem as demandas dos sindicatos sem parecer que eram contra sindicatos. Também permitiam que as companhias diminuíssem seus custos enquanto se furtavam a firmar qualquer contrato de responsabilidade entre empregado e empregador — e, com isso, deslocavam os riscos do dia a dia de volta ao empregador individual. E, como logo vai ficar claro, isso também proporcionou o modelo para o método de trabalho contemporâneo, em que adjuntos, colaboradores, freelancers, terceirizados ou qualquer outro tipo de trabalho "contingente" criam uma nova classificação social sempre em expansão: o precariado.

O precariado não representa a visão da classe trabalhadora de muitos americanos. Conforme aponta o teórico Guy Standing, a classe trabalhadora, ao menos da forma que é lembrada, tinha "empregos de longo prazo com horários fixos e possibilidade de progresso estabelecidas, passíveis de sindicalização e de acordos coletivos, com cargos com nomes que seus pais e suas mães conseguiriam entender e empregadores cujos nomes e rostos lhe seriam familiares".[1] O precariado não tem quase nenhuma dessas coisas. Motoristas da Uber fazem parte do precariado. Assim como vendedores que ganham comissão, empregados dos armazéns da Amazon, professores adjuntos, escritores freelancers, entregadores de aplicativos, faxineiros terceirizados, produtores de conteúdo digital da MTV, enfermeiras domiciliares, indivíduos que repõem os produtos nas prateleiras do Walmart, caixas de restaurantes de fast-food e pessoas que unem várias dessas funções para poder sobreviver.

Os trabalhadores precariados quase não conhecem os colegas, e aqueles que conhecem são logo substituídos. Em geral, têm diploma de faculdade ou cursaram vários semestres em uma. Alguns, como os adjuntos ou escritores freelancers, estão no precariado porque continuam perseguindo a sua "paixão", não importa o custo. Outros estão lá por desespero. Seu status econômico e social é precário, o que os torna sempre vigilantes para o menor golpe do azar que possa afundá-los na pobreza.

Acima de tudo, os trabalhadores precariados estão exaustos — e, não importa as particularidades de seu emprego, com burnout. "Aqueles no precariado levam vidas dominadas pela insegurança, pela incerteza, pelas dívidas e pela humilhação", escreve Standing. "São mais habitantes que cidadãos, perdendo os direitos culturais, civis, sociais, políticos e econômicos construídos por gerações. Mais importante, o precariado é a primeira classe na história em que se espera que os empregados trabalhem abaixo do nível escolar que é tipicamente pedido. Em uma sociedade ainda mais desigual, sua privação correlativa é severa."[2] Eles sentem raiva do Sonho Americano e ansiedade sobre suas promessas quebradas, mas continuam se esforçando para chegar mais perto desse ideal.

Isso tudo pode parecer assustador dependendo do fato de você fazer ou não parte do precariado. É mesmo medonho — mas uma das maiores crueldades do sistema de classes americano é que ninguém, nem mesmo aqueles cujas vidas hoje são definidas pela precariedade, está disposto a admitir isso. As pessoas "lhes dizem que eles deveriam ser gratos e ficar felizes por terem um emprego e que deveriam se manter 'positivos'", explica Standing.[3] Afinal, a economia está decolando! O desemprego está baixo! Mas um número cada vez maior de americanos não está passando por isso dessa maneira.

Se você acha que está protegido do precariado — pelo seu emprego, pela sua educação ou pelo status da sua família —, está errado. Você pode fazer parte do que Standing chama de "salariado" — a classe de trabalhadores assalariados, que são livres para tomar as próprias decisões no emprego e que sentem que suas opiniões têm peso dentro da empresa. Mas todo dia o salariado segue seu "curso", conforme Standing coloca, para o precariado: empregados que trabalham em tempo integral são demitidos e substituídos por terceirizados; as novas e "inovadoras" empresas de tecnologias se recusam até a categorizar o grosso de sua mão de obra como funcionários.

Os trabalhadores não estão ficando mais preguiçosos ou piores em ser multitarefas. Na verdade, o trabalho é ruim e está piorando, ficando cada vez mais precário. Porém, para entender como o trabalho se tornou essa merda tão grande para tanta gente, é preciso fazer um grande passeio pelo passado — para dentro da história do trabalhador temporário, mas também nas histórias entrelaçadas da consultoria, do capital privado e dos bancos de investimento. Precisamos entender como o ambiente de trabalho se "fragmentou" — ou seja, afastou-se da própria fundação — e como a instabilidade resultante afetou a todos nós.

Já falamos disso antes, mas aqui vai outra vez: nos anos 1950 e 1960, os grandes sindicatos, as imensas corporações e as robustas regulamentações governamentais ajudaram a produzir uma era de crescimento e estabilidade financeira sem precedentes. A estagflação dos anos 1970 e as minirrecessões dos anos 1980, criadas e exacerbadas pela realidade dos mercados globais e da concorrência, deixaram as pessoas desesperadas por uma mudança, qualquer uma, que possibilitasse o retorno da companhia à prosperidade do pós-guerra, àquela "grande compressão" que expandiu a classe média. Por todo o país, indivíduos começaram a comprar a lógica do "livre mercado": a ideia de que uma economia sem intervenções governamentais iria resolver seus problemas sozinha de forma natural e que ficaria ainda mais forte do que antes.

É fácil perceber o atrativo: o período do pós-guerra reforçou a crença de que o trabalho duro sempre será recompensado, apesar do fato de que intervenções deliberadas e às vezes cirúrgicas na economia, junto com proteções sindicalistas de larga escala, foram as responsáveis por isso. Mas essa é a questão com as intervenções do governo americano:

quando dão certo, são embrulhadas em uma narrativa de "habilidade e trabalho duro dos americanos"; quando não dão, são uma prova da natureza fundamentalmente imoral de assistência por parte do governo.

A promessa de que o livre mercado resolveria tudo foi persuasiva e, durante os anos 1980 e 1990, políticos de todos os níveis começaram a reverter proteções sindicais e reduzir de maneira dramática a regulação governamental, sobretudo no tocante aos mercados financeiros. Os líderes das empresas de capital aberto, desesperados para aumentar o valor de suas ações em um mercado cada vez mais volátil (e em dívida com investidores que poderiam destituí-los a qualquer momento), começaram a se livrar de quaisquer componentes não essenciais dos seus negócios, desde zeladores a departamentos inteiros da companhia, a fim de torná-las o mais "ágeis" possível. Você deve conhecer essa estratégia pelo nome mais comum, ainda que vago, de corte.

A retórica do corte sugere que o que quer que esteja sendo cortado não era necessário de verdade: você sai de uma enorme mansão para uma casa do tamanho certo, você reduz a ganância, a redundância e a extravagância. Esse entendimento se seguiu para o ambiente de trabalho também. Claro, muitos americanos atingiram a prosperidade e estabilidade econômica durante a Grande Compressão. No entanto, as empresas se tornaram, pelo menos da perspectiva obcecada por margens de lucro de Wall Street, inchadas. Esse "inchaço", porém, muitas vezes estava relacionado a pacotes de compensação e estruturas que tornavam o trabalho melhor para mais pessoas. Ele podia tornar a vida melhor, mas isso não significava que era indispensável.

Mas por que as empresas queriam ser tão "magras"? Porque isso aumentaria o valor de suas ações. E quem as estava colocando nessa dieta de fome? Os consultores. Mercenários trazidos para fornecer avaliações nuas e cruas das companhias após um período de observação. No livro *Temp: How American Work, American Business, and the American Dream Became Temporary* [Temp: Como o trabalho americano, os negócios e o

Sonho Americano se tornaram temporários], Louis Hyman descreve o desenvolvimento da consultoria e da contabilidade como uma maneira de aplicar ordem às corporações cada vez maiores que cresceram durante o boom do pós-guerra. Enquanto a função principal dos contadores era manter as contas em ordem, a tarefa dos consultores era mais teórica: analisar como uma empresa funcionava e então dizer como ela poderia funcionar melhor.

"Melhor", contudo, é um termo subjetivo: uma companhia funciona melhor quando seus funcionários estão felizes e proporcionam uma renda razoável para suas famílias? Quando suas margens de lucro são maiores? Como os próprios consultores não tinham envolvimento algum com as empresas, seus conselhos seguiam a linha dos objetivos do capitalismo sem freio: como uma empresa pode fazer o máximo de dinheiro, ter a maior margem de lucro possível, no menor espaço de tempo? "A corporação, sob o jugo dos consultores, não era mais um risco contínuo", escreve Hyman. "Ela se tornou uma reunião momentânea cujo valor não estava no progresso do amanhã, mas no valor das ações hoje."[4]

Para entender como os consultores afetaram as empresas que os contratavam, é preciso entender a maneira como trabalhavam. A vasta maioria era recrutada logo que saía da faculdade e então recebia "projetos", ou seja, companhias que precisavam de consultores. Hoje em dia, esses profissionais moram em centros urbanos ou perto deles — mas saem na segunda de manhã para viajar até o local em que fica a firma que lhes foi designada, seja em Grand Rapids, Michigan ou Miami. Durante a semana, ficam em um hotel, comem em restaurantes ou pedem serviço de quarto e, acima de tudo, trabalham entrevistando todos os funcionários ao seu alcance em busca de coisas ineficientes ou redundantes. Eles viajam de volta para casa na noite de quinta, em geral passam a sexta no escritório e, após um período predeterminado revisando a companhia — seja um mês ou dois anos —, fazem suas recomendações: eis os lugares que podem ser cortados e como cortá-

-los. No filme *Amor sem escalas*, o personagem de George Clooney é um consultor, assim como uma boa porcentagem de pessoas acomodadas na primeira classe de qualquer voo.

A distância dos consultores em relação às empresas que os estão consultando — tanto a literal quanto a figurativa — representa grande parte do seu valor. Eles não conhecem ou têm laços com qualquer um dos funcionários, o que lhes permite ter certa clareza quando os cortes precisam ser feitos. Ao contrário dos supervisores diretos e dos CEOs, eles nunca vão ver os funcionários cortados de novo. Não sabem nada sobre a vida das suas famílias ou quais serão as consequências das suas sugestões no cotidiano daquela cidade e daquela região em que não vivem. É difícil não vê-los como assassinos frios e implacáveis, mas também é importante lembrar que eles estão fazendo o que a própria empresa, às vezes desesperada para agradar os acionistas, pediu. Um consultor faz recomendações, uma companhia as aprova e as executa.

Durante o curso dos anos 1980 e 1990, as recomendações dos consultores ficaram cada vez mais focadas em identificar as "competências principais" de uma firma — ou seja, o que ela faz de melhor de uma maneira que não é imitada em outro lugar — e ir se livrando silenciosamente de tudo e de todos que não contribuíam com elas. Como David Weil aponta em *The Fissured Workplace* [O local de trabalho fissurado], isso significava se livrar de algumas partes da empresa, eliminar departamentos inteiros e terceirizar trabalho "não essencial" (significando empregos temporários), obtendo o mesmo serviço a um custo significativamente menor para a empresa.[5]

Alguns desses trabalhadores vinham de empresas terceirizadas, como companhias de limpeza, que ofereciam serviços de zeladoria para diversas firmas. Alguns deles vinham de agências de empregos temporários. Antes dos anos 1970, a maior parte dos temporários trabalhava para apenas uma empresa e cobria cargos diferentes conforme era necessário, tornando as férias e faltas por doenças possíveis (e livres de culpa) para funcionários de tempo integral. Eles não substituíam os funcionários, apenas os cobriam por um tempo, como sugere o nome de sua profissão. Porém, nos anos 1970, com o grande aumento do número e da demanda por temporários, o papel deles mudou. Mais e mais pessoas trabalhavam em tempo integral como temporários, e isso significava mudar de companhia para companhia, atuar com diversas agências de emprego temporário, sem saber bem quando ou se o próximo serviço apareceria e o que exigiria.

Nas empresas que tentavam fazer cortes e diminuir a folha de pagamento, os temporários eram adorados por serem "flexíveis", mas o que elas realmente queriam dizer era que eram descartáveis. Eles podiam ser contratados por um curto período de tempo e então ser dispensados sem muito alarde. Não podiam entrar no sindicato da empresa, se existisse, e, como o anúncio no início do capítulo sugere, não tinham nenhum dos outros direitos que os funcionários de verdade tinham.

E, por causa da abrangente narrativa que falava sobre quem eram os temporários e por que eles faziam esse trabalho, era fácil e aceitável tratá-los dessa maneira. Como Hyman mostra, a narrativa inicial do trabalho temporário do pós-guerra era que sua mão de obra era formada por "donas de casa eficientes procurando por luxo", querendo fazer um dinheiro extra para comprar as coisas que desejavam ter em casa. A família de uma temporária não precisava de dinheiro, ela só queria se divertir um pouco e ganhar um dinheirinho. E, como o salário era considerado supérfluo, demiti-las ou criar condições de trabalho instáveis não causava nenhum mal. Afinal, elas sempre tinham a escolha de não ser temporárias. No entanto, essa narrativa nunca teve muita relação com a verdade — ainda mais nos anos 1970, quando a economia congelou e os trabalhadores, muitos deles demitidos pelo tipo de empresa que começara a empregar temporários, apenas precisavam de um emprego, qualquer que fosse.

Ainda assim, a narrativa do serviço temporário como algo realmente temporário, ou pelo menos voluntário, colou. Por fim, o trabalho temporário era tão completamente feminino e de fato trivializado que pouco tempo era dedicado a pensar se aquilo era ou não uma exploração. Conforme veremos, narrativas similares surgiram em relação ao trabalho freelance e terceirizado no despertar da Grande Recessão: quando dirigir para a Uber é colocado como um trabalho secundário voluntário e não como uma tentativa desesperada de fortalecer os ganhos minguados de um professor, fica ainda mais fácil ignorar a realidade da situação econômica e das empresas que tiram vantagem dos trabalhadores com os quais falharam.

A lógica por trás dos cortes, das reorganizações e das demissões de funcionários de tempo integral era bem direta: diminuir a empresa significava lucros em curto prazo, lucros em curto prazo significavam ações com preço mais alto e acionistas satisfeitos, acionistas satisfeitos significavam que o CEO e os membros da diretoria continuavam empregados, mesmo que os funcionários não temporários ou não terceirizados da empresa recebessem cada vez menos benefícios e aumentos.

Tudo isso parece bom senso hoje em dia: é assim mesmo que o mercado funciona. Mas isso é porque o mercado tem funcionado assim durante toda a vida dos Millennials. Antes dos anos 1970, o valor de uma empresa de capital aberto na bolsa costumava ser estável, originado em projeções de crescimento e estabilidade de longo prazo. Mas, então, algo peculiar aconteceu: conforme as companhias derramavam benefícios de funcionários na forma de pensões, mais e mais americanos começaram a investir em fundos mútuos, por meio dos programas 401K que tinham sido oferecidos para substituir a aposentadoria. Em 1980, os fundos mútuos foram considerados investimentos "represados" — geravam insignificantes 134 bilhões de dólares em ativos. Em 2011, esse número se expandiu para 11,6 trilhões.[6]

E é aqui que a coisa fica interessante: todo dia, fundos mútuos, como o Vanguard e o Fidelity, estão fazendo investimentos para a aposentadoria de milhões de pessoas. Porém, pouco se importam com a segurança em longo prazo da empresa em que estão investindo, focando, em vez disso, em lucros de curto prazo que podem aparecer nos relatórios dos programas 401K como ganhos. O dinheiro que passa por essas contas é, nas palavras do economista David Weil, "impaciente e frequentemente se mexe em busca de retornos melhores".[7] Em 2011, por exemplo, o ganho médio dos portifólios dos fundos mútuos era de 52%. Esses fundos mútuos, como os poucos grandes fundos de pensão que sobreviveram, ajudaram a reificar o pensamento do mercado sobre demissões, terceirização e compensações enormes para CEOS: tudo isso é ótimo, contanto que essas coisas continuem a inspirar o tipo de lucro que esses fundos querem.

A lógica é reforçada por empresas de capital privado e de capital de risco, que compram companhias "com problemas", as reorganizam e então as vendem de novo, muitas vezes depois de fazer grandes cortes. As empresas de capital privado não se importam com o que vai acontecer em longo prazo com as empresas que adquirem ou com a comunidade em que estão. Compram e vendem todo tipo de empresa — com frequência juntando todas elas e matando a marca, sem se importar com o quão tradicional ou amadas podem ser. Os maiores exemplos dos efeitos da aquisição por empresas de capital privado talvez sejam os jornais. No início dos anos 2000, jornais de todo lugar começaram a falir, conforme seu modelo de negócios entrou em colapso com o advento da internet e do Craigslist. Muitos jornais que pertenciam a uma mesma família havia décadas eram vendidos a preço de banana para uma rede que controlava outros jornais ou, no fim, para uma empresa de capital privado que comprava toda a rede.

Para os jornais comandados por empresas de capital privado, a última década foi um desastre; todos os funcionários foram mandados embora, sobrando apenas os mais essenciais. O *Denver Post*, por exemplo, pertence, com mais de outros noventa jornais, ao grupo Alden Global Capital. Entre 2013 e 2018, a empresa cortou o número de jornalistas de 142 para menos de 75.⁸ O resultado é uma parábola para o ambiente de trabalho fragmentado: os jornais mantêm um lucro (muito pequeno), mas seus valores maiores como instituições desabaram. Ao mesmo tempo, os jornalistas, copidesques e fotógrafos que sobraram viram seus benefícios diminuírem e seus salários continuarem teimosamente baixos. Eles passam todos os dias em máxima velocidade, tentando fazer o trabalho que cinco jornalistas costumavam fazer — e, ao mesmo tempo imaginando se serão o próximo corte necessário para que a empresa de capital privado possa vender o jornal com lucro.

E então há o exemplo da Toys "R" Us, uma marca fundamental na infância de tantos Millennials. Em 2005, a Toys "R" Us foi comprada por um grupo de empresas de capital privado, o que encheu a companhia de dívidas; em 2007, 97% do lucro era direcionado para pagar os juros.⁹ Na prática, isso significou que não havia tempo para inovar, reorganizar as lojas ou criar novas estratégias para competir com os concorrentes. A empresa de capital privado cortou a gordura e então começou a cortar a carne até o osso, e aí, em 2017, a Toys "R" Us faliu. As lojas foram fechadas. Todos os funcionários foram demitidos. "Um monte de gente acha que a Amazon ou o Walmart tinha matado a Toys "R" Us, mas a empresa estava vendendo uma quantidade enorme de brinquedos até o fim", escreveu o ativista antimonopólio Matt Stoller. "O que destruiu a empresa foram os financistas e as políticas públicas que permitiam a separação de propriedade e responsabilidade."¹⁰

É fácil perceber como as empresas de capital privado ganharam a reputação de abutres, vampiros, saqueadores, piratas e ladrões, destruindo qualquer resquício que ainda seja bom ou que apresente potencial do já vendido espaço do capitalismo americano. Em 2019, um estudo feito por seis organizações progressistas e sem fins lucrativos descobriu que empresas de capital privado foram responsáveis por mais de 1,3 milhão de demissões na última década. Pelo menos um milhão de vagas voltou, de alguma forma, para o mercado de trabalho, mas isso não invalida os efeitos das demissões, a perda de benefícios e de aposentadorias prometidas, além da perturbação geral, que, de acordo com o estudo, afetou mulheres e minorias étnicas de forma desproporcional.[11]

Não é que os lucros sejam inerentemente ruins. Porém, a lógica do mercado atual é que uma recusa a aumentar os lucros, ano após ano, significa um fracasso. Um lucro estável ou até mesmo uma proposta de *breakeven*, mas que vai render dividendos não financeiros para a comunidade, não tem valor algum para os acionistas. Isso não é tanto uma crítica ao capitalismo, mas, sim, a esse tipo de capitalismo específico: um cujo objetivo é criar lucro de curto prazo para pessoas que não têm qualquer conexão com o produto ou com as pessoas que trabalham nele e premiar indivíduos que não têm consciência alguma (e que não sentem um pingo de culpa) das possíveis consequências de seus dólares investidos na vida ou nas condições de trabalho de outras pessoas.

Essa é a mudança de paradigma que é tão difícil de encarar: que, na iteração atual do capitalismo, estimulada por Wall Street e empresas de capital privado, a vasta maioria dos empregados não se beneficia, de maneira alguma, dos lucros que as companhias criam para seus acionistas. Na verdade, é muito frequente que esses lucros dependam do sofrimento dos trabalhadores.

Essa modificação dos objetivos financeiros — dos lucros graduais, estáveis e de longo prazo para as altas de curto prazo no preço das ações — ajudou a criar o ambiente de trabalho cada vez mais merda e alienado que conhecemos hoje. Pode parecer que o que está acontecendo em Wall Street está muito distante da exaustão do seu dia a dia, mas faz parte do problema: a bolsa de valores prospera com decisões que, em geral, tornam o trabalho e a vida pior para o empregado comum. Na verdade, o valor de uma empresa na bolsa costuma aumentar, pelo menos em curto prazo, com um anúncio de "restruturação" e as demissões que o acompanham.¹² Os trabalhadores não são mais vistos como um bem. Somos necessidades caras e reclamonas. Livre-se do máximo possível de nós e veja o valor da sua empresa ir às alturas.

Provavelmente o seu ambiente de trabalho já foi "cortado" e você nem sabe. Pense na pessoa que limpa a sua mesa. Ou na pessoa que trabalha no refeitório, que cuida da folha de pagamentos, que faz as podas no belo jardim lá fora ou que atende o consumidor. Talvez você seja uma dessas pessoas. As chances de que esses trabalhadores não sejam empregados de verdade da empresa que parecem representar são grandes.

Antigamente não era assim. Companhias costumavam empregar pessoas que tornavam o trabalho possível em todos os níveis. Se você trabalhasse como zelador, digamos, na 3M, tinha direito aos mesmos benefícios que o meu avô, que trabalhava lá como contador. Não ao mesmo salário — mas à mesma estrutura de aposentadoria, ao mesmo plano de saúde, à mesma estabilidade. Essa é uma força bastante equalizadora: você pode não ter o mesmo potencial de ganho, mas tinha a mesma proteção a riscos — e, ao menos em alguns casos, uma oportunidade de avanço, que poderia incluir não ser zelador para sempre.

No entanto, esse método empregatício também era caro — e como não contribuía "diretamente" para os lucros de uma empresa, era ignorado de modo muito fácil. O trabalho de secretariado ou de preencher relatórios podia ser feito por temporários, que não precisavam ser tratados como funcionários de maneira alguma. A contabilidade e folha de pagamento podiam ir para empresas criadas em específico para esse propósito. A mesma coisa valia para zeladores, copistas, seguranças e serviços de atendimento ao cliente.

Em teoria, esse modelo poderia funcionar bem para todos os envolvidos: empresas de limpeza sabem ser empresas de limpeza — por que atrapalhar outro tipo de companhia com o treinamento e a supervisão de um ou dois funcionários de uma área totalmente fora da sua especialidade? O salário e as condições de trabalho tinham o potencial de permanecer iguais. Mas, no que David Weil chama de "ambiente de trabalho fragmentado", as companhias se tornaram tão devotadas às suas "competências principais" e a manter sua marca que abandonaram grande parte das responsabilidades que vêm junto com ser um empregador direto.

É possível encontrar exemplos do ambiente de trabalho fragmentado em cada canto da sua vida. O governo federal está cheio de colaboradores — em parte para evitar as engrenagens incrivelmente lentas das práticas federais de contratação, mas também como medida de corte de custos. Em empresas sem fins lucrativos, redatores de subsídios costumam ser terceirizados. O departamento de TI talvez seja o que mais tem pessoas de fora, mas, em muitos casos, o RH também é terceirizado, assim como a folha de pagamentos, a administração e a manutenção. Conversei com um animador que trabalha para uma universidade, mas, na verdade, é empregado de uma empresa totalmente diferente, e um advogado cuja companhia é subcontratada por outras firmas durante a "descoberta" — uma prática cada vez mais comum. Quando você compra um triturador de lixo da Lowe's e paga pela instalação, a pessoa que vai até sua casa em geral não trabalha para a Lowe's. Muitos professores substitutos não são empregados pelo distrito escolar, mas por subcontratantes.

Caminhe pelo centro de Seattle, sobretudo em um raio de dez quarteirões do enorme campus da Amazon que dominou o South Lake Union, e você vai ver milhares de pessoas usando crachás e coletes da empresa. Contudo, uma grande porcentagem das pessoas que aparecem no campus da Amazon todos os dias é, na verdade, de funcionários "terceirizados" — empregados por uma segunda entidade de cujo nome ninguém se lembra e que protege a Amazon de ter responsabilidade direta sobre esses trabalhadores. E a Amazon está longe de ser um ponto fora da curva aqui: os subcontratados representam entre 40% e 50% da força de trabalho na área tecnológica. São desenvolvedores e testadores de software, pessoas que trabalham com UX ou UI design, equipes inteiras e subseções de desenvolvimento.

No Google, os funcionários subcontratados e temporários (121 mil no mundo todo em 2019) superam o número de funcionários de verdade (102 mil).[13] Eles trabalham um do lado do outro — e são, ao menos aparentemente, iguais. No entanto, os temporários e os terceirizados ganham menos, têm benefícios piores e, nos Estados Unidos, não têm direito a férias pagas. E, por causa dos acordos de não divulgação assinados na contratação, ninguém pode falar sobre isso — seja na esfera pública ou privada. Como Pradeep Chauhan, que dirige um serviço que direciona trabalhadores contratados, disse ao *The New York Times*: "Isso está criando um sistema de castas dentro das empresas".[14]

A subcontratação também significa que as empresas podem negar transgressões quando os direitos trabalhistas são violados. Se há uma reclamação de assédio sexual, a empresa contratante cuida disso (ou, na maioria dos casos, não cuida — sobretudo se o suspeito de assédio for empregado pela companhia de verdade e não pela subcontratante). O mesmo vale para problemas com benefícios do plano de saúde ou de igualdade salarial. Em alguns casos, o funcionário subterceirizado — responsável, digamos, por providenciar opções alimentícias na cafeteria de um local de trabalho — pode contratar outro subcontratado para fazer aquele trabalho. É por esse motivo, argumenta Weil, que é difícil colocar a culpa em, bem, qualquer pessoa: pelo pagamento, pelas condições de trabalho, pela falta de treinamento. A subcontratação também torna avanços quase impossíveis: "Na minha firma, costumávamos ter funcionários na área de manutenção indo para equipes de engenharia, recepcionistas se tornando assistentes de administração etc.", um empregado me disse. "A terceirização acabou com planos de carreira para pessoas que já estavam com o 'pé na porta'".

O resultado geral da fragmentação do ambiente de trabalho não é um salário maior ou mesmo um salário igual ao que o empregado teria recebido se não tivesse sido subcontratado. Veja o exemplo da empresa de limpeza. Essa companhia está competindo com dezenas de outras firmas do tipo para trabalhar com a startup maneira. A startup maneira provavelmente vai escolher a empresa de limpeza que cobra o menor preço — e o menor preço vem da companhia que paga menos aos seus funcionários. Agora, os donos da startup maneira podem nunca ter imaginado pagar tão pouco aos seus trabalhadores — teria sido uma péssima propaganda! —, mas, quando os serviços são subcontratados, eles podem fingir ignorância em relação a toda a estrutura de pagamento.

A terceirização também é uma maneira fácil de se livrar dos sindicatos, que em geral são vistos, no ponto de vista dos consultores, como empecilhos para o lucro. (Se trabalhadores, em geral, são empecilhos para o lucro, trabalhadores com poder, definitivamente, são.) A solução para o problema dos sindicatos é simples: demitir todo mundo que é empregado pela companhia e, com o tempo, por meio de um subcontratante, empregar de volta as pessoas para fazer os mesmos serviços, mas sem precisar pagar benefícios. Se uma firma mandasse todo mundo embora e depois contratasse de forma direta novos funcionários que não fossem sindicalizados, estaria quebrando a lei. Mas a empresa não matou o sindicato em si — ela só se livrou de todos os funcionários sindicalizados. A lei trabalhista não foi atualizada para proteger os novos ambientes de trabalho altamente fragmentados nos quais não há recurso algum para o trabalhador sindicalizado "cortado".

Uma forma criativa de terceirizar o risco é se tornando uma franquia, uma mudança que na prática acaba com a responsabilidade direta da sede corporativa sobre as milhares de versões da marca, que pertencem a uns pouquíssimos indivíduos independentes. O McDonald's, por exemplo, desenvolveu padrões rigorosos de como a comida deve ser preparada, como os uniformes devem ser lavados e em qual temperatura uma refeição deve ser servida. Porém, como Weil aponta, a corporação em si "se recusaria a ser considerada responsável pelo fracasso da franquia em providenciar pagamento de horas extras para seus funcionários, em diminuir o assédio sexual sofrido por suas funcionárias por parte de seus supervisores ou em reduzir a exposição a materiais de limpeza perigosos".[15] A companhia quer os lucros e se esforça para manter o sucesso da marca — mas não carrega responsabilidade alguma pelo que acontece com os empregados das suas franquias.

Isso tudo se tornou patente quando, em 2019, um grupo de funcionários do McDonald's processou a empresa pelo seu fracasso em lidar com sérias acusações de assédio sexual. Uma empregada no Missouri acusou seu gerente de repetidos avanços sexuais impróprios — e então foi acusada de armar para cima dele. Depois de uma funcionária da Flórida denunciar um colega homem de assédio, o gerente dela cortou suas horas semanais de 24 para 7. E, enquanto o McDonald's alega que está "comprometido em assegurar um ambiente de trabalho livre de assédio e de preconceitos", o grupo que fez a reclamação em 2019 foi o terceiro em apenas três anos.

Permitir o assédio sexual — não tendo qualquer forma clara de combatê-lo ou temendo a demissão caso o denuncie — é apenas um dos muitos sintomas do ambiente de trabalho fragmentado. Um estudo de 2016 mostrou que 40% das mulheres na indústria de fast-food relataram ter passado por assédio sexual em seus trabalhos — e que 42% dessas mulheres foram forçadas a simplesmente aceitar isso, ou perderiam seus empregos. Além disso, 21% disseram que, após mencionar o assunto, passaram por algum tipo de retaliação: corte de horas, horários de trabalho ruins, pedidos de aumento negados.[16]

E o que acontece nas lanchonetes de fast-food não é exclusivo a elas: 80% dos empregados de franquias hoteleiras (Quality Inn, Motel 6, Doubletree etc.) são contratados por companhias de gerenciamento terceirizadas.[17] Em 2016, o Unite Here, um sindicato que representava os trabalhadores do ramo hoteleiro, fez uma pesquisa com seus membros que trabalhavam como camareiros e com serviço de quarto em Seattle: 53% reportaram passar por algum tipo de assédio no emprego;[18] em Chicago, o número alcançou os 60%.[19] Dois anos antes, 77% dos eleitores de Seattle aprovaram uma iniciativa que obrigava hotéis a providenciarem botões de pânico para funcionários e a criação de uma "lista de indesejados" para hóspedes acusados de assédio sexual. Os hotéis com mais de cem quartos que não oferecessem plano de saúde seriam forçados a fornecer um auxílio mensal para ajudar seus funcionários a pagarem pelo próprio plano. Porém, a American Hotel and Lodging Association processou o Estado para invalidar a iniciativa — e ganhou.[20] Uma coisa é as companhias declararem que não vão tolerar assédio sexual nos seus hotéis ou que valorizam seus funcionários. Outra completamente diferente é dedicar os recursos necessários para tornar verdadeira essa declaração.

As empresas que buscam cortar custos podem contar com temporários, terceirizações com subcontratantes, com o fim de um sindicato — mas também podem contar com a terceirização ao mandar o trabalho para o exterior, sobretudo para países em que a mão de obra é barata porque regulamentações ou outras formas de leis trabalhistas são raras, inexistentes ou nunca seguidas. É isso que a Apple faz — e é esse o motivo por que a empresa emprega apenas 63 mil dos 750 mil trabalhadores necessários para produzir, montar e vender seus produtos por todo o mundo.[21]

A Apple anunciou essa forma de trabalho lá em 1993, com a publicação de um artigo com o título "The Changed Nature of Workers and Work" [A mudança na natureza de trabalhadores e do trabalho] na revista da empresa. "Mais e mais companhias estão demitindo funcionários de tempo integral e contando com trabalhadores subcontratados e terceirizados para executar seus negócios", disse a Apple para seus empregados. "O novo ambiente de trabalho é uma cabeça sem corpo. Ele é centralizado nos talentos livres conforme as necessidades surgem e muda de tamanho de momento a momento conforme os ditames do mercado."[22]

"Uma cabeça sem corpo" é o motivo pelo qual a Apple pode dizer que suas mãos estão atadas quando surgem evidências extremas das péssimas condições de trabalho nas fábricas chinesas. Na verdade, a empresa não tem "mão" alguma: tecnicamente, essas companhias não são fábricas da

Apple; apenas produzem a tecnologia que vira um produto da Apple. E o sucesso dessa filosofia também é boa parte da razão para a empresa ser uma das mais valorizadas na bolsa de valores. A Apple faz todas as coisas brilhantes e boas. E o trabalho sujo e a exploração que tornam as coisas brilhantes e boas possíveis? Não são responsabilidade deles.

A terceirização não faz o salário dos funcionários ficar estável. Não melhora a vida deles. O que ela faz é aumentar o valor geral de uma empresa no mercado de ações, o que beneficia acionistas e aqueles sortudos o suficiente para ter um programa 401K — enquanto faz minguar os ganhos para aqueles que foram terceirizados. E como tantas pessoas estão desesperadas para encontrar um emprego, qualquer um, as companhias que empregam esses funcionários terceirizados não têm interesse em providenciar estabilidade, horários regulares ou benefícios. Essa situação de trabalho não apenas piora o burnout, mas parece ter sido feita para causá-lo. E, no coração disso, estão alguns poucos selecionados que estão fazendo muito dinheiro à custa da falta de opções das outras pessoas.

Deixado sozinho e sem supervisão, o capitalismo não é benevolente. É difícil para muitos americanos ouvir ou pensar nisso, já que foram criados para adorar o capitalismo, mas o fato é este: se o objetivo for sempre crescer a qualquer custo, então os funcionários, como engrenagens de uma máquina, são passíveis de exploração, contanto que a produtividade e a margem de lucro continuem a subir. Porém, por um breve momento no tempo, depois da Grande Depressão e antes das recessões dos anos 1970, o capitalismo era — pelo menos nos Estados Unidos — um pouco mais humano. Ainda imperfeito, ainda exclusivista, ainda sujeito aos caprichos do mercado. No entanto, isso prova que a forma como fazemos as coisas hoje não precisa ser a forma como faremos as coisas no futuro.

Aquele período de um capitalismo (levemente) mais amigável com o trabalhador não foi o resultado de uma crise de consciência corporativa. Os sindicatos e as regulamentações do governo forçavam as empresas a tratar os humanos que trabalhavam para ela como, bem, humanos: humanos que adoecem, que têm filhos, que se machucam no trabalho, que só tinham energia para trabalhar em um emprego e que então deveriam ser pagos o suficiente para viver daquele único salário, que tinham vidas fora de seus trabalhos.

A desregulamentação e a legislação contra os sindicatos, junto a novas maneiras de escapar das regulamentações que já existem, nos fizeram voltar à forma mais impiedosa do capitalismo. A economia está "crescendo", mas a distância entre pobres e ricos continua aumentando, e a classe média — criada nesse período de relativa benevolência corporativa — só diminui. "O que é bastante único na história recente do capitalismo", explica a antropóloga que estuda a cultura de Wall Street Karen Ho, "é a separação completa do que é visto como o melhor para a empresa do que é melhor para seus empregados".[23]

Com a bolsa de valores sempre em alta, o país está "prosperando". Antes da mudança do grande risco, essa prosperidade alcançava uma boa porcentagem dos trabalhadores do país por meio de salários e benefícios. Agora, a única maneira de fazer parte dessa prosperidade é tendo ações. E em 2017, apenas 54% dos americanos tinham algum tipo de investimento na bolsa — incluindo aposentadorias e planos de 401K.[24] Quando se leva em consideração a inflação, a maioria dos salários está estagnada. E não importa o quanto o número de desempregados esteja baixo, pois eles ganham novo significado quando comparados ao número de pessoas que ainda vivem na pobreza.

Ser "empregado" hoje não significa ter um bom trabalho, um emprego estável ou um serviço que pague bem o suficiente para tirar uma família da linha da pobreza. Há um desligamento alarmante entre a saúde ostensiva da economia e a saúde mental e física daqueles que a alimentam. É por isso que, toda vez que escuto os números do desemprego, sinto que alguém está fazendo *gaslighting* comigo: como se estivesse nos dizendo sem parar que o que sabemos ser real é, na verdade, ficção. O mesmo vale para cada vez que escuto que a economia nunca esteve tão forte e ainda mais quando ouço afirmações de CEOs de empresas que fornecem serviços como os da Uber que a *economia do bico* é "um estilo de vida para os Millennials".[25]

Afirmações como essa convencem trabalhadores — e Millennials em particular, que não tiveram outras experiências no mercado de trabalho — de que, se as coisas parecem estar uma merda, a culpa é toda deles. Talvez você seja preguiçoso. Talvez você devesse trabalhar mais. Talvez o trabalho seja enfadonho para todos. Talvez todo mundo se contente com isso. Claro, seu melhor amigo está sofrendo, sua irmã está sofrendo, seus colegas estão sofrendo, mas essas coisas são apenas evidências anedóticas contra a narrativa maior de que tudo está ótimo.

É assim que o precariado se torna o *status quo*: convencemos trabalhadores de que as péssimas condições são normais, de que se rebelar contra isso é um sintoma de uma geração mimada, de que o capitalismo de livre mercado é o que torna os Estados Unidos incríveis e de que isso é o capitalismo de livre mercado em ação. Ele transforma queixas legítimas, sejam apoiadas por sindicatos ou não, em "ingratidão". Também coloca o excesso de trabalho, a vigilância, o estresse e a instabilidade — as próprias bases do burnout — como padrões.

Péssimos empregos e o burnout que os acompanha não são a única opção. Sindicatos e regulamentações que reconhecem a realidade das mudanças econômicas ajudam. Mas também há empresas — companhias grandes, que dão lucro — que provam que as coisas não precisam ser assim.

De acordo com Zeynep Ton, cujo livro publicado em 2014 sobre "a estratégia de uma empresa boa" se tornou um pequeno fenômeno, tais companhias "oferecem trabalhos com salários e benefícios decentes e horários estáveis", "criam vagas em que seus empregados possam ter sucesso e encontrar significado e dignidade no que fazem" e, apesar de gastarem muito mais dinheiro com trabalhadores, têm "altos lucros e crescimento".[26] As empresas de que Ton fala não são startups experimentais e desconhecidas. São a Costco, a QuikTrip e o Trade Joe's.

Você pode encontrar estabelecimentos da QuikTrip — uma rede de lojas de conveniência bastante comum, adorada por muitos — em diversas áreas dos Estados Unidos. Poderia parecer um dos últimos lugares para encontrar um "bom" trabalho. Porém, ao contrário de muitas empresas que contratam pessoas sem diploma universitário, a QuikTrip oferece planos de saúde a preços acessíveis, horários regulares, um bom treinamento e só promove para cargos de gerência pessoas que já trabalham na empresa — com aumentos salariais adequados. Os resultados são impressionantes: suas filas andam rápido, seus clientes são incrivelmente leais. Suas vendas por metro quadrado são 50% mais altas do que a média da indústria. E apenas 13% de seus funcionários pedem as contas, em comparação aos 59% que pedem demissão entre as quatro maiores redes de lojas de conveniência da indústria.

Quando Ton entrevistou uma funcionária da QuikTrip chamada Patty em 2010, ela trabalhava na empresa desde os dezenove anos e estava ganhando mais de 70 mil dólares anuais após mais de sete anos dentro da companhia. Quando perguntada sobre o que a deixava animada para ir ao trabalho todo dia, Patty respondeu: "É saber que vai poder ir às apresentações de seus filhos na escola. Você vai poder cuidar deles, e saber que a empresa em que trabalha está crescendo todo dia. E que não precisa se preocupar com coisas como 'Será que vou ser demitida amanhã?' ou 'De onde virá minha próxima refeição?'. Não há outra empresa que vai lhe pagar um salário regular, um bônus por atendimento ao cliente, um bônus por lucro e até um bônus por não faltar. Você vai trabalhar, faz o seu trabalho, fica animado e sabe que todo o resto está sendo cuidado. A QuikTrip nunca me decepcionou".[27]

O que Patty está descrevendo é segurança e satisfação no trabalho — um ambiente profissional que não causa burnout e, na verdade, até ajuda a protegê-lo disso. A QuikTrip entende que, quando os funcionários estão felizes, se sentem protegidos e respeitados, eles simplesmente trabalham melhor. A lógica é bem direta, mas, pelo menos no nosso momento atual, parece bem radical. "Os funcionários da QuikTrip não são bem tratados porque a companhia está tendo lucro", argumenta Ton. "A QuikTrip está lucrando porque coloca seus funcionários como o centro de seu negócio. Eles são os criadores desse sucesso — não é sorte ou são beneficiários ocasionais — e são tratados de forma adequada. É isso que a empresa diz, é isso que suas políticas e seus procedimentos transmitem e é assim que seus empregados se sentem."[28] Não só é uma estratégia antiburnout e que produz lucro, mas que também é uma estratégia *humana*.

Os exemplos presentes no livro de Ton são companhias excepcionais, e não é fácil imitar o que elas fizeram: isso requer uma atenção constante, ajustes e, acima de tudo, a manutenção do entendimento de que trabalhadores que são tratados como seres humanos em vez de robôs dispensáveis são valorosos. Mas o sucesso dessas empresas desmente a mentira de que trabalhos horríveis são "o novo normal". Trabalhos ruins não são uma necessidade para alcançar o lucro. São uma estratégia, uma escolha. Os Millennials que nunca tiveram experiência com uma lógica de mercado diferente precisam ter algum conhecimento dessa história — entendê-la e recusar-se a calar a boca sobre ela — para poder espalhar as boas novas. Sabemos que o trabalho não precisa ser assim. Nosso passado bem recente é a prova disso.

6
COMO O TRABALHO CONTINUA TÃO MERDA

"Em 2007, rescindi o contrato do meu apartamento, coloquei minhas coisas em uma van e, me sentindo 'fora do ar', viajei por aí, ficando em sofás e quartos extras. Mas aí consegui, sabe-se lá como, entrar em uma startup como designer em 2009, e rapidamente minha vida ficou melhor. Eu ainda estava em uma relação codependente e abusiva, mas de repente tinha dinheiro para resolver problemas que destruíram a minha vida poucos anos antes. Tudo o que tinha que fazer era trabalhar sessenta horas por semana, então, foi o que fiz. Passaram dois anos e meio até eu perceber que estava em um ambiente de trabalho tóxico, que pagava mal para o serviço que eu estava fazendo e que eu era literalmente a única pessoa na empresa para quem os chefes não ofereceram ações ao ser contratada. Tenho tentado desaprender a ideia de que trabalhar mais e ser a primeira a chegar e a última a sair é a única coisa que me torna útil no ambiente de trabalho. Eu me proponho a trabalhar 35 horas por semana, mas simplesmente não dá."

— Nina, designer de software, São Francisco

"Às vezes, eu só sei quando vou trabalhar com algumas semanas de antecedência. Os teatros podem, de repente, suspender o meu contrato

poucos dias antes de ele acabar, e estou sempre mandando e-mails tentando conseguir trabalho. Ainda estou no plano de saúde dos meus pais, mas o que vai acontecer quando eu fizer 26 anos é uma grande preocupação para mim. No meu emprego anterior, meu trabalho era contabilizado por peças de roupas consertadas por hora. Para consertos 'maiores' (em oito minutos ou menos), você deveria terminar pelo menos quarenta peças em seis horas. Para consertos 'menores' (em dois minutos ou menos), tínhamos que fazer pelo menos cinquenta peças em duas horas. Era intensamente estressante e intensamente competitivo. As idas aos banheiros eram monitoradas e cronometradas, e deduzidas da sua velocidade de conserto. O ambiente de trabalho não era nada bom."
— Kay, técnica de figurino freelancer, Seattle

"Eu enfim estava ganhando impulso como escritora e queria seguir essa carreira desde que percebi que era isso o que eu realmente queria fazer. Mas a solidão é um problema para mim. Há vezes em que não quero sair de casa por dias. Tenho a tendência a ficar depressiva. Não vejo meus amigos com a frequência que gostaria. Estou sempre procurando novas fontes de renda, o que acaba comigo. E não tenho plano de saúde."
— Cate, crítica de filme freelancer, Los Angeles

Você pode falar sobre o ambiente de trabalho fragmentado de modo abstrato, como algo que move trabalhadores de uma empresa para uma subempresa como peças em um jogo de tabuleiro. Porém, a fragmentação afeta os trabalhadores de modo prático, com efeitos que podem ser livremente divididos em ascensão e glorificação do excesso de atividades, expansão e normalização da vigilância do local de trabalho e fetichização da flexibilidade do trabalho freelance. Cada uma dessas tendências contribui para o burnout de uma forma nociva única. Mas o resultado é o mesmo: elas fazem a experiência diária de serviço, dos maiores aos menores salários, inegável e incessantemente uma merda.

A ASCENSÃO DO EXCESSO DE TRABALHO

A ética do excesso de trabalho americana se tornou tão padrão que não existe sentimento de antes e depois: é apenas como é, como sempre foi. Porém, como toda ideologia, ela tem uma origem — não deveria ser surpreendente que muitas das mesmas pessoas responsáveis pelo ambiente de trabalho fragmentado *também* foram responsáveis pela fetichização do excesso de trabalho. A principal delas: o consultor.

Empresas de consultoria de elite se orgulham de contratar os melhores e mais brilhantes alunos das universidades da Ivy League — ou, se for necessário, das mais prestigiadas instituições de educação em determinada região. Mas a estratégia delas era, e continua sendo, perversa: chamam os melhores estudantes, os exaurem de tanto trabalhar e depois demitem qualquer um que não tenha conseguido ficar longe de seus amigos e família durante a semana de trabalho ou que não tenha conseguido criar planos de negócios que muitas vezes exigem a eliminação de funcionários dedicados, com muitos anos de empresa.

Os consultores que preenchiam os requisitos tinham que fazer mais do que se estabelecer como burros de carga. Como Louis Hyman explica no livro *Temp*, em trecho retirado diretamente das publicações internas da empresa de consultoria McKinsey, o consultor era julgado de acordo com a "real promessa para sucesso de longo prazo com a firma com base em sua performance e em seu caráter".[1] Dito de outra forma: o consultor dedicou todo seu eu, toda a sua vida, para o trabalho? O corte inicial geralmente acontecia alguns anos após a faculdade. Muitas vezes era autoimposto: os trabalhadores ficavam tempo suficiente para pagar seus MBAs e depois pediam demissão da empresa.

Na década de 1960, os pesquisadores descobriram que os consultores tinham "mais instabilidade emocional" e "menos motivação para exercer poder sobre os outros" do que seus colegas que trabalhavam em empresas estáveis.[2] Eles tinham cortado tantas pessoas que tinham medo de ser cortados, afligidos pela mesma ansiedade onipresente que seu trabalho tinha imposto aos outros.

Mas as pessoas que saíam ou que eram demitidas da McKinsey não abriam lojas de bairro ou retornavam aos estudos e se formavam como professores, nem começavam uma organização sem fins lucrativos. O ciclo da consultoria era tão comum que deixar uma empresa não era uma marca negativa. Em vez disso, os ex-consultores encontravam novos empregos rapidamente, em geral nas mesmas empresas onde antes davam consultoria. Afinal de contas, é muito mais barato contratar alguém com o conhecimento da McKinsey do que de fato contratar a McKinsey. À medida que mais e mais ex-consultores se espalhavam pelas empresas americanas, a ideologia de rejeição de funcionários, manutenção de competências essenciais e lucros de curto prazo a qualquer custo se tornou lugar-comum. "A instabilidade e os altos pagamentos do mundo da consultoria se retroalimentavam à medida que as pessoas que acreditavam nesse modelo de gestão cortavam as equipes das corporações e, quando isso era feito, passavam a fazer parte do quadro", explica Hyman. "Dava certo para elas. Por que não daria certo para o resto dos Estados Unidos?"[3] A mesma mentalidade se estendia aos padrões de excesso de trabalho dos consultores: era um mecanismo de classificação eficaz para seus negócios. Por que não deveria ser aplicado a *todos* os negócios?

Os consultores, espalhados por todos os cantos do mundo corporativo americano, ajudaram a criar um novo paradigma para o trabalho: o que um "bom" trabalhador fazia, o quanto de sua vida ele devotava à empresa e o nível de estabilidade que podia esperar em retorno (lê-se: muito pouco). No entanto, apesar de toda a sua onipresença, até mesmo os consultores não puderam mudar sozinhos a cultura do trabalho nos Estados Unidos. E, no ar rarefeito dos bancos de investimento, uma atitude semelhante já tinha se tornado a norma.

Nos últimos vinte anos, o escritório com bons lanches e almoços grátis se tornou uma piada cultural: um modo de ressaltar o absurdo da cultura de startup ou apenas das vantagens ridículas que os Millennials exigem. Mas comida de graça não é apenas um benefício. É uma estratégia para incentivar o excesso de trabalho, e a prática, como tantos outros princípios do excesso de trabalho, veio diretamente da cultura de Wall Street.

Essa cultura é o que a antropóloga Karen Ho começou a estudar nos anos antes e logo após a Grande Recessão. Em 1996, ela tirou um ano sabático de seu doutorado para trabalhar em um banco de investimento, o que conseguiu, apesar da falta de treinamento na área financeira, porque era estudante da pós-graduação em Princeton — uma das poucas instituições de ensino que os bancos de investimento julgam como elitizada o suficiente para produzir bons funcionários de bancos de investimento.

Para a sua pesquisa, Ho entrevistou dúzias de banqueiros e ex-banqueiros, ganhando uma compreensão complexa da vida diária em Wall Street, assim como de sua lógica econômica abrangente. Entre suas descobertas, ela viu que as "vantagens organizacionais", padrão nos bancos de investimento, agiam para incentivar e perpetuar expedientes de trabalho extremamente longos. Em específico, o jantar e o transporte gratuito para casa. Se um gerente de investimento trabalhasse até depois das sete da noite, podia pedir comida na conta da empresa; como muitos funcionários trabalhavam até tão tarde, não tinham tempo para fazer compras, muito menos energia para preparar o jantar. O ciclo se autoperpetuava. Se um gerente de investimento ficava até depois das sete no trabalho, ele poderia muito bem ficar até as nove — quando teria disponível um motorista em um carro de luxo para ir para casa, novamente bancado pela empresa. Para o banco, arcar com os custos dessas vantagens era um preço pequeno comparado ao pagamento de horas extras.

Ho descobriu que os bancos de investimento, especialmente os da camada superior, também se prendiam à noção de que o trabalho constante era um símbolo de superioridade, a versão deles de "espertoza". Essa lógica foi construída com base no fato de que bancos contratam seus analistas de nível júnior exclusivamente oriundos das universidades da Ivy League, e elas só aceitam "os melhores dos melhores", o que sugere que os funcionários nos bancos de investimento também são "os melhores dos melhores". O que se conclui, então, é que qualquer horário de trabalho que eles cultivam é superior — mesmo que esse trabalho signifique jornadas de dezoito horas diárias, às vezes sete dias por semana, até e depois do limite de alguém. "Se você for solteiro e sua família morar longe, como na Califórnia, será um melhor analista", o vice-presidente de uma grande empresa de serviços financeiros disse a Ho. Analistas geralmente costumam estar em um relacionamento quando começam a trabalhar, mas, como o mesmo vice-presidente explicou, "de repente, depois de alguns meses, todo mundo começa a descobrir que ficou solteiro".[4] "O objetivo é criar uma atmosfera de pós-universidade, em que, depois de alguns dias do começo do trabalho, analistas e associados comecem a 'viver' lá", diz Ho, "comparando quem é o último a sair e quem está mais cheio de trabalho, sem mencionar a participação em jogos improvisados de futebol americano de Nerf à uma da manhã".[5]

Alguns analistas nos primeiros anos de trabalho experimentavam um breve período de choque, uma vez iniciados nesse estilo de vida. Mas Ho descobriu que eles rapidamente internalizavam a ética do excesso de trabalho da mesma forma que fizeram no ensino médio e depois na faculdade: como uma medalha de honra e uma prova de sua excelência. Como afirmou um editorial de Harvard sobre o interesse dos bancos de investimento nos alunos da instituição: "Eles sabem que, quatro anos atrás, queríamos simplesmente a melhor. Não nos contentávamos com a número três ou quatro dos rankings de faculdades. Eles se aproveitam do nosso desejo de encontrar o padrão 'Harvard' de tudo: atividades, empregos de verão, relacionamentos e, agora, carreiras".[6] Em outras palavras, esses alunos de ensino médio que se recusavam a se "contentar" com qualquer outra coisa que não Harvard elevaram o nível esperado em relação ao que era considerado "trabalho árduo" para todos os outros.

E, para a maioria, mostraram que trabalhar em excesso realmente valia a pena. Como Ho ressalta, os banqueiros de elite de Wall Street estão entre os poucos na economia americana que "ainda experimentam uma ligação entre trabalho árduo, recompensas financeiras e mobilidade ascendente". Trabalhar demais, no caso deles, significava enormes bônus. Historicamente, a maioria dos americanos de classe média vivenciaram alguma versão desse cenário: se a empresa em que trabalhavam eram produtiva e lucrativa ao extremo, esses lucros chegavam para os trabalhadores na forma de salários, benefícios e até bônus (embora nunca tão grandes quanto os de Wall Street). Agora, após a grande mudança de risco, esses lucros vão para os acionistas e CEOs — e para os financistas que recomendaram e aprovaram os negócios dessas empresas lucrativas.

Como banqueiros de investimentos ainda se beneficiam da ligação entre excesso de trabalho e compensação, muitos também internalizam a ideia de que, se alguém não está ganhando muito dinheiro, é porque o resto do mundo, fora de Wall Street, não tem uma boa ética de trabalho. Um associado da Goldman Sachs deu a Ho uma extensa explicação do modo como passou a ver o mundo que vale a pena ler na íntegra:

"Se você vai para o mundo exterior e começa a trabalhar com pessoas, elas simplesmente não são tão motivadas. É um pé no saco fazer qualquer coisa no mundo real. As pessoas saem do trabalho às cinco, seis da tarde. Tiram uma hora de almoço e fazem isso e aquilo e sei lá mais o quê. Sério, isso faz a maior diferença, porque se você está trabalhando com pessoas que realmente se esforçam para fazer o que tem que ser feito, isso facilita muito as coisas. E fazer as coisas é o que faz com que as pessoas se sintam bem com suas vidas e se sintam importantes. A autoestima tem a ver com isso — completar e fazer coisas. Em uma grande empresa ou no mundo acadêmico, é difícil fazer as coisas. [Em Wall Street,] Você trabalha com muitas pessoas e todas são superdedicadas, muito inteligentes e motivadas de verdade, e isso cria um ambiente muito bom. Acho que nos velhos tempos, nos anos 1950 ou 1960, as pessoas meio que tinham um padrão definido para suas vidas. Elas iam trabalhar, subiam na hierarquia devagar e faziam qualquer coisa que lhes fosse ordenada. Acho que agora as pessoas foram seduzidas pela possibilidade de dar saltos na carreira e pela grande diferença que podem fazer, quão importante você pode se sentir ou qualquer outra coisa que seja atraente para elas... Acho que nos dias de hoje, você pode fazer muita coisa, e isso é sedutor. É por isso que pessoas que já têm dinheiro mais do que suficiente, respeito mais do que suficiente, continuam envolvidas nisso, sacrificando seu tempo com a família, porque precisam se sentir necessárias. E não há nada melhor do que estar sempre entregando e concluindo coisas."

Eu já li esse relato mais de dez vezes, e a frase que mais se destaca é aquela que vai ao cerne do motor por trás da cultura do burnout: "Não há nada melhor do que estar sempre entregando e concluindo coisas". Qualquer coisa que atrapalhe a "conclusão das coisas" (e por "coisas", aqui, o entrevistado quer dizer "trabalho") é entendida como falta de devoção ou de ética de trabalho ou, com frequência, deduzida como falta de inteligência. E os efeitos dessa mentalidade vão além do mero elitismo. Ela afirma a justiça que existe em redução de pessoal, dispensas e terceirização: aquelas pessoas no "mundo real" eram preguiçosas mesmo. Na verdade, Wall Street está fazendo um favor a elas: "Tornamos todos mais inteligentes", disse um funcionário do banco Salomon Smith Barney a Ho. "Antes, na década de 1970, as empresas eram muito desleixadas; agora elas estão avançadas. Nós somos a graxa que faz as coisas girarem com mais eficiência." O que significa que eles são a graxa que tornou a vida profissional de todos os outros tão infeliz quanto a deles e com um pagamento muito menor.

Não ajudou muito o fato de que, na década de 1990, as empresas começaram a contratar alunos de MBA e ex-banqueiros de investimentos diretamente de Wall Street, em vez de promover líderes de dentro da própria empresa — como tinha sido comum por décadas.[7] Uma vez em funções de liderança, ex-banqueiros de finanças poderiam reproduzir explícita e implicitamente o entendimento de "trabalho árduo" que internalizaram durante seu tempo em Wall Street. (Vale notar que Jeff Bezos, que inventou uma cultura de ambiente de trabalho "contundente" na Amazon, trabalhou na mesma empresa que Ho.)[8] O fenômeno é semelhante à disseminação de ex-alunos no setor corporativo: exceto por uma intervenção significativa, que altere a psicologia da pessoa, uma vez que alguém iguale o trabalho "bom" ao trabalho em excesso, essa concepção permanecerá com essa pessoa — e com qualquer outra sob seu poder — pelo resto da vida.

Contamos a nós mesmos todo tipo de história para justificar o excesso de trabalho. Alguns, como os financistas de Wall Street, decidiram que é a melhor maneira de trabalhar, independentemente do fato de muitos logo admitirem que gastam muito do seu tempo de forma ineficiente: batendo papo furado, verificando ortografia ou apenas esperando as edições em uma apresentação. O trabalho em Wall Street não é necessariamente melhor ou mais produtivo. Na verdade, é apenas *mais* trabalho. Mas isso não significa que não tenha acumulado poder e influência fora do comum sobre a maneira como *outros* americanos trabalham.

Quando estou estressada por causa do trabalho, fico ressentida por causa da quantidade de horas de sono de que preciso. Mesmo sabendo que dormir aumenta a produtividade, o que eu entendo é que isso diminui as horas de trabalho disponíveis. Tudo que eu quero é acordar e começar a, assim como o analista da Goldman Sachs pontuou de forma tão direta, "entregar e concluir coisas". Às vezes leio sobre as pessoas que naturalmente conseguem dormir apenas de cinco a seis horas por noite (anomalias físicas e psicológicas), ou sobre como muitos CEOs que sobrevivem e prosperam com apenas algumas horas de sono — e sinto profundas pontadas de inveja. Todas essas pessoas são talentosas, mas seu talento é melhorado por sua capacidade de permitir que seu trabalho se alimente de ainda mais partes de suas vidas.

Sabe quem não precisa dormir? Robôs. Podemos dizer que odiamos a ideia de nos transformarmos em robôs, mas, para muitos Millennials, nós nos robotizamos por vontade própria, na esperança de ganhar aquela estabilidade enganosa que tanto almejamos. Isso inclui ignorar cada vez mais as nossas necessidades, inclusive as biológicas. Como o teórico Jonathan Crary aponta, mesmo nosso "sono" é cada vez mais uma versão do "modo de espera" das máquinas, menos descanso e mais "uma condição reduzida ou controlada de operação e acesso à consciência".[9] No modo de espera, você nunca está realmente desligado; está apenas esperando até ser ligado novamente.

Isso parece distópico, mas também o são os relatos de pessoas varando duas ou três noites inteiras para alcançar o reconhecimento, seja na escola ou no trabalho; ou a realidade vivida por aqueles no precariado, que trabalham um turno de oito horas como auxiliar de enfermagem, dormem por poucas horas e saem para trabalhar como motorista de Uber à noite, antes de deixarem seus filhos na escola e voltarem ao trabalho durante o dia. Nós nos condicionamos a ignorar todos os sinais do corpo que dizem "Isso é demais" e chamamos esse condicionamento de "coragem" ou "ambição".

Essa mentalidade foi cristalizada em 2017 em uma peça publicitária para o Fiverr — um aplicativo por meio do qual "empreendedores enxutos" podem apresentar seus serviços, ao custo mínimo de cinco dólares —, que por um breve período esteve por toda a parte no metrô de Nova York. No anúncio, um close de uma mulher atormentada, muito magra, mas milagrosamente atraente, é sobreposto pelo texto "você toma um café no lugar do almoço. você confirma a sua confirmação. a privação de sono é a sua droga. você pode ser um fazedor".

"Fazedores" — o único tipo de pessoa capaz de sobreviver à economia do bico — silenciaram com eficiência o sistema de alerta de seu corpo. Afinal, é muito mais fácil tomar um energético do que encarar a face brutal de nosso sistema econômico atual e chamá-lo do que ele realmente é. Como Jia Tolentino escreveu na *The New Yorker*: "Na raiz disso está a obsessão americana por autossuficiência, o que torna mais aceitável aplaudir um indivíduo por trabalhar até a morte do que argumentar que um indivíduo trabalhar até a morte é prova de um sistema econômico falho".[10]

A ideologia do excesso de trabalho se tornou tão nociva, tão difundida, que atribuímos suas condições aos nossos próprios fracassos, à nossa própria falha em descobrir a gambiarra certa que, num piscar de olhos, deixará tudo mais fácil. É por isso que livros como *Grit* [Garra] e *Unf*ck Yourself* [Desf*dendo a si mesmo] e outros títulos com asteriscos para amenizar os palavrões e a frustração se tornaram best-sellers tão expressivos: eles sugerem que a solução está bem ali, ao nosso alcance. Porque o problema, segundo esses livros, não é o sistema econômico atual ou as empresas que o exploram e lucram com ele. Somos nós.

CULTURA DA VIGILÂNCIA

Espero que esteja claro, a esta altura, o quão equivocada essa afirmação é: nenhum nível de ambição ou insônia pode alterar de maneira permanente um sistema quebrado para beneficiar você. Seu valor como trabalhador é sempre instável. O que é profundamente confuso, então, é que qualquer valor que tenhamos está sujeito à otimização contínua. E essa otimização é alcançada por meio de formas cada vez mais nocivas de vigilância dos funcionários.

Veja o "escritório aberto", que funciona tanto como um método de corte de custos quanto como uma maneira de todos no escritório saberem o que os demais estão fazendo em determinado momento. Ao contrário das salas fechadas, que antes eram o padrão, para a maioria das pessoas os escritórios abertos tornam a conclusão de trabalhos incrivelmente difícil, sujeita a interrupções constantes ou, se você colocar fones de ouvido, sugestões de que você é um megero antipático — alguém que *não sabe trabalhar em equipe*.

Stevie, que trabalha como copidesque em um escritório aberto, me contou que lhe disseram que ela deveria aparentar estar "fazendo um trabalho sério o TEMPO TODO, caso o chefão apareça". Da mesma forma, no escritório aberto do *BuzzFeed*, o editor-chefe circula periodicamente, puxando conversas fiadas, vendo o que todos estão fazendo. Há muito pouco que você possa estar fazendo ou assistindo em seu computador no *BuzzFeed* para ter problemas (exceto pornografia, que ainda pode ser teoricamente restringida). Mas, mesmo quando meu editor não estava em lugar algum, a visibilidade do meu computador me fazia sentir que eu deveria estar sempre digitando ou olhando para algo importante. Em um local de trabalho mais tradicional, onde, digamos, passar três horas em *threads* do Reddit sobre *furries* seria reprovado, o escritório aberto torna estressante fazer qualquer coisa, até mesmo responder a um e-mail da escola do seu filho, que pode ser interpretado como "não relacionado ao trabalho".

O objetivo da vigilância pode ser controlar a produtividade ou a qualidade, mas os efeitos psicológicos sobre os trabalhadores são substanciais. Conversei com uma mulher chamada Bri, que trabalhou por dois anos como editora de fotos em uma agência internacional de fotografia editando conjuntos de imagens para vários clientes em estreias de filmes, premiações, notícias de última hora etc. A empresa usava um software próprio para editar imagens que permitia aos gerentes rastrear cada clique e ação. As ações só eram revisadas um mês depois, mas então eram inspecionadas de perto. "Foi muito difícil e degradante ter uma conversa com um gerente sobre um conjunto de imagens do qual eu mal me lembrava", explicou ela.

"Sempre existia uma nuvem de desconfiança que pairava sobre nosso escritório. Ninguém no mesmo nível que eu sentia que estava fazendo um bom trabalho, ou que era capaz fazer qualquer coisa certa", continuou Bri. "O ânimo despencou e comecei a sentir a síndrome do impostor, mesmo tendo trabalhado na minha área por mais de sete anos — cada movimento meu era monitorado, e o único feedback que recebi da gerência foi negativo."

Na Microsoft, os gerentes podem acessar dados dos chats, e-mails e compromissos da agenda dos empregados para medir "a produtividade do funcionário, a eficácia do gerenciamento do tempo e o equilíbrio entre vida profissional e pessoal". Um número crescente de empresas está contratando serviços de "análise tonal" que monitoram reuniões, ligações e conversas no Slack.[11] Sabrina, que se identifica como uma hispânica branca, mora em uma área urbana, tem diploma de bacharel e ganha cerca de 30 mil dólares por ano. Ela ficou animada por ter sido contratada para um "cargo de pesquisa" em uma pequena startup antes de descobrir que o trabalho consistia, na verdade, em horas de preenchimento mecânico de dados. Todos os dias, pediam que ela documentasse minuciosamente quanto tempo levava para concluir cada tarefa em uma planilha do Google, e depois isso era levado ao seu chefe, que lhe diria se ela estava trabalhando devagar demais. Ela precisava acompanhar não apenas quantos minutos tinha gastado inserindo cada segmento de dados, mas também quantos minutos havia passado enviando e-mails ou tentando descobrir como fazer algo, ainda que isso levasse apenas um minuto.

"Ter que controlar cada segundo da minha produtividade me deixou nervosa até mesmo para usar o banheiro", explicou Sabrina. "Eu literalmente escrevo 'banheiro' na folha de ponto? Comecei, então, a usar o banheiro enquanto enviava e-mails para não bagunçar os meus dados totais e ser repreendida. Mas fiquei com medo de que, se registrasse seis minutos para enviar e-mails em minha planilha de ponto, pareceria muito tempo enviando e-mails. Esse pensamento repetitivo e as consequências desconhecidas e iminentes me deixaram infeliz."

Como muitos funcionários fortemente vigiados, Sabrina tinha medo de ir para o trabalho todos os dias. As tarefas eram entorpecentes. Seus antebraços e mãos doíam por digitar tão rápido por tanto tempo, sem intervalos. Mas ela continuou porque seu chefe, que era uma subcelebridade em sua área de atuação, prometeu que o "trabalho árduo" poderia levar à chance de se colocar "à prova": "Para conseguir o quê, exatamente, não tenho certeza", ela disse. "O prestígio de estar associada a ele? Mas naquele momento, essas promessas tornavam difícil protestar contra qualquer coisa, e isso me deixou ansiosa para agradar e aceitar sua vigilância."

Esse tipo de monitoramento é frequentemente vendido em nome da eficiência ou acontece de forma tão gradual que os funcionários têm poucos caminhos para resistir. "Seu empregador controla seu sustento", explica Ben Waber, um cientista do MIT que estudou vigilância no local de trabalho. "E se eles disserem 'me entregue esses dados', é muito difícil dizer não."[12] Quando há tão poucas opções de emprego estável, você não pode decidir se quer ou não ser vigiado. Você apenas descobre como lidar com o sofrimento que isso cria.

Há evidências significativas de que quanto mais vigiado — e menos confiável — você se sente, menos produtivo você é. Em *The Job: Work and Its Future in a Time of Radical Change*, a psicóloga organizacional Amy Wrzesniewski afirma a Ellen Ruppel Shell que o monitoramento rigoroso dos supervisores "torna difícil pensar de forma independente e agir de maneira proativa" e "quase impossível dar sentido ao nosso trabalho".[13]

Ruppel Shell cita o exemplo das babás: até recentemente, a maioria das babás tinha controle total sobre como lidavam com suas obrigações durante o dia. Elas alimentavam e colocavam as crianças para dormir em horários predefinidos, mas essa autonomia ajudou a tornar suas vivências suportáveis, até mesmo agradáveis.

Quando eu era babá, essa autonomia — junto com um salário mínimo — realmente tornava o trabalho divertido. Eu e a criança de dois anos de quem eu cuidava andávamos de ônibus pela cidade toda. Explorávamos um novo parque a cada dia da semana. Íamos a museus e feiras de rua e, às vezes, quando estava chovendo sem parar pelo quinto dia consecutivo, assistíamos a um filme no cinema. E, embora eu tivesse um celular para emergências, fazíamos tudo isso sem monitoramento, dentro e fora de casa. No ano anterior, estava cuidando de um bebê no pretensioso Eastside de Seattle, quando, inesperadamente, a avó da criança veio passar vários meses na casa. A cada movimento que eu fazia, a cada palavra que eu falava, a cada choro da criança, eu me sentia observada e denunciada. Eu odiava o tempo que levava para chegar lá, que foi o motivo que usei para pedir demissão. Mas odiava mais a vigilância.

Hoje, a supervisão sobre cuidadores infantis está cada vez mais normalizada — seja na forma de câmeras escondidas em babás eletrônicas, câmeras em berços (cujas imagens podem ser vistas pelo telefone dos pais) que mostram o momento exato em que a criança vai dormir e acorda, ou atualizações constantes em forma de mensagens de texto. Quando eu era babá, escrevia no fim do dia um breve bilhete detalhando o que a criança havia comido e o que tínhamos feito. Nos dias de hoje, eu teria que colocar essas anotações em um aplicativo, o que permitiria que meus empregadores aprovassem cada decisão em tempo real.

E há os rastreadores. Para diminuir os custos com plano de saúde, cada vez mais empresas estão instituindo programas que oferecem Fitbits e contadores de calorias gratuitos para os trabalhadores. O negócio é simples: dê 10 mil passos por dia, perca peso, e todos nós ganharemos! Na prática, porém, é mais uma incursão do local de trabalho na vida pessoal e a normalização de uma ideia profundamente distópica: que um bom trabalhador é aquele que permite que sua empresa monitore seus movimentos.

Em setembro de 2017, a Amazon registrou duas patentes para uma pulseira tecnológica que rastreia os movimentos dos trabalhadores dos depósitos e fornece "feedback sensorial" (ou seja, zumbidos leves) quando você está perto do item certo (ou pegando o errado) para entrega. A divulgação dessas patentes levantou a preocupação de que a Amazon estaria tratando seus trabalhadores como robôs — mas, na verdade, eles já são: "Depois de um ano trabalhando no depósito, senti como se tivesse me tornado uma versão dos robôs com os quais estava trabalhando", um ex-funcionário do depósito da Amazon disse ao *The New York Times*.[14] "Eles querem transformar as pessoas em máquinas. A tecnologia robótica ainda não está à altura, então, até lá, eles usarão robôs humanos."

Pense também no Spire Stone: um pequeno e lindamente projetado rastreador para ser usado junto ao corpo. Quando, por meio de uma série de diferentes sensores, o Spire considera que o trabalhador está estressado, ele o guia para uma breve meditação. Na teoria, o Spire é uma ferramenta para *aliviar* o estresse no trabalho — e, assim, otimizar o funcionário para, bem, trabalhar mais. Um modo infalível de aumentar seu nível de estresse é ficar estressado o tempo todo, pensando se a estranha pedra pulsante em sua pele está dizendo ao seu gerente que você está estressado.

Algumas dessas táticas parecem limitadas a certo escalão de trabalhadores, que é empregado em certo tipo de empresa que "transforma paradigmas". Porém a vigilância tecnológica, com o objetivo de "otimizar" o trabalhador e aumentar os lucros, tornou-se padrão nas indústrias de fast-food e varejo. Em um artigo para a *Vox*, Emily Guendelsberger descreve como as tensões específicas no ambiente de trabalho de lanchonetes fast-food criam um cenário semelhante ao que um neurocientista, em suas tentativas de criar condições que desencadeiem depressão em ratos, chama "o poço do desespero".

Os funcionários são supervisionados de forma constante, e não apenas por gerentes chatos. "Tudo é cronometrado e monitorado digitalmente, segundo por segundo", explica Guendelsberger. "Se você não está acompanhando o ritmo, o sistema notificará um gerente e você será alertado."[15] O poço do desespero não é apenas a sensação de estar, no trabalho, à frente da caixa registradora ou do grill. É todo o conjunto de ansiedades que se acumulam em torno do trabalhador que ganha salário mínimo.

Para começar, há o relógio digital, que penaliza os trabalhadores que batem o ponto mesmo um minuto após o início de um turno, e o estresse geral do horário do trabalhador, que se baseia em um algoritmo e dados anteriores para determinar exatamente quando a loja precisa de mais ou menos funcionários. Na prática, isso significa mudança constante, horários totalmente instáveis, em geral informados aos funcionários apenas dois dias antes. (Exceto em cidades específicas como Nova York, São Francisco e Seattle, onde as leis trabalhistas determinam que as escalas devem ser informadas com duas semanas de antecedência.) Uma gerente de recepção de hotel experiente me contou que, antes de 2015, todos os estabelecimentos para os quais ela trabalhava informavam os horários com pelo menos duas semanas de antecedência. Depois de 2015, isso se tornou impossível: os algoritmos produziam variações de última hora que faziam com que os horários estivessem, com frequência, disponíveis apenas com um dia de antecedência. Ao mesmo tempo, os orçamentos para a contratação de pessoal ficaram apertados — forçando a gerente e seus colegas a trabalhar de sessenta a setenta horas por semana. Ela geralmente tinha apenas um dia de folga por semana, que usava para dormir.

Em um grande varejista de moda, um trabalhador me disse que o algoritmo era baseado nas vendas do ano anterior — sem levar em conta feriados, clima etc. Algumas empresas agora agendam turnos "clopen", nos quais um funcionário chega para trabalhar algumas horas antes do fechamento da loja, vai para casa para dormir algumas horas e depois volta para abri-la bem cedo. Brooke, que trabalha como garçonete em um restaurante casual chique, recebe regularmente esse tipo de turno: "Isso torna muito difícil ter um sono de qualidade", diz ela. O mesmo vale para "falta de pessoal", em que apenas a *quantidade exata de funcionários* é chamada para trabalhar em determinado momento do dia, sem considerar possíveis faltas ou problemas.

Quando aparecem muitos clientes de repente, sem que o algoritmo tenha previsto, todo mundo começa a gritar por reforços, criando, nas palavras de Guendelsberger, "infelicidade maximizada para trabalhadores e clientes". Com certeza é desumano. Mas é lucrativo.

O horário de expediente de Holly, que recentemente começou a trabalhar como recepcionista em um hotel, é baseado no número projetado de chegadas e partidas em qualquer dia. Funcionários seniores recebem horários mais consistentes, com folgas regulares; aqueles que são mais novos na empresa, como ela, recebem horários praticamente aleatórios. Além dos turnos "clopen", não há garantia de que as solicitações de folga serão cumpridas, "o que significa muitos cancelamentos de planos em cima da hora e ter que lidar com a decepção e a irritação da família e de amigos porque você não pode se comprometer com nada, exceto com o trabalho". Não existe garantia de que ela trabalhará quarenta horas por semana, mas seu horário não é consistente o suficiente para conseguir outro emprego. "Tentar fazer um orçamento", diz ela, "é uma grande bagunça".

Quando você mal está ganhando dinheiro suficiente para sobreviver, ou quando sustenta um filho, como faz um quarto dos trabalhadores das redes de fast-food, as opções para "alívio" ou melhoria do estresse diminuem. Você pode ter uma hora livre para ir à academia, mas não tem dinheiro para pagar a mensalidade. Você tem menos dinheiro e menos recursos para tentar comprar ou fazer refeições mais saudáveis. Seu corpo começa a apresentar os sinais físicos de seu trabalho: queimaduras, conforme relatado em 2015 por 79% dos trabalhadores das redes de fast-food, ou exaustão total.[16] Você ganha muito pouco e certamente não o suficiente para economizar, e fica tão exausto com o trabalho que, muitas vezes, é difícil ver uma saída.

Holly me disse que seu trabalho fez ressurgir sua síndrome do pânico "havia muito neutralizada e cuidadosamente administrada". Ela tentou dizer a seus gerentes que os horários erráticos de expediente tornavam incrivelmente difícil controlar sua ansiedade. Eles responderam que "é assim que as coisas são". A única opção para cuidar da saúde é pedir demissão — mas ela não pode fazer isso até que tenha outro trabalho engatilhado e, em meio a uma crise de ansiedade, procurar emprego parece impossível. "Felizmente tenho alguns bons amigos que me impedem de chegar ao fundo do poço", diz ela. "Mas, para as pessoas sem uma estrutura social ou familiar forte, pode ser devastador."

O estresse não é apenas algo que você experimenta enquanto tenta atender um pedido ou chegar ao trabalho quinze minutos antes, porque você não pode confiar no transporte público para chegar lá a tempo. O estresse desintegra o corpo e pode torná-lo imprestável para qualquer outro tipo de serviço. Um trabalho estressante não é apenas um caminho até o burnout. Ele também prende você, criando uma situação em que não se vê qualquer opção além de continuar trabalhando.

O mesmo se aplica a todos os tipos de serviço sem vínculo empregatício: um trabalhador sem documentos, seja como lavrador ou babá, não tem respaldo legal, nenhum meio de denunciar a exploração, nenhum recurso quando os salários são retidos. Trabalhadores "sem registro", como empregados domésticos frequentemente são, não precisam ter horas extras pagas. É isso que acontece quando você não tem opções: não tem poder de negociação, ou poder de qualquer tipo, pelo menos quando se trata do ambiente de trabalho. É por isso que o serviço autônomo, com as "opções" que o acompanham, tornou-se tão atraente: a estrutura do emprego formal, seja em um restaurante de fast-food ou em um escritório de advocacia, tornou-se tão estressante que ser freelancer, dentro de sua área ou na economia do bico, parece uma solução perfeita.

A FETICHIZAÇÃO DO TRABALHO FREELANCE

Durante a Grande Recessão, mais de 8,8 milhões de empregos foram eliminados só nos Estados Unidos. Americanos perderam trabalho na construção civil, em faculdades, em ONGs, em escritórios de advocacia e nas grandes lojas de departamento que foram à falência. Perderam empregos na indústria do entretenimento, em jornais, em estações de rádio, na indústria automobilística, em startups e no mercado financeiro, publicitário e editorial. No passado, recessões destruíram o mercado de trabalho, mas então a recuperação o reconstruía: os empregos sumiam quando as empresas apertavam o cinto, então reapareciam quando elas se sentiam confiantes para expandir.

Não foi isso que aconteceu dessa vez — que é um dos motivos pelos quais os Millennials, muitos com dificuldade para conseguir seus primeiros empregos, quaisquer que fossem, durante essa época, tiveram uma experiência de trabalho tão ruim. Para ser clara, não é que novos empregos não foram criados. Na verdade, números fortes de criação de vagas eram cantados todos os dias — primeiro no governo Obama, depois no de Trump. É só que esses trabalhos não eram do mesmo tipo que antes. Um "emprego" pode ser uma posição temporária ocupada por um freelancer, um bico sazonal, até uma vaga de meio expediente. De acordo com um estudo, quase *todos* os empregos "criados" na economia entre 2005 e 2015 eram "contingentes" ou "alternativos" de alguma forma.[17]

Porém, para aqueles desesperados por trabalho, especialmente os Millennials que se formaram no mercado pós-recessão, esses empregos pelo menos pagavam, mesmo que pouco — e a economia freelance e do bico explodiu. A disposição dos empregados em aceitar essas condições de trabalho ajudou a aumentar ainda mais a fragmentação no mercado de trabalho: primeiro, normalizando os baixos padrões da economia freelance; segundo, "redefinindo" o que significa estar "empregado".

A lógica geral por trás do trabalho freelance é algo assim: você tem uma habilidade vendável, talvez em design gráfico, fotografia, escrita, edição digital ou webdesign. Várias empresas precisam dessa habilidade. No passado, empresas grandes e médias teriam contratado empregados em período integral com essa habilidade. Mas, no ambiente de trabalho fragmentado, essas mesmas empresas são reticentes em contratar mais do que o estritamente necessário. Então contratam freelancers para fazer o serviço de um funcionário interno, o que fornece à empresa o trabalho de alta qualidade necessário sem a responsabilidade adicional de custear benefícios como plano de saúde para o freelancer, nem de garantir condições justas de trabalho.

Olhando de fora, o modelo freelance parece um sonho: você trabalha quando quer; teoricamente está no controle do seu próprio destino. Mas, se você é freelancer, conhece bem o lado ruim desses "benefícios". A "liberdade de criar seus horários" também significa a "liberdade de pagar seu próprio plano de saúde". A assinatura do Ato da Saúde Acessível tornou mais fácil contratar um plano de saúde individual. Mas, antes disso — e considerando o esforço combinado de acabar com o ato —, conseguir cuidados de saúde a preços acessíveis como freelancer era cada vez mais complicado.

Na Califórnia, uma pessoa me contou que a opção *mais barata* que encontrou — para um beneficiário, com uma cobertura básica e alta taxa de coparticipação — custava 330 dólares por mês. Conversei com um passeador de cachorros em Seattle que pagava 675 dólares — sem plano dental. Outra pessoa comentou que conseguiu um desconto em um plano de fundo de quintal em Minnesota e pagava 250 dólares mensais. Em Dallas, eram 378 dólares por mês para um plano catastrófico com uma parcela deduzível de 10 mil dólares. E isso se for só você: uma escritora freelancer me contou que teve câncer de mama, e o marido, fotógrafo e editor de imagens freelancer, tem diabetes tipo 2 e depende de insulina. Eles moram no subúrbio de Nova York e atualmente pagam uma mensalidade de 1.484 dólares. Muitos freelancers me relataram que a parcela da coparticipação é tão alta que eles evitam ir ao médico sempre que possível, o que frequentemente acaba trazendo contas ainda *mais altas* quando enfim são forçados a procurar ajuda — e, como são freelancers, não existe licença de saúde remunerada para se recuperar.

Trabalhar como freelancer também significa que não há aposentadoria privada fornecida pelo empregador, pagamento em dobro para o fundo de aposentadoria ou qualquer ferramenta subsidiada além da porção do seu pagamento como freelancer que vai para o Seguro Social todo mês. Isso muitas vezes significa contratar um contador para lidar com as estruturas tributárias labirínticas e receber um pagamento fechado pelo produto ou serviço final, não importa quantas horas você tenha dedicado àquilo. Significa total independência, o que, no mercado de trabalho capitalista atual, é outra forma de dizer total insegurança.

"Eu não recebo nenhum feedback sobre as minhas habilidades", me contou Alex, que trabalha como designer e ilustradora freelancer. "Eu aceito um pagamento mais baixo do que mereço só para conseguir o trabalho. Volta e meia tentam cortar o valor. E ainda tem a ansiedade pela falta de controle sobre minha própria vida." "Clientes", afinal, não devem nada a você. Quando a quantidade de freelancers com determinada habilidade ou serviço é maior que a demanda, não é possível negociar preços. Você ajusta seus valores ao que o cliente está disposto a pagar.

No jornalismo, por exemplo: antigamente, todo escritor sonhava com a liberdade do estilo de vida de freelancer. Ofereça só as histórias que *você* quer escrever; escreva somente para as publicações para as quais *você* quer escrever. E, na época em que o mercado de periódicos era saudável, dava para viver bem assim: cobrar dois dólares por palavra (para ficar na média) para uma matéria de 5 mil palavras significava 10 mil dólares por um trabalho de poucos meses.

Mas, quando o mercado do jornalismo chegou ao seu ponto mais baixo na Grande Recessão, tudo mudou. Jornalistas demitidos encheram o mercado, desesperados por trabalhos freelance. A quantidade de competidores levou a valores baixos por trabalho, que já era o que a maioria dos veículos conseguia pagar de qualquer forma. E ainda havia pessoas como eu: não jornalistas que tinham estabelecido suas vozes online, no *LiveJournal* e no WordPress, de graça. Em 2010, comecei a ler o *Hairpin*, um site que tinha surgido das cinzas da recessão.

Esse modelo de negócios, como muitos da época, dependia da publicação de qualquer coisa boa que qualquer um estivesse disposto a escrever de graça. Comecei a escrever artigos, baseados na minha pesquisa acadêmica, sobre a história da fofoca de celebridades e escândalos clássicos de Hollywood. Como uma Millennial típica, ficava feliz da vida por esses artigos serem publicados. Eu queria um público para a minha paixão muito mais do que queria ser paga. Esse modelo permitiu que centenas de pessoas começassem a escrever profissionalmente. Você pode atribuir as origens das carreiras de muitos escritores proeminentes atuais ao *Hairpin*, ao seu site irmão, o *The Awl*, e ao seu site primo, o *Toast*. O mesmo é possível dizer de muitos escritores esportivos, que postam de graça em sites como o *Bleacher Report*. Nós "chegamos lá" porque escrever não era nosso emprego principal, o que nos permitia escrever de graça ou, conforme os sites ganharam público e a recessão diminuiu, graças ao que minha vó chamaria de "dinheiro de colchão": extra, poupança, gracinha.

Mas, como escrever era um extra para nós — e por isso podíamos fazer isso de graça —, também ajudamos a baixar e muito o preço desse trabalho. Por que pagar um escritor freelancer o valor determinado, o valor que pode ajudá-lo a pagar seu aluguel, quando você pode pagar a uma pós-graduanda em história da arte zero dólar pelo seu *insight*?

Foi desse tipo de desespero que empresas de verdade — muito mais que pequenos websites desconhecidos — tiraram vantagem. E ninguém se aproveitou mais disso do que as recém-criadas gigantes da economia do bico: Uber, Handy, DoorDash e dezenas de outras. Quando olharmos para trás, para o período logo após a Grande Recessão, esse momento será lembrado não como um de grande inovação, mas de grande exploração, em que empresas de tecnologia chegaram ao status de "unicórnio" (valendo mais de 1 bilhão de dólares) nas costas de empregados a que era recusado até mesmo esse título, que dirá o respeito que eles mereciam.

As dinâmicas e a filosofia em geral do Vale do Silício criam as condições perfeitas para ambientes de trabalho fraturados. O Vale do Silício pensa que a forma "antiga" de trabalhar é errada e *ama* o excesso de trabalho. Sua ideologia de "disrupção" — "andar rápido e quebrar coisas", como Mark Zuckerberg notoriamente colocou — depende da disposição de destruir qualquer semelhança com um ambiente de trabalho estável. No mundo das startups, o objetivo final é "virar pública": criar um valor de ação alto o suficiente para depois alcançar um crescimento infinito, não importa o custo humano. É assim que essas empresas devolvem o investimento às firmas de capital de risco que colocaram dinheiro nelas — e é assim que fazem seus fundadores, conselhos e primeiros empregados ficarem muito ricos.

Falar sobre o Vale do Silício e a mudança nos conceitos de trabalho significa falar sobre a Uber. Você pode estar tão de saco cheio de falar da Uber quanto eu, mas o impacto da empresa é amplo e inegável. "Bem debaixo dos nossos narizes, a empresa criou uma onda de mudanças que toca quase todos os aspectos da sociedade, seja vida familiar ou cuidados infantis, condições de trabalho ou práticas de gerenciamento, padrões de transporte ou planejamento urbano, campanhas de igualdade racial ou iniciativas de direitos trabalhistas", argumenta Alex Rosenblat em *Uberland*. A empresa "confunde categorias como inovação e ilegalidade, trabalho e consumo, algoritmos e gerentes, neutralidade e controle, partilha e emprego".[18] O número de americanos que de fato chegaram a dirigir um Uber é proporcionalmente pequeno. Mas as mudanças a que a empresa deu início se infiltram de pouco em pouco no restante da economia e nas nossas vidas cotidianas — em especial para aqueles que, em qualquer área, dependem da economia do bico.

Como muitas das outras startups da era pós-recessão, a Uber foi fundada na premissa da disrupção: pegar uma indústria antiga, muitas vezes desajeitada e analógica, mas que pagava aos trabalhadores o suficiente para viver, e usar tecnologias digitais para transformá-la em algo mais moderno, mais fácil e mais barato que criaria rios de dinheiro para a empresa disruptora. A Uber, junto com Lyft, Juno e mais algumas outras companhias de transporte privado urbano, rompeu com o serviço tradicional de pegar pessoas em um lugar e levá-las para outro. A popularidade dela criou uma nova indústria de serviços que rompia com tarefas cotidianas: Rover com o cuidado de animais de estimação; Airbnb com acomodações; Handy com consertos domésticos; Postmates, Seamless e DoorDash com entregas de alimentos. E se por um lado esses apps tornaram tirar férias, pedir comida por delivery e se locomover tarefas mais fáceis para os consumidores, também criaram uma quantidade enorme de empregos ruins — empregos ruins que trabalhadores, ainda desesperados pelas consequências da recessão, estavam (pelo menos temporariamente) felizes em ter.

Por um curto período, empresas como a Uber foram vistas como salvadoras da economia. Elas se vendiam como uma forma de usar e distribuir recursos — carros, motoristas, faxineiros, quartos — com uma eficácia muito maior que os sistemas antigos, além de criar as ocupações a que a classe média desesperadamente tentava se agarrar. O segredo desses empregos, porém, é que eles nem eram em teoria empregos, e sem dúvida não eram o tipo de trabalho que poderia consertar a estrada destruída da classe média. Em vez disso, esses serviços criaram o que o colunista de tecnologia Farhad Manjoo chama de "uma subclasse digital permanente", tanto nos Estados Unidos como no mundo, "que vai trabalhar para sempre sem proteções decentes".[19]

Isso porque, pelo menos na Uber, as dezenas de milhares de pessoas que dirigem para a empresa não eram nem consideradas funcionárias. Na sua comunicação interna, a postura da Uber em relação a essas pessoas permaneceu firme: os motoristas eram, na verdade, um tipo de *cliente*. O app simplesmente ligava um grupo de clientes que precisavam de carona a outro grupo de clientes que estavam dispostos a dirigir. Como Sarah Kessler, autora de *Gigged*, aponta, "a Uber apenas pegou uma tendência corporativa — empregar o mínimo possível de pessoas — e a adaptou para a era dos smartphones".[20]

Afinal, contratar de verdade funcionários, mesmo se você só pagar o salário mínimo, é "caro" — e exige que a empresa tenha todo tipo de responsabilidade. Quando você é uma startup que consome milhões em capital de risco, o objetivo é o crescimento, sempre o crescimento, e a responsabilidade é um empecilho ao crescimento. A Uber resolveu o problema chamando seus funcionários de "clientes" e oficialmente designando-os como "contratados independentes".

"Independentes" significava que quem dirigia para a Uber podia fazer seus próprios horários, não tinha um chefe e trabalhava para si mesmo. Mas também significava que esses pseudoempregados não tinham direito a um sindicato e a Uber não tinha responsabilidade pelo treinamento deles ou pelo pagamento de benefícios. As economias dos bicos atraíram trabalhadores com a promessa dessa independência — com serviço que poderia se dobrar para caber em nossas vidas, nos horários dos nossos filhos, nas nossas outras responsabilidades.

Esse trabalho era considerado adequado em especial aos teoricamente egoístas, exigentes e hipócritas Millennials; conforme a economia do bico aumentou em visibilidade, a *Forbes* declarou: "O emprego das nove às cinco logo pode se tornar uma relíquia do passado se os Millennials conseguirem o que querem".[21]

Mas não foi isso o que aconteceu. Não para os faxineiros do Handy, nem para os TaskRabbits, nem para os trabalhadores do Mechanical Turk da Amazon, que fazem ofertas para completar tarefas braçais online (clicar em cada foto que contiver uma imagem de um pássaro, por exemplo, de modo a ajudar o reconhecimento de inteligência artificial) por centavos. Não para os trabalhadores da DoorDash, que, até isso causar um imenso escândalo online, estava usando as gorjetas dos entregadores para cobrir a folha de pagamento dos seus contratados independentes — ou seja, se um entregador recebia a garantia de 6,85 dólares por entrega e ganhasse uma gorjeta de três dólares, ele ainda recebia só 6,85 dólares; os usuários estavam basicamente dando gorjetas para a empresa. E, apesar do antigo argumento (totalmente desmascarado) da Uber de que um motorista poderia ganhar 90 mil dólares por ano, a maioria das pessoas que dirige um carro, faz faxina, aluga seu quarto extra ou clica sem parar em quadradinhos na economia do bico está fazendo isso como um segundo ou terceiro emprego — um emprego de merda para suplementar a renda de outro emprego de merda.[22] A economia do bico não está substituindo a economia tradicional. Está apoiando-a de modo a convencer as pessoas de que não há nada de errado.

Trabalhos freelance e bicos não fazem o tédio e a ansiedade desaparecerem. Na verdade, os exacerbam. Qualquer momento de folga que você tira é manchado pelo arrependimento ou pela ansiedade que diz que deveria estar trabalhando. Que uma hora em uma festa de aniversário poderia significar trinta dólares na Uber. Que uma hora em uma corrida poderia ser usada para entrar em contato com novos clientes.

Que uma hora lendo um livro poderia ser gasta em uma pesquisa para outro artigo a ser escrito. Na economia de hoje, ser freelancer significa internalizar o fato de que você poderia e deveria sempre estar trabalhando mais. Nick, que é um freelancer de análise de dados para a Upwork, descreveu uma pressão internalizada de estar "trabalhando eternamente e o tempo todo"; Jane, uma escritora freelancer, explica que "existe uma sensação quando se é freelancer de que você nunca está fazendo o bastante — que você deveria estar fazendo mais, ganhando mais, trabalhando mais — e que todo fracasso que você tiver (real ou imaginado) é totalmente sua culpa. Em um emprego em um escritório, você ainda é pago pelos cinco minutos em que vai fazer uma xícara de chá; quando é freelancer, cada minuto em que não está trabalhando significa perder dinheiro".

Na prática, trabalhar como freelancer significa, muitas vezes, desenvolver uma ideia de que "tudo que é ruim é bom, tudo que é bom é ruim" — um mantra que eu dividia com meus amigos durante a pós-graduação para descrever a perversa alquimia do excesso de trabalho, em que um serviço enfadonho parece "ótimo" e atividades agradáveis de verdade se tornam indelevelmente marcadas pela culpa. Como Kessler conta em *Gigged*, a Uber explora essa ideia de forma direta: quando um motorista tenta fechar o app e recusar futuras corridas, o app responde com uma variação de "Tem certeza de que ficar offline? A demanda está muito alta na sua área. Ganhe mais. Não pare agora!".[23]

Sua habilidade de trabalhar nunca é tão "livre" quanto a palavra freelance sugere. Se o seu carro precisar de conserto, se você ficar doente por um longo período, ou se apenas não quiser dirigir, a Uber dificulta sua volta ao trabalho. Você é repetidamente sujeito aos caprichos de passageiros bêbados que dão uma estrela só por diversão. E, como Guy Standing comenta: "A pessoa que trabalha para si mesma trabalha para um tirano — você só é tão bom quanto seu último serviço e sua última performance. Você está constantemente sendo avaliado. Terem que se preocupar tanto se vão ter de onde tirar o próximo pedaço de pão significa que as pessoas perderam o controle de suas vidas".[24] Ou, como um motorista da Uber contou a Rosenblat, "você não tem um chefe em cima da sua cabeça; tem um telefone".[25]

Trabalhar como freelancer é exaustivo e causa ansiedade o bastante, mas isso é aumentado pela recusa geral de ver o que você faz como *trabalho*. Assim como o serviço de professores ou mães é desvalorizado (ou não valorizado), empregos na economia do compartilhamento também não são vistos como trabalho — são tentativas de capitalizar seu hobby, ter conversas divertidas enquanto dirige pela cidade, convidar pessoas novas para a sua casa. Até chamar esses empregos de "bicos", com a conotação inerente de brevidade e leveza, esconde seu status de ocupação. Na verdade, essa não é a economia dos bicos; é a economia de procurar-loucamente-o-tempo-todo-o-*próximo-bico*.

"Nós concebemos a ideia do trabalho portátil, promovendo a noção de pessoas viajando por aí com um portfólio de habilidades que podem vender ao preço que elas mesmas estipularem", argumenta Standing. "Algumas conseguem fazer isso, é claro. Mas pensar que podemos construir uma sociedade nessa plataforma, sem proteções, é absurdo."[26]

Muitos dos funcionários da Uber continuam a lutar pelo direito de negociar com o seu empregador. Freelancers da área de comunicação nos Estados Unidos criaram uma versão própria de um sindicato, por meio do qual estabelecem valores para seus serviços e, quando funcionários são demitidos de uma organização ou entram em greve, se recusam a "furar" seu antigo trabalho. Mais e mais freelancers, trabalhadores da economia do bico e funcionários temporários estão percebendo que a flexibilidade não significa nada sem estabilidade.

Porém, a única forma de fazer esse tipo de ação é ter alguma carta na manga: ter opções, mas também ser considerado empregado. Isso significa modificar por completo nosso sistema atual, uma ação que talvez dependa de intervenção governamental. Se legisladores forçassem companhias como a Uber a parar de erroneamente classificar seus funcionários como contratados independentes, isso reforçaria o contrato social entre empresas e trabalhadores — a ideia de que corporações são responsáveis pelas vidas de quem trabalha para elas e de que os lucros obtidos a partir desse trabalho devem chegar até a base de alguma forma. Isso pode parecer incrivelmente radical, mas, se olhar para trás apenas sessenta anos, também era uma forma incrivelmente americana de pensar em lucros.

É uma solução especialmente difícil de implementar quando o diretor da empresa diz que não existe problema algum. "Acho que grande parte da questão é que essa discussão empregado *versus* contratado independente na verdade não é o mais importante", disse Tony Xu, CEO da DoorDash, para a *ReCode Decode*. "Quer dizer, se você pensa na raiz do problema, ela na verdade é: como maximizamos toda essa flexibilidade que os fornecedores amam e oferecemos uma rede de segurança para quem precisa?".[27]

De uma forma muito óbvia: contrate essas pessoas como funcionários. Disfarçar a exploração na retórica da flexibilidade do freelancer e do contratado independente evita que se fale do motivo pelo qual essa flexibilidade é desejada: porque a economia teoricamente "ótima" é construída sobre milhões de pessoas que são tratadas como robôs. "O que me preocupa mais é que isso é só o começo", escreveu Manjoo depois do escândalo sobre as gorjetas da DoorDash. "As políticas de exploração e servidão criadas pelos algoritmos vão se espalhar como um câncer por toda a cadeia produtiva. Tirar as gorjetas dos entregadores da DoorDash hoje vai abrir caminho para tirar vantagem de todo o restante amanhã."

Manjoo tem razão. Mas as pessoas de quem esse sistema está mais preparado para tirar vantagem no futuro imediato são aquelas que não têm outras opções — e aquelas que, como os Millennials e os jovens da geração Z, não percebem que existe outra forma de trabalhar. Isso só deixa mais claro nosso problema atual: condições de trabalho de merda produzem burnout, mas o burnout — e a inabilidade resultante, seja por falta de energia ou de recursos, para resistir à exploração — ajuda a manter o trabalho uma merda. Uma legislação importante para atualizar leis trabalhistas para responder às realidades atuais do ambiente de trabalho pode e vai ajudar, mas também é preciso solidariedade: uma palavra antiquada que simplesmente significa consenso, entre uma grande variedade de pessoas que pensam de forma semelhante, de que resistir é possível.

7
TECNOLOGIA FAZ TUDO FUNCIONAR BEM

A primeira coisa que ouço de manhã é meu app de acompanhamento de sono SleepCycle, que teoricamente monitora meus movimentos para me despertar "com gentileza" quando emerjo do sono. Deslizo a notificação para desligá-lo e vejo os primeiros alertas dos variados apps de notícia do meu celular: tudo ruim e piorando. Enquanto estou deitada na cama, meu polegar vai para o Instagram sabe-se lá por que, mas estou menos interessada em ver o que os outros postaram e mais em saber quantas pessoas curtiram a foto que postei na noite anterior. Dou uma olhada no meu e-mail pessoal. Dou uma olhada no meu e-mail de trabalho. Deletei o app do Twitter do meu celular, mas não se preocupe: sempre é possível abrir o Chrome e ir para *twitter.com*.

Eu saio da cama e grito com a Alexa algumas vezes para ela tocar a National Public Radio (NPR). Ligo o chuveiro. Enquanto a água esquenta, dou uma olhada no Slack para ver se tem algo que preciso resolver enquanto a Costa Leste acorda. Quando saio do chuveiro, na rádio está passando algo interessante, então, ainda de pé com a toalha enrolada no corpo, procuro o que é e tuíto. Vejo o Slack de novo, dessa vez para dar "oi" para a minha equipe e falar o que vamos fazer naquele dia. Eu me visto, pego o café e me sento em frente ao computador, onde passo uma boa meia-hora lendo, tuitando coisas e esperando que alguém as curta. Posto uma das histórias que li na página do Facebook com 43 mil seguidores que gerencio faz uma década. Cinco minutos depois, entro na página para ver se alguém já comentou. Penso comigo mesma que eu deveria trabalhar, mas esqueço que esse é meio que o meu trabalho.

Reflito: "Eu deveria mesmo começar a escrever". Abro o rascunho no Google Docs do meu navegador. Ops, eu queria ir para o site da loja de roupas para ver se a peça que coloquei no carrinho semana passada entrou em promoção. Ops, eu queria na verdade voltar ao Slack e postar um link para garantir que todo mundo saiba que estou online e trabalhando. Escrevo duzentas palavras no meu rascunho antes de decidir que deveria assinar aquele contrato para uma palestra que está parado na minha Caixa de Entrada da Vergonha. Não tenho impressora nem scanner, e não lembro a senha do site de assinatura eletrônica. Tento redefinir a senha, mas o site diz, com toda a educação, que não posso usar qualquer uma das minhas últimas três. Alguém está me ligando com o código de Seattle; não deixa mensagem porque minha caixa está cheia já faz seis meses.

Estou no e-mail, e a aba de "Promoções" de alguma forma cresceu de 2 para 42 e-mails nas últimas três horas. O aplicativo de cancelamento de inscrição que instalei alguns meses atrás parou de funcionar quando o pessoal da TI do trabalho mandou todo mundo mudar as senhas, e agora passo muito tempo deletando e-mails da West Elm. Mas espera, tem uma notificação do Facebook: um post novo no grupo de resgate em que adotei um cachorro! Alguém com quem não falo desde o ensino médio postou algo novo!

No LinkedIn, minha agente literária está comemorando seu aniversário de cinco anos no emprego; uma antiga aluna, de quem mal me lembro, também. Almoço e dou uma olhada irritada em um blog que leio apesar de me irritar faz anos. Trump postou um tweet idiota. Mais alguém postou uma coisa estúpida. Eu espremo mais algumas palavras entre conversas muito importantes sobre a musculatura de Joe Jonas.

Vou para a academia. Na bicicleta ergométrica, leio coisas que vi no Twitter e guardei no Pocket. Sou interrompida uma, duas, quinze vezes pelas notificações dos meus grupos de conversa. Leio algo de que gosto, reduzo a velocidade na bicicleta para beber água e posto no Twitter. Termino o exercício e vou ao banheiro, onde tenho tempo o bastante para olhar meu celular de novo. Vou dirigindo até o mercado e fico parada em um sinal de trânsito demorado. Pego o celular, que diz: "Parece que você está dirigindo". Minto para o meu celular.

Estou na fila do caixa e checando o Slack. Estou entrando no carro para voltar para casa e mandando uma mensagem para um amigo com uma piada interna. Estou a cinco minutos de casa e aviso ao meu namorado. Estou passeando com meu cachorro em lindas trilhas e não paro de pegar o celular para tirar fotos. Estou em casa, com uma cerveja, sentada no quintal "relaxando", vendo coisas na internet, tuitando e terminando algumas edições em um artigo. Estou trocando mensagens com a minha mãe em vez de ligar para ela. Estou postando uma foto de um passeio com o cachorro no Instagram e me perguntando se tenho postado fotos de cachorro demais ultimamente. Estou preparando a janta e peço à Alexa para tocar um podcast em que as pessoas discutem as notícias que não consegui internalizar.

Deito na cama com toda a intenção de ler o livro que está na minha cabeceira, mas, caramba, que TikTok engraçado. Vejo quantos likes a foto de cachorro no Instagram que eu acabei postando já recebeu. Vejo meu e-mail e meu outro e-mail e o Facebook. Não tem mais nada para olhar, então sabe-se lá por que decido que é uma boa hora de abrir o app da Delta e ver quantas milhas acumulei. Ops, acabou o tempo de leitura, melhor abrir o SleepCycle.

Estou ao mesmo tempo envergonhada e exausta por relatar esse dia bem comum na minha vida digital — e essa descrição nem inclui todas as vezes adicionais em que olhei meu celular, entrei nas mídias sociais ou fiquei alternando entre um rascunho e a internet, como fiz *duas vezes só enquanto escrevia esta frase.* Nos Estados Unidos, um estudo de 2013 descobriu que os Millennials olham o celular 150 vezes por dia; outro estudo de 2016 argumentava que passamos em média seis horas e dezenove minutos por semana rolando timelines, mandando mensagens e nos estressando com e-mails. Ninguém que eu conheço gosta do seu celular.[1] A maioria sabe que quaisquer benefícios que o celular traz — Google Maps, ligações de emergência — são superados de longe pelas distrações que vem com ele.

A gente sabe disso. A gente sabe que os celulares são uma bosta. A gente sabe até que os aplicativos são criados para serem viciantes. Nós sabemos que as promessas utópicas da tecnologia — de tornar o trabalho mais eficiente, criar conexões mais fortes, tirar fotos melhores e mais fáceis de compartilhar, tornar as notícias mais acessíveis, simplificar a comunicação — na verdade criaram *mais* trabalho, mais responsabilidades, mais oportunidades de se sentir um fracassado.

Parte do problema é que essas tecnologias digitais, de celulares a Apple Watches, do Instagram ao Slack, encorajam nossos piores hábitos. Frustram nossos melhores planos de autopreservação. Elas sequestram nosso tempo livre. Tornam cada vez mais impossível fazer as coisas que realmente nos fazem bem. Transformam uma corrida na natureza em uma chance de auto-otimização. São a entidade mais carente e egoísta em todas as interações que tenho com outras pessoas. Elas nos influenciam a considerar experiências, *enquanto estamos tendo essa experiência*, a partir de legendas futuras e a pensar em viagens como válidas somente quando documentadas para consumo público. Elas roubam a alegria e a solitude e deixam apenas exaustão e arrependimento. Eu as odeio, fico ressentida, e acho cada vez mais difícil viver sem elas.

Desintoxicações virtuais não resolvem o problema. A solução em longo prazo é trazer o plano de fundo para o primeiro plano: apontando de que formas exatamente essas tecnologias digitais colonizaram nossas vidas, piorando e estendendo nosso burnout em nome da eficiência.

O que essas tecnologias fazem melhor é nos lembrar do que não estamos fazendo: quem está saindo sem nós, quem está trabalhando mais que nós, que notícias não estamos lendo. Isso impede que nossa consciência se libere para poder fazer o trabalho essencial, protetor e regenerativo de sublimar e reprimir. Em vez disso, faz o contrário: uma avalanche ininterrupta de notificações, alertas e interações. Isso traz todos os detalhes da nossa vida e da vida dos outros para o primeiro plano de uma forma impossível de ignorar. É *claro* que fazemos mais.

Como muitos aspectos do burnout, a exaustão digital não é exclusiva dos Millennials. Mas a nossa geração tem uma relação com tecnologias digitais que, pelo menos nesse momento, é em especial irritante. No início da vida adulta, fomos profundamente moldados por elas, mas também temos memórias claras de como era a vida *antes* da sua existência. Essas memórias dependem de idade e de classe social, mas um traço em comum permanece: nossas infâncias não foram entremeadas pelos smartphones, mas os anos de faculdade e juventude tiveram os contornos de câmeras digitais, do início do Facebook e da acessibilidade constante, mesmo que fosse por meio de um telefone flip.

Essas tecnologias mudaram a maneira como muitos de nós, Millennials, fazíamos planos, como flertávamos, como nos comportávamos, e então passamos a ser julgados por comportamentos em público. Elas mudaram a maneira como tirávamos fotos, como comprávamos e ouvíamos música, o que fazíamos enquanto estávamos no computador e quanto tempo passávamos nele. Tudo parecia estar mudando, ficando mais fácil, mais barato ou mais simples, mas a sensação era *gradual*. Meu primeiro telefone "smart" tinha uma câmera de merda e levava dez minutos para abrir um e-mail. Eu ainda ouvia CDs no meu apartamento e no carro. Assistia a DVDs da Netflix no meu laptop. Tinha um blog no

WordPress. Conhecia pessoas que tinham Blackberries, mas esse ainda não era o meu mundo.

Devagar, e então aparentemente do nada, tudo isso mudou. O iPhone ficou disponível para outras operadoras além da AT&T. A Netflix se tornou um serviço de streaming. Aí vieram a Hulu, a Amazon e a HBO. O Twitter explodiu e basicamente acabou com o mundo dos blogs. Jovens Millennials pararam de usar o Facebook conforme seus pais começaram a entrar na rede. O Instagram veio à tona, e com ele a necessidade de pegar nossas experiências e transformá-las em produtos estéticos para consumo público.

Nossos celulares se tornaram extensões de nós mesmos — e a principal forma de organizar nossas vidas. Vejo meus e-mails no celular. Efetuo transferências bancárias no celular. Faço reservas no Airbnb no celular. Peço comida, compras de mercado e roupas no celular. Divido a conta do bar usando o celular, descubro o caminho no metrô pelo celular e uso o celular para fazer caretas para os filhos recém-nascidos dos meus amigos. Parei de levar revistas para a academia e comecei a levar só... meu celular. Troquei a TV a cabo pela AppleTV. Parei de usar meu iPod, minha câmera digital, minha caderneta de endereços, meu gravador de fitas e o drive de DVD do meu computador. Quando comprei um computador novo, ele nem sequer *tinha* um drive de DVD.

Levou uma década, mas a vida da maioria dos Millennials que conheço seguiu uma consolidação tecnológica similar. Meu irmão resistiu aos smartphones até 2017, quando se dobrou a eles; outras pessoas conseguiram sair das mídias sociais ou nem sequer chegaram a entrar. Mas esses casos cada vez mais parecem exceções. Para a maioria de nós, a vida agora flui por meio dos celulares e dos apps instalados neles: são os mediadores principais de nossas tarefas, viagens, trabalho, exercícios, organização, memórias, conexões, finanças e amizades.

E é por isso que é tão difícil moderar nossa relação com os celulares, quanto mais nos afastarmos deles completamente. Para muitos de nós, se distanciar do celular significa se afastar da própria vida. Tem um bocado de vergonha conectada a essa nova realidade também: quem é mais ligado ao celular é uma pessoa pior, ou pelo menos com menos força de vontade. Mas o celular (ou, mais especificamente, os aplicativos no celular) foi criado para, primeiro, gerar uma necessidade, e depois atender a essa necessidade de uma forma impossível de recriar — tudo sob o *disfarce* de produtividade e eficiência. Sucumbir a suas promessas não significa que você é fraco; significa simplesmente que é humano, tentando de forma desesperada cumprir tudo que é exigido de você.

Mas, antes de vermos como especificamente os celulares encorajam nossos piores hábitos e intensificam nosso burnout, precisamos estar na mesma página sobre os motivos pelos quais um objeto com serviços que odiamos é desenvolvido para fazer com que nos sintamos uma bosta. Para resumir: isso gera dinheiro. Esse dinheiro vem de manipulação, sustentação e conquista de nossa atenção, que é vendida aos anunciantes, que em consequência trazem dinheiro ao app — o que torna nossos celulares indispensáveis.

Quando as pessoas falam sobre a "economia da atenção", estão se referindo à compra e à venda do nosso tempo: tempo que costumávamos passar com as mentes "desligadas", caminhando em uma trilha, encarando o nada enquanto o sinal de trânsito não abria, aqueles dezessete minutos antes de dormir. É uma economia baseada não só em ocupar esses momentos intersticiais das nossas vidas, mas também em interromper de maneira sutil e repetida eventos importantes — tanto que o CEO da Netflix brincou que o principal concorrente da empresa é o sono.[2]

Dezenas de estudos e artigos confirmam o que a gente já entende intuitivamente: entrar nas mídias sociais, pelo menos quando você acha algo positivo ou interessante, libera uma pequena quantidade de dopamina, a substância química do prazer do cérebro. Nosso cérebro ama dopamina, então continua a desejá-la, viciado na possibilidade de mudanças mínimas: novas fotos, novas curtidas, novos comentários — o que o homem que criou o botão de curtir denomina "plins chamativos de pseudoprazer".³ O mesmo princípio se aplica aos nossos celulares em geral: não importa se tem ou não sempre algo novo na tela toda vez que o pegamos. O que importa é que, às vezes, tem algo novo e que vale nosso tempo.

Mas as mídias sociais nem sempre foram assim. Tente pensar nas suas primeiras memórias do Facebook: antes do feed de notícias, antes do botão de curtir. Você entrava no site (no computador!), aí, talvez no dia seguinte, você entrava de novo. Mas a adição do botão de curtir — e a mudança dos "alertas" de azul para vermelho, para que as pessoas não pudessem ignorá-los — incentivou retornos repetidos e obsessivos ao site. Por anos, se você queria ler mais coisas no Facebook, no Twitter ou no Instagram, tinha que recarregar a página; em 2010, Loren Bricther apresentou a função "puxe para recarregar" no app Tweetie, que agora se tornou padrão em apps de mídia social e outros. Hoje em dia, o "puxe para recarregar" não é de fato necessário — a tecnologia pode automaticamente recarregar o app —, mas esse movimento funciona meio que como uma alavanca em um caça-níquel, mantendo o usuário atento muito tempo depois de quando ele normalmente já teria saído do app.

Mais uma vez, nem sempre foi assim. No início, o Snapchat não avisava quando alguém estava apenas *digitando*. Sites de notícias não mandavam notificações. Nem aplicativos de meditação, nem o do Starbucks, nem os de paquera, nem o do New England Patriots, nem o de aprender espanhol, nem o do jogo 2048. A Sephora não alertava quando você estava perto de uma loja, e o Google não pedia para dar uma nota à viagem de metrô que acabou de fazer. Mas, sem sua atenção — sem sua atenção repetida e compulsiva —, esses apps se tornariam sem valor. Ou, pelo menos, valeriam bem menos. Então, eles incentivam, manipulam e ordenam com gentileza: não apenas por meio de notificações, mas também de gamificação, que usa elementos de jogo para atrair as pessoas para atividades que, de outra forma, não seriam nem um pouco divertidas, como seguir o progresso do meu programa de pontos da Delta.

Hoje em dia, o celular é a ferramenta que a maioria dos Millennials usa para acompanhar sua conta corrente, fazer pedidos na Amazon, solicitar carros, encontrar rotas, tocar música, assistir a TikToks, tirar fotos, vender roupas usadas, procurar receitas, acompanhar o sono do bebê e guardar seus tíquetes (de avião, de cinema, de transporte, de shows). Algumas dessas tarefas podem ser feitas fora do celular, mas são cada vez mais organizadas para serem feitas por um app. É assim que os celulares criam raízes nas nossas vidas: não por um ou cinco apps, mas com todo um turbilhão de ataque à nossa atenção. O usuário é, teoricamente, quem se beneficia de todos esses avanços tecnológicos, mas nossa dependência dos celulares acaba sendo um prejuízo líquido: perda de privacidade, de atenção, de autonomia. Os ganhadores são as empresas, que de forma tão eficiente exploraram nosso desejo de conveniência, tantas e tantas vezes, para lucrar.

Quando comprei meu primeiro iPhone, parecia tão bizarro poder procurar qualquer coisa a qualquer momento. Agora me separar do meu celular é como ter síndrome do membro fantasma. Naqueles primeiros anos do iPhone, eu ainda conseguia deixá-lo em casa o dia todo e mal notar sua ausência. No ano passado eu esqueci meu celular em casa durante um fim de semana fora e me senti toda perdida. Sei exatamente como os alertas e notificações me manipulam, e mesmo assim fico animada quando saio de um Uber e sinto um tremor no bolso: quem será? Ah, claro, é só o aplicativo me pedindo para avaliar a corrida, como já fez nas últimas quinhentas vezes. Eu sou o rato que puxa a manivela que me alimenta com o veneno que tem o leve sabor de um doce.

Tudo bem, eu tenho um emprego que me mantém mais conectada que a maioria, mais casada com o Twitter que quase todo mundo. Mas há outras amarras, compartilhadas e únicas: Pinterest, stories do Instagram, Poshmark, esportes, palavras cruzadas, Slack, aplicativos de escola, de fertilidade, de planejamento de refeições e de exercícios e grupos de mensagem que ironicamente parecem a única coisa que nos prende às nossas vidas não eletrônicas. E não importa se você segue as dicas para reduzir a dependência do celular: se livrar das notificações e alertas de e-mail pode impedir as interrupções, mas o comportamento em si já está internalizado. Você pode deletar o app, como eu fiz com o Twitter, e ainda achar outras formas de acessá-lo. Pode colocar seu celular em modo avião depois das oito da noite, coisa que eu faço, e ainda assim encontrar suas tendências descontroladas às oito da manhã.

Por que a atração é tão forte? A explicação da dopamina é parte do motivo, claro. Mas, para mim, acho que o maior atrativo é uma ilusão compartilhada de que, com meu celular, consigo fazer mil coisas ao mesmo tempo e ser tudo para todo mundo, inclusive para mim mesma. Não é o retângulo preto e brilhante que é sedutor; é a ideia de que a sua vida poderia ser tão maravilhosa e implacavelmente eficiente, tão perfeita, *sob controle*, que é tão atraente.

Isso é uma mentira, naturalmente. Não importa quantas vezes lemos estudos que afirmam que fazer mais de uma coisa ao mesmo tempo, na verdade, diminui sua capacidade de completar tarefas: nós nos convencemos de que a internet nos torna *melhores*, mais eficientes, prestes a arrasar. Vamos nos concentrar no trabalho; resolver aquela paralisia das tarefas com *apps*; vamos manter nossa casa em ordem com *mais apps*; descobrir uma estratégia de mídias sociais que vai, ao mesmo tempo, desenvolver e refinar nossa marca pessoal e exigir muito pouco de nossa atenção; vamos fazer todo mundo nas nossas vidas se sentir reconhecido e especial com *mensagens*!

Quando tudo isso não acontece, ficamos estressados, o que nos faz querer resolver ainda mais coisas ao mesmo tempo, para tentar controlar a situação, o que nos torna ainda mais ineficientes. É uma espiral de atenção mortal para todos nós. Porém, acho que é importante entender as características da internet que são especialmente catalisadoras do burnout: 1) mídias sociais voltadas para Millennials; 2) notícias; 3) tecnologias que arrastam o trabalho para o que resta da nossa vida pessoal.

*

Para os Millennials, o Facebook moldou (e estragou) muito da nossa vida social na adolescência e no início da vida adulta. Mas, hoje em dia, a maioria dos Millennials que conheço basicamente largou o site. O Facebook é tóxico, o Facebook é político — e saber todas as maneiras como a empresa explorou nossas informações pessoais é difícil demais para ignorar esse fato. A maioria dos meus amigos Millennials começou a usar a rede social quase exclusivamente pelos grupos: particulares, públicos e secretos, orientados em torno de podcasts, hobbies e discussão de interesses.

Uma parte dos Millennials jovens ainda usa o Snapchat; o Twitter permanece a compulsão de escolha de muitos escritores, acadêmicos e nerds; o Pinterest tem seus atrativos psicológicos próprios. As comunidades do Reddit têm uma sedução viciante. O LinkedIn é o Twitter para pessoas com MBA. Porém, a plataforma de mídia social em especial responsável pelo burnout é o Instagram. Pode parecer contraintuitivo: o apelo do Instagram faz muito tempo é que ele é o Facebook sem drama, algo que destilou o que tornava o Facebook de fato interessante de início, isto é: *fotos fofas*. Mas fazer essa curadoria de fotos fofas é exaustivo. Também é exaustivo, de certa forma, olhar para elas: uma relação interminável de fotos que não só parecem mais maneiras que as suas, mas também mais equilibradas, mais organizadas. O feed do Instagram se torna uma lição constante e discreta de como você está ficando para trás, de várias formas.

Dou uma olhada no meu feed e vejo uma foto de um cachorrinho bem-comportado em uma bela luz matinal, um marido postando uma foto da esposa com seu perfeito corte de cabelo bagunçado parecido com o da Natasha Lyonne, uma amiga da faculdade segurando o filho em uma fazenda de maconha no Oregon, um repórter de Montana fazendo uma trilha rochosa no Glacier National Park, o casamento glamoroso de outra repórter na Bulgária, uma propaganda de maiô que eu estava pensando em comprar ontem, uma foto borrada de uma noitada incrível no caraoquê de uma pessoa que só conheço mais ou menos, um escritor com quem não converso há dois anos terminou de escrever um livro, uma foto bem-iluminada do bebê de uma amiga que eu só vi uma vez, um amigo da região pescando no rio, minha melhor amiga da faculdade em uma festa na piscina cercada de pessoas que não conheço.

Destrincho as ansiedades em cada uma dessas faíscas:

Cachorrinho fofo e bem-comportado →
 Eu deveria tirar fotos mais fofas do meu cachorro.

Esposa com corte de cabelo bagunçado perfeito da Natasha Lyonne →
 Meu Deus, meu cabelo é tão sem graça.

Amiga da faculdade no campo de maconha →
 Isso parece muito trabalho.

Repórter de Montana no Glacier →
 Eu não sou tão corajosa assim.

Look glamoroso de casamento na Bulgária →
 Eu perdi todo o meu estilo aqui em Montana.

Maiô →
 Será que está na hora de adotar o look maiô do fim dos anos 1930?

Caraoquê épico →
 Será que eu sou uma idosa sem amigos?

Terminar livro →
 Lembra que eu não terminei meu livro?

Foto bem-iluminada de bebê →
 E se eu me arrepender de não ter filhos?

Amigo pescando no rio →
 Passo tempo demais no computador.

Melhor amiga em uma festa na piscina →
Ela tem novos amigos que não sou eu e eu odeio isso.

Essas são conclusões lógicas? Mais ou menos. São ansiedades normais, o tipo de preocupação que poderia surgir ao ler uma revista ou receber um cartão-postal de um amigo. Mas no Instagram, tudo isso está enfiado em uma linha contínua, atingindo todos os picos de ansiedade potencial. Essas conclusões formam um mosaico personalizado das vidas que não estamos vivendo, escolhas que não estamos fazendo, e nos forçam a um tipo de ciclo de comparação pernicioso. Cada foto é só uma em uma imensa pilha de evidências, postada ao longo de meses e anos, mostrando como outros estão vivendo o sonho Millennial: trabalhando naquele emprego maneiro, mas sem trabalhar demais; vivendo com um parceiro divertido e bacana; se desejados, criando filhos fofos e nada irritantes; tirando férias únicas e tendo tempo para hobbies interessantes.

Todos nós sabemos que o Instagram, assim como qualquer outra plataforma de mídia social, não é "real". É uma versão de curadoria da vida. Mas isso não significa que a gente não se julgue em relação a essa versão mesmo assim. Eu descobri que os Millennials têm muito menos inveja de objetos ou posses, e mais das experiências holísticas representadas ali, o tipo de coisa que faz as pessoas comentarem: *eu quero a sua vida*. O sonho Millennial representado no Instagram não é só desejável — é equilibrado, satisfatório, sem qualquer relação com o burnout.

As fotos e os vídeos que induzem mais inveja são aqueles que sugerem que um equilíbrio perfeito (trabalhe muito, divirta-se muito!) foi alcançado. O trabalho raramente é retratado no Instagram dos Millennials, mas está sempre lá. De vez em quando é fotografado como um espaço que é divertido ou bacana ou que tem uma bela vista — e é sempre retratado como recompensador ou satisfatório. Mas, na maior parte do tempo, é a coisa da qual você está escapando: você trabalhou o suficiente para aproveitar a *vida*.

Mas poucos de nós ao menos chegaram perto de atingir esse equilíbrio. Postar nas redes sociais é uma forma de narrativizar nossas próprias vidas: estamos dizendo a nós mesmos como nossas vidas são. E, quando não conseguimos encontrar a satisfação que nos disseram que deveríamos sentir com um trabalho bom e "gratificante" e uma vida pessoal equilibrada, a melhor maneira de nos convencermos é mostrando isso para os outros.

Se você olhar meu Instagram, é fácil imaginar que passo o tempo todo fazendo trilhas, aproveitando a natureza e meus cachorros, correndo, caminhando ou esquiando — e ao mesmo tempo viajando para algum lugar igualmente bonito a cada duas semanas. Eu passo mesmo muito tempo ao ar livre com meus cachorros, e passo muito tempo viajando a trabalho. Mas posto as fotos ao ar livre para tentar provar a mim mesma e aos outros que a maior parte da minha vida em Montana não é passada em frente a um computador, e as outras fotos são para convencer a mim mesma e aos outros de que viagens constantes não são uma chatice alienante, mas algo emocionante. A verdade da minha vida real e vivida está em algum lugar entre o que é retratado e o que é intenção. Mas tem um motivo pelo qual às vezes me pego passeando pela minha própria conta enquanto luto contra a ansiedade antes de dormir: quando não me sinto conectada a mim mesma ou à minha vida, o Instagram me lembra de quem decidi ser.

Para quem trabalha com conhecimento, um Instagram bonito, assim como uma presença popular no Twitter, pode ser uma abertura para um trabalho ou #parceria. O exemplo mais puro desse conceito é o influencer de mídia social, cuja fonte de renda inteira vem de performar e mediar sua presença online. A vida da maioria das pessoas não é tão explicitamente monetizável, mas isso não significa que não estamos cultivando uma marca para projetar ao mundo. Por exemplo: eu tenho uma amiga cuja marca é "Criar filhos é difícil, mas sempre vale a pena". Outras marcas incluem: "Meus filhos são tão bizarros!"; "Eu sou um pai maneiro"; "Caminhando e cantando e postando a cada cinco minutos"; "Livros são tudo"; "Preparando para decolar"; "Aventuras culinárias"; "Nômade cosmopolita"; "Eu tenho várias bicicletas diferentes"; "Eu sou ioga"; "Eu tenho amigos e a gente bebe"; "Criativos sendo criativos".

Uma marca poderosa requer manutenção e otimização constantes. Podemos não selecionar nossos "quadrados" tão ativamente quanto a geração Z — que muitas vezes mantém apenas meia dúzia de fotos postadas por vez —, mas a maioria de nós pensa sobre a frequência de postagem, quando algo é conteúdo para um "story" ou quando é um post, quanto é aceitável editar as fotos e quanto fica óbvio demais. E também há a busca sem fim por conteúdo: em sua forma mais exagerada, vemos pessoas arriscando a vida em locais extremos "para o Insta"; na vida da maioria das pessoas, é apenas uma alternância entre realmente viver uma coisa e pensar sobre a melhor forma de apresentar essa coisa no Instagram de uma forma que converse com sua marca pessoal. Posto, logo sou.

É assim que o Instagram embaça ainda mais quaisquer limites que ainda existam entre trabalho e diversão. Não existe "fora do horário de expediente" uma vez que qualquer hora é uma oportunidade para gerar conteúdo, o que é facilitado por smartphones que tornam todo momento capturável e monetizável. Mesmo quando você está em algum lugar sem sinal — viajando internacionalmente, no meio do mato, na água —, ainda pode tirar a foto e guardar para postar depois. O sistema de compressão de imagens do Instagram permite que até o pior sinal de internet consiga fazer o envio. E aí você espera para ver a aprovação mensurável da sua vida em forma de interações.

Não importa se você pensa no Instagram dessa maneira explicitamente ou não — como uma janela para as vidas equilibradas dos outros; como uma oportunidade para mostrar a sua —, até usuários casuais se pegam ressentidos pelo lugar que isso ocupa em as suas mentes. Abra o app e descubra uma dose de novidade — e, se você mesmo postou algo, uma oportunidade de ver cada uma das pessoas que curtiu o último pedaço da sua vida, quem assistiu a seu story, quem te mandou uma torrente de 100 em aprovação. É silenciosamente emocionante, pelo menos até você pensar em como as coisas mudaram pouco desde a última vez que você abriu o app.

Isso explica as dores e os prazeres gêmeos das redes sociais, o contraste agudo entre nossa atração por elas e a experiência continuamente insatisfatória de usá-las. O Instagram proporciona uma distração de tão baixo esforço, e é tão eficiente em se fingir de lazer de verdade, que nos prendemos no feed quando queríamos estar fazendo outra coisa — mergulhados em um livro, conversando com um amigo, caminhando, encarando a parede.

Quando tenho quinze minutos antes de dormir e estou exausta, sei que a melhor coisa para me preparar para descansar é ler um livro. Mas a simples tomada de decisão de largar o celular exige disciplina. Abrir o aplicativo do Instagram é fácil — mesmo que me faça sentir uma merda e precisando ainda mais da fuga real que o livro me oferece. O mesmo serve para o momento em que o avião pousa. E se eu continuar lendo o que estava lendo? Ou descansar meus olhos, ou fizer uma meditação rápida, ou simplesmente observar a humanidade apertada ao meu redor? Em vez disso, fico ansiosa esperando a internet 4G voltar para eu poder ver todas as minúsculas mudanças e afirmações nas minhas mídias sociais.

É assim que as redes sociais nos roubam de momentos que poderiam contrabalançar nossos burnout. Elas nos distanciam de experiências verdadeiras enquanto ficamos obcecados por documentá-las. Elas nos forçam a fazer várias coisas simultâneas, mesmo quando não há necessidade disso. Como você vai ver no próximo capítulo, as redes sociais destroem o que antes era tempo de lazer. E, talvez o que seja mais prejudicial, destroem oportunidades de solitude: o que Cal Newport, a partir da definição de Raymond Kethledge e Michael Erwin, descreve como o "estado subjetivo em que sua mente está livre de informações vindas de outras mentes".[4]

Em outras palavras, passar um tempo com sua própria mente e todas as emoções e ideias que experiências prometem e ameaçam trazer à tona.

Pense no seguinte: qual foi a última vez que você se sentiu de verdade entediado? Não entediado com uma mídia social, ou com um livro, mas de verdade, um tédio que não pareça ter começo nem fim, o tipo de tédio que caracterizou um tanto de nossas infâncias? Até recentemente, eu não me sentia assim fazia anos — pelo menos desde quando comprei meu primeiro smartphone, com sua habilidade infinita de distração.

Mas então passei três semanas em partes remotas do Sudeste Asiático, onde viajar exigia longas horas em estradas sinuosas. Não havia internet e as estradas eram irregulares demais para tentar ler. Então, ouvi música, olhei pela janela e permiti que minha mente vagasse por lugares que não visitava havia anos: recordações, experimentos mentais, novas ideias. Minha memória do tédio da infância é que ele sempre era doloroso, algo do qual eu estava desesperada para escapar. Mas agora me sinto desesperada para escapar *para* o tédio e repetidamente frustrada pela proximidade fácil do celular.

Eu queria nunca mais pensar no Instagram, mas, ao mesmo tempo, sinto uma profunda tristeza pelo que perderia se abandonasse o app. É quase um trabalho extra que não é nada gratificante, mas também minha única conexão a amigos com os quais fiquei ocupada demais para encontrar de verdade. E o Instagram virou algo tão entrelaçado à minha performance de quem sou que temo que eu não exista sem ele. Estou exagerando, talvez, mas a perspectiva de reaprender quem eu sou — e quem os outros são — continua sendo assustadora. Já estou exausta, digo a mim mesma. Onde eu encontraria energia para fazer algo tão difícil?

Até a eleição de 2016, acompanhar as notícias parecia algo possível, em geral. Você lia alguns sites, ouvia um noticiário, talvez um podcast sobre política, e pronto. Mas Trump fez o ciclo de notícias acelerar ao máximo. Durante a eleição e os primeiros dias da sua presidência, eu comecei a me sentir cada vez mais descontrolada, uma sensação que parecia se estender ao estado do governo, da sociedade, da presidência, da democracia, da ordem mundial. Toda vez que eu tentava entender o que estava acontecendo ao meu redor e realmente absorver os fatos e o contexto, o chão parecia estremecer. Trump tuitava; outra pessoa mentia; Trump tuitava; outra pessoa publicava um grande artigo investigativo; Trump tuitava alguma coisa racista; surgia o movimento #*MeToo*; Trump tuitava outra coisa racista; alguém do gabinete renunciava.

Katherine Miller, uma editora e escritora de política de longa data no *BuzzFeed*, descreveu da melhor forma o sentimento poucos meses depois do início da presidência de Trump: "Tudo pode parecer totalmente normal", ela escreveu, "aí você desbloqueia seu telefone e — *bam* — tudo começa a GRITAR de novo. É quase certo que você já tenha passado por isso: acorda de manhã ou depois de um cochilo, ou sai do cinema e, em seguida, entra no Facebook, no Twitter ou vê suas mensagens, e encontra pessoas no meio de um pensamento, sem contexto, congeladas em emoções, com raiva do Trump ou do pessoal do Trump ou do pessoal anti-Trump ou da imprensa, com raiva e reclamando de uma hipocrisia cujos detalhes você ainda não compreendeu direito, com raiva da ineficiência de alguém, ou talvez estejam fazendo algo ainda mais indecifrável — não é raiva, é só um meme ou uma citação ou um print com "kkkkkk", "2017" ou apenas um emoji. O mistério começa: o que aconteceu? O que Trump fez agora?"[5]

A experiência do ciclo de notícias de Miller, assim como a minha, é exacerbada: nossas notificações são cheias de pessoas que estão implacável e infatigavelmente online, e muitas delas estão gritando com a gente ou, como nós somos membros da "imprensa", para os jornalistas em geral. Mas jornalistas não são os únicos atacados pelas notícias. Boomers mandam mensagens para os filhos Millennials para perguntar se eles viram o que o Trump fez dessa vez; todo tipo de pessoas bem-intencionadas postam reações sinceras e pedidos para prestar atenção, recusar a complacência no Instagram e no Facebook.

Eu aprecio o uso da palavra "mistério" por Miller, porém, para descrever a tentativa desesperada de correr atrás do prejuízo: o termo captura tanto o aspecto compulsivo e repetitivo do ciclo de notícias contemporâneo como a constante frustração de nunca conseguir fechar a história. Como as redes sociais, ler notícias — com todas as suas *novidades* — ativa a máquina de dopamina no nosso cérebro. Em *Riveted*, o cientista cognitivo Jim Davies explica que a dopamina faz "tudo parecer importante": uma troca na equipe do Salão Oval, uma fofoca sobre as reservas para um jantar de Ivanka, uma grande mudança de política pública, um novo meme retuitado pelo presidente; tudo parece ser igual e desesperadamente importante para se compreender.

E, enquanto algumas dessas notícias são mesmo significativas, recebê-las pela internet, seja por notificações, pelo Twitter ou por mensagens de outras pessoas, as transforma em um longo plano de importância duvidosa. É muito mais importante entender uma grande mudança de política pública do que saber sobre as reservas do jantar de Ivanka, mas, quando ambos os acontecimentos são noticiados com a mesma urgência e o mesmo fervor, quem vai saber? É cada vez mais complicado avaliar como distribuir sua atenção plena. O que ajuda a explicar por que, pelo menos cinquenta vezes nos últimos três anos, eu vi um "escândalo" surgir no meu Twitter e não tinha ideia de como reagir. "Isso é realmente importante?", eu perguntava a um repórter de política. "Pode ser, mas é provável que acabe não sendo."

Parte do problema, é claro, é que eventos que *seriam* importantes com presidentes anteriores simplesmente não são com Trump. Existem muitas razões para o abafamento de escândalos em potencial: não apenas a recusa de grande parte da direita a se escandalizar pública, moral, financeira e comportamentalmente — ou de qualquer outra forma — com a conduta dele, mas também a própria capacidade de Trump de redirecionar os noticiários com novas declarações falsas e/ou absurdas e/ou racistas. Se você apoia Trump, a dinâmica é invertida: Trump faz algo que deveria ser celebrado e não é; quando a celebração não acontece, ele imediatamente muda o foco para outro motivo de comemoração.

Na prática, o ciclo de notícias na era Trump é igual a um filme mal-escrito: as linhas narrativas acabam em becos sem saída; piadas não são terminadas ou não fazem sentido; personagens não se desenvolvem e suas ações não têm consequências. É impossível dizer que partes do roteiro precisam ser lembradas e quais não têm importância. E o pior: nunca chegamos a uma conclusão ou catarse. A cada semana temos novos ganchos, como em novelas ruins, mas você nunca descobre o que está acontecendo de verdade, o que vai acontecer de verdade, quem vai ser responsabilizado.

Comparar as notícias a um filme não tem a intenção de trivializá-las. As ações de Trump, como as de qualquer figura política, tiveram consequências muito reais no mundo; muitos estudos respeitados deixaram claro como a violência antissemita, o bullying, a xenofobia e a defesa da supremacia branca aumentaram durante sua administração. As pessoas argumentam se é ou não aceitável caracterizar seus tweets como racistas, mas existem milhões de indivíduos que efetivamente sofreram por conta de atitudes racistas que Trump adotou, propagou e normalizou. Também há uma ansiedade generalizada causada por viver sob essa administração para pessoas trans e imigrantes legais e ilegais, ou para pais adotivos LGBTQIA+, judeus e nativos americanos, e até simplesmente para mulheres. Parte disso vem de viver em num medo constante (às vezes menor, ou maior) de que as pessoas que ama sejam tiradas de você. Ou de uma sensação generalizada de que direitos conquistados com tanta dificuldade estejam sendo destruídos. Ou da revelação progressivamente mais incômoda de que você está vivendo em um país em declínio. Mesmo que não ache que os outros devam se sentir assim, isso não muda o fato de que é assim que eles se sentem.

Todo mundo tem formas diferentes de lidar com ansiedade, medo e tristeza. Mas uma das mais comuns, agora e há séculos, é se voltar a histórias que pareçam moralmente corretas. É isso que o melodrama fez com as tensões sociais nos séculos XVIII e XIX; é o que filmes de melodrama e as músicas de protesto fizeram no século XX. Os jornais há muito tempo servem essa função social, mas nunca de forma tão dramaticamente onipresente como agora.

Às vezes encontramos essas narrativas em sites muito partidários ou seguindo figuras muito partidárias. Às vezes as encontramos na descrição seca do *The New York Times*, nos artigos investigativos profundos da *ProPublica* ou nas intrigas palacianas da *Vanity Fair*. Perfis políticos são os novos perfis de celebridade; fofocas de celebridades se expandiram para incluir as vidas amorosas, os pequenos pecados e os melhores tweets de pessoas como Kellyanne Conway e Alexandria Ocasio-Cortez. Não estamos lendo essas informações por curiosidade; estamos lendo porque estamos desesperada e constantemente confusos — e cada clique nos promete algo próximo de significado. E, uma vez que Trump é o estopim, não imagino que o ciclo de notícias desregrado vá se corrigir depois que seu mandato acabar.

O mesmo princípio se aplica além do reino da política explicitamente presidencial, no abismo entre as tragédias que nos cercam e a nossa aparente inabilidade de fazer qualquer coisa para impedi-las. Violência armada, sistema de saúde podre, crises de refugiados, mudanças climáticas mundiais, brutalidade policial, crianças presas nas fronteiras, crise de saúde mental, crise dos opioides, violência contra mulheres trans e nativas americanas — para lidar com tudo isso, você pode escolher a escuridão, a apatia ou o aprimoramento pessoal obsessivo. Consumir as notícias faz com que você sinta que está fazendo *algo*, mesmo que seja só ser testemunha delas.

É claro que ser testemunha também tem um preço — especialmente quando os noticiários são estruturados para gerar respostas emocionais mais do que para educar. Aliás, como Brad Stulberg argumenta em um artigo sobre largar o vício digital, isso também pode dar uma falsa sensação de participação. "Em vez de se preocupar com doenças, você pode se exercitar", comenta ele. "Em vez de se desesperar com a situação política e fazer comentários no Facebook, você pode entrar em contato com seus parlamentares eleitos. Em vez de se sentir mal por pessoas em circunstâncias desafortunadas, você pode se voluntariar."[6]

Tudo isso é verdade. Porém, essas são opções para pessoas que ainda não estão exaustas pelo restante de suas vidas, pessoas carregadas de proatividade, e não apenas da estratégia reativa de colocar curativos desesperadamente onde for possível, o que é a única opção de tantos de nós. Quando você tem burnout, às vezes o melhor que se sente capaz de fazer, como um cidadão responsável com coração aberto, é tentar acompanhar as notícias. Mas o peso imenso e inescapável dessas notícias o deixa ainda mais exausto: o mundo se transforma em um *trabalho*.

Para muitos, há uma luta para aceitar que mais informação, assim como mais amigos, ou mais fotos, ou mais ética de trabalho, na verdade, é pior — que você pode acabar se fodendo por conta das suas boas intenções. Em um artigo sobre "o novo FOMO [*fear of missing out*, ou medo de perder algo]", o jornalista da *Wired* Nick Stockton reconhece o que todos nós sabemos: entrar no Facebook, ler as notícias, estar online o tempo todo, nos faz sentir pior. Há estudos que mostram isso de forma clara. Pessoas inteligentes, muitas delas, dizem que todos nós deveríamos tirar folgas regulares das redes sociais.

Mas, como Stockton escreve: "Eu não quero tirar uma folga. A internet está fazendo exatamente o que é para ela fazer: me dar toda a informação o tempo todo. E quero segurar essa mangueira de incêndio de informação bem na minha cara e engolir tudo o que eu puder. Eu só não quero me sentir mal por isso".[7] Recuperar-se de burnout não significa se ausentar do mundo. Só significa pensar de forma muito mais ativa e cuidadosa sobre a forma que você se convenceu de que é a melhor de interagir com ele.

Um ano depois de eu começar a trabalhar no *BuzzFeed*, o Slack chegou. A gente tinha um sistema de bate-papo virtual comunitário, mas o Slack era diferente: prometia uma revolução. O objetivo era "acabar com o e-mail", transferindo as comunicações do ambiente de trabalho para mensagens diretas e canais de discussão em grupo. O Slack propunha uma colaboração mais fácil (verdade) e caixas de entrada menos lotadas (talvez). E, o mais importante, tinha um aplicativo para celulares sofisticado. Como o e-mail, o Slack permitia que o trabalho se espalhasse nos cantinhos da vida onde, até aquele ponto, não cabia. De uma forma mais eficiente e mais instantânea que o e-mail, ele traz o *escritório inteiro* para o seu celular, o que significa dizer que o escritório inteiro está na sua cama, no momento em que seu avião pousa, quando você está andando pela rua, quando está na fila do mercado ou enquanto espera, seminu, para ser examinado pelo médico.

Sim, o trabalho sempre foi capaz de seguir as pessoas até em casa. Médicos revisavam informações de pacientes fora do horário de expediente e você sempre pôde preparar alguns memorandos no seu Apple II e em casa. Mas nenhum desses processos era "ao vivo": o trabalho que você fazia sozinho não era visto pelos outros — nem forçava os outros a responderem da mesma maneira — até o próximo dia útil. Ser *workaholic* era um problema pessoal.

Mas a difusão do e-mail — primeiro em computadores desktop, depois em laptops com Wi-Fi, depois no Blackberry e agora em todos tipos de smartphones, relógios "smart" e de aparelhos "smart", incluindo sua bicicleta ergométrica — mudou isso. O e-mail não só acelerou a comunicação; ele padronizou um novo tipo de comunicação, muito mais viciante, com uma casualidade que disfarçava sua capacidade de destruição. Quando você "manda uns e-mails" em uma tarde de domingo, por exemplo, pode se convencer de que está só se adiantando para a próxima semana — e isso pode *parecer* verdade. Porém, o que você está realmente fazendo é permitindo que o trabalho tenha acesso a todo lugar em que você esteja. E depois que ele consegue entrar, se espalha sem sua permissão: para a mesa de jantar, para o sofá, para o jogo de futebol do seu filho, para a fila do mercado, para o carro, para as férias em família.

Sites de *lazer* digital cada vez mais servem também como locais de trabalho digital: se você é da equipe de mídias sociais da sua empresa, toda vez que você entra no seu Facebook, Twitter ou Instagram, é bombardeado pelas contas de trabalho. Se alguém te manda um e-mail e você não responde de imediato, a pessoa simplesmente te manda uma mensagem nas redes sociais — mesmo quando coloca uma mensagem automática de resposta indicando que não está disponível. Cada vez menos empregadores fornecem telefones de trabalho (sejam telefones fixos na sua mesa ou celulares da companhia); ligações e mensagens no seu "telefone de trabalho" (de fontes, clientes, empregadores) são só ligações e mensagens no *seu celular*. "Antigamente, o AIM era a parada", explicou um CEO do Vale do Silício. "Você podia colocar uma mensagem de 'fora da mesa'. Você estava literalmente fora dali. Agora não dá. Você está presente 100% do tempo, o tempo todo."[8]

Os e-mails são uma questão, mas tem mais coisa aí: é o Google Docs, são as reuniões por ligação que você fica ouvindo com o microfone desligado enquanto faz o café da manhã das crianças, as bases de dados que pode acessar de casa, seu gerente mandando uma mensagem domingo à noite com "o plano para amanhã". Algumas dessas coisas são defendidas como otimizadoras de agenda e economizadoras de tempo:

menos reuniões presenciais, mais ligações! Menos horários rígidos no escritório, mais flexibilidade! Você pode começar seu dia de trabalho em casa, passar mais um dia na casa de férias, até sair mais cedo para pegar seu filho na escola e terminar algumas coisas mais tarde. Mas toda essa flexibilidade que a tecnologia permitiu na verdade só significa *mais trabalho* — e menos limites. E o Slack, como e-mails profissionais, faz a comunicação de trabalho parecer casual, mesmo que os participantes a internalizem como obrigatória.

Sim, só uma fração dos profissionais atualmente usa Slack — em abril de 2019, em torno de 95 mil empresas pagavam pelo serviço.[9] Mas muitas outras usam programas similares, ou vão usar em breve; considerando o crescimento constante do trabalho remoto, parece impossível escapar da influência desse tipo de serviço. Havia funcionários remotos antes do Slack, mas, diferentemente de e-mails, ligações ou Google Chat, o Slack é capaz de recriar de modo digital o local de trabalho, inclusive com padrões de decoro, participação e "presentismo", mesmo que nunca verbalizados. A intenção era tornar o trabalho *mais fácil*, ou pelo menos mais simples, mas, como tantas táticas de otimização do trabalho, só fez seus usuários trabalharem *mais* e com mais ansiedade.

O Slack, portanto, se torna uma forma de "LARPear seu trabalho" — de LARP, *Live Action Role Play*, Interpretação de Papéis ao Vivo. "LARPear seu trabalho" foi uma expressão cunhada pelo escritor de tecnologia John Herrman, que, lá atrás, em 2015, previu as formas como o Slack estragariam nossa concepção de trabalho: "O Slack é o lugar em que as pessoas fazem piadas e registram presença; é onde histórias, edições e gerenciamento são discutidos tanto pela autojustificação como pela realização de *objetivos verdadeiros*. Trabalhar com um Slack ativo... é um pesadelo de produtividade, especialmente se você não odeia seus colegas de trabalho. Qualquer um que sugira o contrário ou está criando desculpas, ou está louco".[10]

Quanto mais o trabalho se torna remoto, mais muitos de nós pensamos: como demonstrar que estamos "no escritório" quando estamos de pijama no sofá? Eu faço isso mandando links de artigos (para mostrar que estou lendo), comentando nos links que outras pessoas postaram (para mostrar que estou acompanhando o Slack) e participando de conversas (para mostrar que estou ligada). Eu me esforço muito para produzir *evidências* de que estou constantemente trabalhando em vez de, bem, de fato trabalhar.

Meus editores diriam que não há necessidade de performar o tempo todo no Slack. Mas o que eles diriam se eu só não usasse o Slack e ponto? Pessoas que fazem trabalho intelectual — cujos produtos são muitas vezes intangíveis, como ideias em uma página — muitas vezes lutam contra o sentimento de que há pouco a se mostrar pelas horas que passamos na frente do computador. E a compulsão é pior para aqueles de nós que trabalhavam, procuravam emprego ou foram demitidos durante a recessão pós-2008: estávamos desesperados para mostrar que valíamos um trabalho fixo, ansiosos para demonstrar quanto trabalho e engajamento estávamos dispostos a dar em troca de um emprego com carteira assinada e plano de saúde. Esse com certeza era o caso para mim, em especial em um campo como a crítica de cultura, em que vagas fixas ainda são raras.

Essa mentalidade pode ser delirante: sim, é claro que os gerentes se preocupam com quanto trabalho estamos produzindo, mas apenas os piores deles estão cronometrando quantas horas o pontinho verde de "ativo" aparece ao lado do seu nome no Slack. E a maioria dos nossos colegas de trabalho está muito preocupada em LARPear seus próprios empregos para se preocupar com o quanto você está LARPeando o seu.

Estamos fingindo, em outras palavras, basicamente para nós mesmos. Justificando para *nós mesmos* que merecemos nosso emprego. Justificando para *nós mesmos* que escrever na internet é uma vocação que merece pagamento constante. No fundo, essa é uma manifestação da desvalorização geral do nosso trabalho: muitos de nós ainda lidam com o local de trabalho como se o fato de receber para produzir conhecimento significasse que estamos nos safando de alguma coisa e que temos que fazer todo o possível para garantir que ninguém perceba que cometeu um grande erro.

É claro que há uma variedade de forças culturais e sociais que nos levaram a esse ponto de descrença. Toda vez que alguém sacaneia o diploma "inútil" de graduação ou pós-graduação de um Millennial ou diminui um serviço que consegue de alguma forma canalizar a paixão que os adultos da nossa vida nos disseram para seguir; toda vez que alguém fica confuso com uma descrição de cargo (gerente de mídias sociais!) que não corresponde ao seu entendimento pessoal de trabalho duro e decide ridicularizá-lo — todas essas mensagens se juntam para nos dizer que nosso trabalho é fácil ou inútil. Não é de se admirar que a gente passe tanto tempo tentando comunicar o quanto nos esforçamos.

Quando estava escrevendo este livro, eu fui para o meio do mato. Comprei com antecedência um painel solar para carregar o laptop. Então passei uma semana em um acampamento em um lago, em Swan Valley, sem internet e sem sinal de celular — com a exceção de um cantinho do acampamento, e mesmo assim, só o suficiente para mandar uma mensagem bem lenta. Tirando isso, era só eu, minhas palavras, meus livros e o que pareciam longas e lascivas extensões de tempo.

Todos os dias eram mais do mesmo: acordar, caminhar com os cachorros, trabalhar por algumas horas, fazer uma corrida, ler um romance na hora do almoço, fazer outra caminhada com os cachorros, trabalhar por mais algumas horas, beber uma cerveja enquanto editava o que tinha acabado de escrever, levar os cachorros para nadar, entrar na cabana, ler meu romance, dormir. Fiz isso por seis dias. Escrevi mais de 20 mil palavras.

O número de horas de fato escrevendo não era tanto assim — provavelmente seis ou sete por dia. A diferença era que eu passava essas horas escrevendo *mesmo*. Quando minha mente se distraía, eu fazia carinho em um dos cachorros. Ou pegava meu celular e olhava uma foto que tinha tirado do cachorro, mas não fazia nada com ela porque não havia nada para se fazer. Ou só encarava o nada. Então voltava para o que estava escrevendo, com minha concentração e determinação miraculosamente intactas.

Eu deveria ter ficado felicíssima com meu progresso, mas fiquei sofrendo, ambivalente: se eu simplesmente conseguisse trabalhar assim no mundo fora do mato, poderia estar produzindo muito mais — e, pelo menos na teoria, trabalhando tão *menos*.

É claro que eu consegui escrever com tanta intensidade porque estava basicamente sem obrigação alguma. Não tinha que cuidar de crianças. Não tinha que bater papo furado. Não tinha que preparar lanche de ninguém. Não tinha que ir até o trabalho, lavar roupa ou arrumar a casa, tirando a limpeza diária das agulhas de pinheiro da cabana. Não tinha que tomar banho nem me preocupar com a minha aparência. Meu e-mail de trabalho estava com uma resposta automática avisando que estava fora do escritório. Estava dormindo nove horas por noite, tinha tempo para me exercitar e dinheiro para comprar comida que me fazia sentir satisfeita e feliz. A única coisa com que eu realmente tinha que me preocupar era se meu painel solar estava no sol. Minha vida — e minha produtividade — não era diferente da de um escritor branco rico e independente do século XIX.

No fim, essa produtividade tinha menos a ver com a falta de internet e mais com a centralidade do meu trabalho: ele não estava competindo com distrações, mas também não estava competindo com mais nada que eu tinha que fazer. Tecnologias digitais permitem que o trabalho se espalhe para o restante das nossas vidas, mas também permitem que o restante das nossas vidas se espalhe para o trabalho. Enquanto eu tentava escrever estes três parágrafos, estava pagando minha conta do cartão de crédito, lendo uma notícia de última hora e descobrindo como transferir o microchip do meu novo cachorrinho para o meu nome. Tudo isso — especialmente escrever estas palavras — levou muito mais tempo do que deveria. E nada me trouxe uma sensação de felicidade, gratificação ou catarse.

Mas essa é a realidade da vida permeada pela internet do Millennial: eu preciso ser uma escritora loucamente produtiva *e* ser engraçada no Slack *e* postar bons links no Twitter *e* manter a casa limpa *e* fazer uma receita nova do Pinterest *e* marcar meus exercícios no MapMyRun *e* perguntar para os meus amigos como estão seus filhos *e* ver como está a minha mãe *e* plantar tomates no quintal *e* me divertir em Montana *e* postar no Instagram que estou me divertindo em Montana *e* tomar banho *e* colocar uma roupinha bonita para aquela ligação de vídeo de trinta minutos com meus colegas de trabalho *e e e e*.

A internet não é a causa do nosso burnout, mas sua promessa de "tornar nossa vida mais fácil" é profundamente prejudicial, responsável pela ilusão de que "fazer tudo" não só é possível, mas obrigatório. Quando não conseguimos corresponder a essa expectativa, não culpamos as ferramentas que não funcionam. Culpamos a nós mesmos. No fundo, os Millennials sabem que o principal exacerbador do burnout não é o e-mail, o Instagram ou o fluxo infinito de alertas de notícias. É a falha constante em corresponder às expectativas impossíveis que criamos para nós mesmos.

8

O QUE É UM FIM DE SEMANA? O QUE É UM FIM DE SEMANA? O QUE É UM FIM DE SEMANA? O QUE É UM FIM DE SEMANA? O QUE É UM FIM DE SEMANA? O QUE É UM FIM DE SEMANA? O QUE É UM FIM DE SEMANA? O QUE É UM FIM DE SEMANA? O QUE É UM FIM DE SEMANA? O QUE É UM FIM DE SEMANA? O QUE É UM FIM DE SEMANA? O QUE É UM FIM DE SEMANA? O QUE É UM FIM DE SEMANA? O QUE É UM FIM DE SEMANA?

Há seis dias entre o Natal e o Ano-Novo. E eu passei a odiar cada um deles.

Não costumava ser assim. Quando era criança, eu me deleitava com o que parecia um descanso necessário e muito merecido da escola, cheio do resplendor do Natal, de passeios de trenó e de esqui *cross-country* e horas de leitura na cama. Mesmo quando estava na faculdade, eu voltava para casa nas férias, exausta e geralmente à beira de alguma doença, porém me deleitando na catarse de um semestre acabado e cumprido. Não havia leitura para pôr em dia nem papelada para começar a organizar. Às vezes, eu trabalhava como babá para ganhar um dinheiro extra, ou minha mãe me colocava para fazer tarefas domésticas. Era tanto tempo "off" que acabava ficando entediada com isso e ansiava pelo retorno aos estudos e aos horários que os acompanhavam.

Na pós-graduação e como professora, entendi que aquele tempo — como todos os intervalos de tempo formalmente rotulados como "férias" — era, na verdade, apenas destinado a trabalhar. Mas, quando comecei a escrever para o *BuzzFeed*, aqueles dias se tornaram um espaço estranho, liminar: cerca de metade da equipe saía de férias entre o Natal e o Ano-Novo, mas a metade que permanecia parecia não estar fazendo muita coisa. Confrontada com baixas expectativas de trabalho generalizadas, não sei o que fazer comigo mesma. Sinto coceira, inquietação — incapacidade de me dar permissão para trabalhar *menos* ou até mesmo não trabalhar.

Porém, não é apenas a última semana do ano que me deixa ansiosa. Para os Millennials que internalizaram a mentalidade do burnout — de que mais trabalho é sempre melhor, de que todo o tempo pode e deve ser usado para otimizar a si mesmo ou a sua performance —, tempo de "lazer" é muitas vezes cheio de preocupações e raramente sossegado. E isso se tivermos tempo de lazer: os números sobre lazer são de maneira notória difíceis de rastrear, pois dependem de autorrelatos e de alguns sociólogos (homens) que historicamente consideravam "cuidar de crianças" como forma de lazer. Mas, em 2018, adultos de 25 a 34 anos relataram uma média de 4,2 horas de lazer por dia. Duas dessas horas eram gastas assistindo à televisão. Tristes 20,4 minutos eram dedicados a "pensar/relaxar".[1]

Se, quando pensa na sua própria vida, esses números ainda parecem um pouco altos, você não está sozinho. Esses relatórios são baseados no American Time Use Diaries, que pede aos participantes para categorizar de modo fiel os eventos de cada dia. Mas a quantidade de lazer, em última análise, importa muito menos do que sua qualidade. Mandar mensagem para sua mãe é "lazer"? E ir à academia para fazer 35 minutos de exercício? E ficar rolando estupidamente a timeline do Instagram, tentar ler as últimas notícias sobre política na cama ou supervisionar seus filhos no parque?

Parte do nosso problema é que trabalhamos mais, mas a outra parte é que as horas em que não estamos tecnicamente trabalhando nunca parecem livres de otimização — seja do corpo, da mente ou de seu status social. A palavra "lazer" vem do latim *licere*, traduzida como "estar permitido" ou "ser livre". Lazer, então, é o tempo de você fazer o que quiser, livre da culpa em relação à geração de valor. Mas, quando todas as horas podem ser em teoria convertidas em mais trabalho, as horas em que você não está parecem uma oportunidade perdida, ou apenas um fracasso abjeto.

"Eu sou a pessoa com menos lazer que eu conheço", me disse Caroline, uma escritora e podcaster branca de trinta e poucos anos. A combinação de suas primeiras experiências de trabalho (na economia pós-recessão) e o lugar dela no mercado de freelance (em que você sempre pode estar fazendo mais) a deixaram assim. "Eu nunca tive um hobby que não monetizei, com ou sem intenção", ela me disse. Ela viaja, teoricamente de "férias", e acaba sempre voltando para seu trabalho.

Para Caroline, cada tarefa deve lhe dar a impressão de que está fazendo sua vida ir em frente. Afazeres domésticos são aceitáveis, porque fazem parte do "trabalho" de organizar sua casa e vida; tuitar e postar no Instagram também, porque isso contribui para sua marca pessoal, que a mantém empregada. "Eu nem acho que sou tão motivada pelo dinheiro quanto sou pelo medo de não ter as ferramentas ou o talento para me sustentar pelo resto da vida", explicou ela. "Médicos sempre serão médicos, advogados sempre serão advogados, mas eu criei meu sustento como parte dessa classe criativa, e não sei como isso vai ser daqui a quinze, trinta, cinquenta anos."

Cada chance, cada contrato de livro, cada podcast, pode ser o seu último. "A questão é: eu tive muito sucesso nessa de trabalhar o tempo todo", disse. "E saber que essa mentalidade rendeu muito reforça ainda mais esse comportamento." Ela lê sobre cultivar o descanso e fazer nada, e acha que isso é bom para outras pessoas. Mas, se tenta relaxar, curtir, ler um livro à beira da piscina, isso gera sérias ramificações em sua saúde mental. A essa altura, Caroline teme que esteja trabalhando assim já faz tanto tempo que sua atitude está destruída demais para ter conserto.

Essa é uma palavra que ouvi inúmeras vezes enquanto os Millennials me contavam sobre sua relação com o lazer: destruída. Historicamente, lazer era a hora de "fazer o que quiser", as oito horas do dia que não eram gastas com trabalho ou descanso. As pessoas cultivavam hobbies, qualquer coisa desde andar sem rumo à construção de aeromodelos. O que importava é que não tinham como objetivo fazer com que elas se tornassem mais atraentes, nem declarar status social ou fazer com que ganhassem algum dinheiro extra. Esses hobbies eram feitos por *prazer*. Por isso, é tão irônico que os Millennials, estereotipados como a geração mais egocêntrica, tenham perdido de vista como é fazer algo apenas pelo prazer pessoal.

Nosso lazer raramente parece restaurador, autodirecionado ou até mesmo *divertido*. Sair com os amigos? Exaustivo de coordenar. Ir a encontros? Um árduo trabalho na internet. Um jantar para amigos em casa? Trabalhoso demais. Para mim, não fica claro se gasto minhas manhãs de sábado em corridas longas porque gosto ou porque é uma forma "produtiva" de disciplinar meu corpo. Leio ficção porque adoro ler ficção ou para contar que li ficção? Esses não são fenômenos inteiramente novos, mas ajudam a explicar a prevalência do burnout entre Millennials: é difícil se recuperar de dias de trabalho quando o seu "tempo livre" parece trabalho.

Duzentos anos atrás, o lazer formal era algo reservado à aristocracia. Você ia para a universidade não porque precisava de um bom diploma em seu currículo, mas porque queria ingressar no clero ou gostava de livros. E o que mais faria com seus dias? Talvez dar uma caminhada, ligar para um amigo, aprender a tocar um instrumento, jogar cartas ou bordar. Mas nada dessas coisas eram feitas para ganhar dinheiro — você tinha bastante já, e todos já sabiam o quanto, porque você passava os seus dias completamente engajado no lazer.

A maioria dos não aristocratas tinha apenas pequenas amostras de lazer: para feriados, serviços religiosos e celebrações da colheita. Os ritmos do trabalho — na fazenda, na cozinha — eram os ritmos da vida. Foi só na Primeira Revolução Industrial, com a migração em massa dos trabalhadores para a cidade e para as fábricas, que os primeiros reformadores trabalhistas pediram a criação de uma semana de cinco dias. O lazer foi, de muitas maneiras importantes, "democratizado", especialmente para aqueles na cidade, que se reuniam em bando nos chamados entretenimentos baratos (parques de diversões, cinemas, salões de dança) que surgiram para atendê-los.

Em 1926, o aumento da mecanização e automação (e a produtividade resultante disso) significou que Henry Ford poderia anunciar uma semana de trabalho de cinco dias. Em 1930, o economista britânico John Maynard Keynes previu que seus netos teriam apenas quinze horas por semana de expediente. Com tempo abundante para lazer entre as classes, a sociedade floresceria. A participação democrática cresceria, argumentaram os reformadores, assim como a coesão social, os laços familiares e o serviço filantrópico e voluntário. As pessoas teriam tempo e espaço para se engajar em ideias e procurar outras novas, para aproveitar a vida com amigos e família, para experimentar novas habilidades simplesmente porque isso daria prazer a elas. Essas eram coisas dos ricos, ou pelo menos de homens ricos, havia algum tempo. Mas em breve, na teoria, elas estariam disponíveis para todos.

Atualmente essa visão parece utópica ou, no mínimo, fantástica. Em *Free Time: The Forgotten American Dream* [Tempo Livre: O Sonho Americano esquecido], Benjamin Hunnicutt aponta que, à medida que a produtividade continuou a crescer e os sindicatos começaram a defender com sucesso a redução das horas de trabalho, as sociedades pública e privada embarcaram em uma enorme expansão da infraestrutura do lazer. Elas construíram acampamentos e resorts de férias; começaram ligas esportivas comunitárias e lançaram "um vigoroso movimento de parques e recreação", incluindo o desenvolvimento de milhares de espaços de parques públicos dos quais desfrutamos hoje. Esses espaços não foram construídos para que a gente pudesse se sentar, comer um sanduíche do Pret-a-Manger e responder e-mails pelo telefone; foram pensados prevendo o lazer em massa.

No entanto, algo curioso aconteceu no caminho para uma semana de trabalho de quinze horas. A princípio, com o aumento da produtividade, o expediente esperado realmente diminuiu. Porém, no começo na década de 1970, começou a aumentar de novo. Parte do motivo foi o clássico capitalismo americano. Se você pode produzir cem objetos em menos tempo, isso não significa que todos devam trabalhar menos — em vez disso, devem trabalhar o *mesmo* número de horas e fazer *mais* objetos. Mas parte disso também teve a ver com o surgimento de um tipo diferente de trabalho, trabalho intelectual, com um tipo diferente de objeto.

Os trabalhadores informais têm "resultados" e "produtos", mas, ao contrário de um produto de fábrica, são difíceis de medir. Como consequência, esses trabalhadores são assalariados, ou seja, pagos em um valor fechado, e não por hora. Durante a era da Grande Compressão, a maioria dos trabalhadores assalariados ainda tinha um expediente de quarenta horas semanais, mas sem a rigidez de bater ponto na entrada ou na saída — e, dependendo do contrato, sem uma exigência legal para o pagamento de horas extras. Você pode presumir que a maioria dos trabalhadores assalariados nunca excederia as quarenta horas, ou até mesmo desperdiçaria com frequência algumas dessas horas. E, pelo menos durante parte do século XX, esse foi o caso: pense no famoso almoço com álcool, nos carrinhos de bebidas em estilo *Mad Men* no escritório, nos cochilos no sofá. Afinal de contas, a maior parte desses assalariados, e eles eram quase sempre homens, tinha secretárias para fazer tudo, exceto as partes mais essenciais de seus trabalhos.

Até a década de 1970, o homem de classe média, seja na fábrica ou no escritório, ainda tinha horas de lazer delineadas para desfrutar fora do expediente. Mas, quando a economia começou a vacilar, o número de horas gastas no serviço continuou a crescer. Com a enorme redução de pessoal e a dispensa temporária de empregados no setor de negócios, cada funcionário tinha que provar seu valor tanto para seus supervisores como para os consultores chamados para identificar redundâncias e ineficiências. E a maneira mais fácil de sinalizar que você estava trabalhando mais arduamente e era mais essencial à empresa do que a pessoa sentada ao seu lado era trabalhar *mais*. Ao mesmo tempo, empregos que pagavam por hora pararam de acompanhar a inflação e muitos trabalhadores horistas clamavam por horas extras (ou por um segundo emprego) para cobrir as despesas domésticas do mesmo modo que antes.

Uma das formas mais fáceis de uma empresa aumentar lucros era cortando drasticamente os benefícios. Mas esses cortes prejudicavam a moral das companhias. Então, em vez de fazer isso, elas contratavam menos pessoas — portanto, pagavam menos benefícios — e simplesmente esperavam que elas trabalhassem mais.[2] Mesmo quando a produtividade continuava a aumentar, ano após ano, as empresas se mantinham reduzindo as licenças remuneradas. De uma maneira que deve parecer familiar hoje, em um mercado de trabalho apertado, os empregados tinham pouca escolha a não ser concordar com o aumento de horas e exigências.

Em seu marcante livro *The Overworked American* [O americano sobrecarregado], Juliet B. Schor descobriu o que, na época da publicação do livro em 1990, parecia quase escandaloso. Desde 1970, tinha havido um constante aumento anual na quantidade de trabalho que os americanos realizavam e uma dramática diminuição do tempo médio de lazer: com uma queda para apenas 16,5 horas por semana.[3] Schor não foi a primeira a alertar: em 1988, o *The New York Times* tentou explicar "Why All Those People Feel They Never Have Any Time" ["Por que todas aquelas pessoas sentem que nunca têm tempo"]. No ano seguinte, na capa da *Time*, foi estampada a manchete "American Has Run Out of Time" ["O tempo dos americanos acabou"]. Não é uma coincidência que o "workaholism" se tornou uma ampla ansiedade cultural nesse período: o que tinha sido percebido como trabalho árduo por mais de uma década foi subitamente reconhecido pela sua estranheza.

Mas foi essa estranheza que nos educou, que os Millennials observaram nos pais, mesmo que não fossem chamados de "workaholics", e foi isso que internalizamos à medida que íamos da escola para a faculdade. Claro, ninguém *gostava* de trabalhar o tempo todo. Mas isso não fez com que parecesse menos *necessário*. Hoje, o "workaholism", diagnosticado pela primeira vez entre os Boomers, tornou-se tão lugar-comum que não é mais considerado uma patologia. Se você está ficando sessenta horas por semana em seu trabalho assalariado ou somando 37 horas de expediente no Walmart e mais treze como motorista de Uber, é assim que a vida é.

Existem inúmeras outras maneiras pelas quais o serviço se infiltra nas nossas melhores tentativas de lazer. As crises no trabalho atual sempre parecem exigir atenção imediata — mesmo quando nada sobre elas, ou suas ramificações, mudaria se você apenas esperasse para lidar com o problema pela manhã. A contínua globalização do trabalho significa que você pode ser necessário em uma reunião às três da tarde em Berlim — ou seis da manhã em Portland. Uma gerente que está exausta demais durante o dia para conferir seus e-mails o faz na cama às dez da noite — e suas respostas obrigam as pessoas a responderem às 22h15.

Algumas culturas de escritório exigem um presentismo abnegado: o último a sair "ganha". Mas, para a maioria dos Millennials que conheço, as únicas pessoas que os "força" a trabalhar muitas horas são eles próprios. Não porque somos masoquistas, mas porque internalizamos a ideia de que a única maneira de continuar nos destacando em nosso emprego é trabalhando o tempo todo. O problema dessa postura é que isso não significa produzir o tempo todo, mas, mesmo assim, cria um autoengano de "produtividade".

Essa busca incessante pela produtividade não é uma força humana natural — e, pelo menos na sua forma atual, é um fenômeno relativamente recente. Em *Counterproductive: Time Management in the Knowledge Economy* [Contraproducente: Gestão do tempo na economia do conhecimento], a engenheira da Intel Melissa Gregg investiga a história da loucura pela "produtividade", que ela data da década de 1970, com picos subsequentes na década de 1990 e no presente. Gregg conecta cada onda de guias de gerenciamento de produtividade, livros de autoajuda e, hoje, apps, a períodos de ansiedade em relação à redução de pessoal e à perceptível necessidade de se provar como mais produtivo — e, como tal, teoricamente mais valioso — do que seus pares. No meio do nosso atual clima de precariedade econômica, a única maneira de criar e manter uma aparência de ordem é aderir ao evangelho de produtividade, seja respondendo e-mails loucamente para zerar sua caixa de entrada ou ignorando-os por completo.

Uma variedade de negócios lucrativos surgiu para facilitar picos de produtividade, atendendo a uma mistura daqueles desesperados para acumular *ainda mais* serviço em seu dia e de outros cuja carga de trabalho faz com que sintam que estão se afogando nas responsabilidades mais básicas de um adulto. Como Anna Wiener deixa claro em *Uncanny Valley*, muitas das inovações do Vale do Silício da última década foram feitas para falar com os "ricos e sobrecarregados", vendendo tudo, desde escovas de dente a vitaminas, diretamente pelo Instagram. "Em qualquer noite nos Estados Unidos, pais e mães exaustos e pessoas que resolveram cozinhar como resolução de Ano-Novo estavam desempacotando caixas de papelão idênticas, enviadas por startups de preparo de refeições, descartando pilhas idênticas de embalagens plásticas e sentando-se para comer refeições idênticas", escreve ela. "A homogeneidade era um preço baixo a pagar pelo fim do cansaço de tomar decisões. Libertou nossas mentes para buscar outros empreendimentos, como o trabalho."[4]

Um resultado desse esforço em busca da produtividade é uma nova hierarquia de mão de obra: no topo, estão os assalariados e hiperprodutivos trabalhadores do conhecimento. Abaixo, estão as pessoas que atuam nas tarefas "mundanas" que tornam essa produtividade toda possível: babás, pessoas que cuidam do app TaskRabbits, motoristas da Uber Eats, faxineiras, *personal organizers*, estilistas do Trunk Club, embaladores do Blue Apron, funcionários dos depósitos e entregadores da Amazon e compradores do FreshDirect. Pessoas ricas sempre tiveram empregados. A diferença, então, é que os empregados trabalhavam para que os ricos *não* tivessem que trabalhar — não para que eles pudessem trabalhar *mais*. As pessoas que viabilizam essas tarefas facilitadoras da produtividade, no entanto, são quase sempre fornecedores independentes, malpagos, com pouca segurança no emprego ou recursos para lutar contra abusos. Muitas são movidas pelos seus próprios padrões irreais de produtividade, mas, em vez de receber centenas de milhares de dólares para trabalhar à exaustão a fim de alcançá-los, elas mal recebem um salário mínimo.

No mercado de trabalho moderno, parece que todos os assalariados — dos gerentes até os próprios trabalhadores — estão tão ansiosos para provar seu valor que negligenciam uma verdadeira cornucópia de evidências de que o melhor trabalho é quase sempre alcançado com *menos* trabalho.

O gerente de uma sociedade fiduciária muito séria da Nova Zelândia leu sobre um estudo que descobriu que pessoas que trabalham em escritório, no padrão de quarenta horas semanais, eram produtivas apenas entre 1,5 e 2,5 horas por dia.[5] Então, ele decidiu tentar algo revolucionário: instituir um expediente de quatro dias semanais, em que cada funcionário receberia o mesmo, contanto que continuasse a atingir suas metas de produtividade anteriores em apenas 80% do tempo. No fim do período de dois meses de experiência, eles descobriram que a produtividade tinha aumentado 20% — enquanto os números sobre satisfação acerca do "equilíbrio entre vida profissional e pessoal" haviam subido de 54% para 78%. Em 2019, um teste semelhante na Microsoft do Japão resultou em um aumento de 40% na produtividade.[6] O descanso não apenas deixa os funcionários mais felizes, mas também os torna mais eficientes quando estão realmente trabalhando.[7]

Porém, admitir isso significa confrontar antigas ideologias americanas em relação ao trabalho: de que mais é bom e menos é ruim, não importam quantas evidências digam o contrário. É por isso que optar por não trabalhar, pelo menos em nossa situação atual, não parece possível. No começo deste ano, uma amiga tirou um dia de folga para um fim de semana muito necessário longe do serviço como advogada em uma startup. Ela disse que poderia ser contatada, *em caso de emergência*, pelo celular. Horas depois, o telefone apitou: não era uma emergência, mas seu chefe certamente gostaria de saber sua opinião. O mesmo cenário se aplica a toda a força de trabalho: comissários de bordo, funcionários da manutenção, equipe de zeladoria, todos podem ser requisitados, mesmo que seja seu dia de folga, e obrigados a voltar ao serviço. Cada um de nós se tornou, à sua maneira individual, essencial.

Foi por isso que minha amiga recebeu aquela ligação: ela era a única pessoa que poderia responder à pergunta do chefe. Mas também é por isso que as pessoas se sentem culpadas por tirar uma folga: alguém tem que fazer o serviço, ou, então, elas se afogarão em uma mangueira de incêndio de tarefas acumuladas quando voltarem, ou seus colegas estarão fervendo de ressentimento por precisarem dobrar o turno. Em nossa atual configuração, qualquer tentativa de traçar limites claros entre trabalho e lazer, ou lidar com o próprio burnout, significa criar burnout nos outros. O que parece ser a única solução também é a menos útil: apenas continuamos trabalhando mais.

Em vez de moldar os negócios em torno dos ritmos corporais, nós nos curvamos, nos entorpecemos e ignoramos as demandas do nosso corpo para trabalhar em todos os momentos. O teórico Jonathan Crary situa essa infiltração do serviço como parte de uma mentalidade de "24/7", em que "a identidade pessoal e social foi reorganizada para se conformar com a operação ininterrupta de mercados, redes de informação e outros sistemas". Alguns de nós trabalhamos por um número de horas que prejudica corpo e mente porque devemos. Outros simplesmente o fazem porque *podem*.

É verdade que, antes da Revolução Industrial, os empregos de muitas pessoas — como fazendeiros, médicos e enfermeiras — exigiam trabalhar noite adentro periodicamente e até mesmo em dias sagrados. No entanto, não foi até a Segunda Revolução Industrial e até o surgimento da demanda para operar fábricas em total capacidade, 24 horas por dia, que cada hora se tornou hora de trabalho. Mas mesmo quando os turnos diurno, de plantão e noturno se tornaram características regulares da vida nas fábricas em todos os Estados Unidos, "leis de colarinho azul" proibindo a operação da maioria dos tipos de negócios aos domingos ajudavam a preservar pelo menos um dia de descanso.

Muitas das leis se aplicavam especificamente à venda de álcool — uma extensão das forças cristãs moralizantes que queriam preservar o sábado de algum destino devasso. O que faz parte do motivo pelo qual tais leis foram contestadas: por que os não religiosos deveriam aderir a um dia religioso? Mas os tribunais repetidamente evocavam os "benefícios seculares" de um domingo de descanso. "Em nenhum assunto existe tamanha concordância de opinião entre filósofos, moralistas e estadistas de todas as nações, como na necessidade de uma pausa periódica do trabalho", escreveu em 1858 o juiz Stephen Johnson Field, presidente da Suprema Corte da Califórnia. "Um dia em cada sete é a regra, baseada na experiência e sustentada pela ciência."[8]

Filósofos, moralistas e estadistas ainda concordam que descansar seria *bom*, mas isso é repetidamente rejeitado conforme a *necessidade*. As leis de colarinho azul que persistem hoje são, em sua maioria, consideradas um aborrecimento. A maioria das empresas de médio a grande porte, exceto aquelas pertencentes aos mais devotos, permanece aberta aos domingos. Em *The Sabbath World* [O mundo do Shabat], Judith Shulevitz sugere que o processo começou com a comercialização gradual do lazer no século XX.[9] Antes, os domingos eram, em grande parte, passados dentro do lar, nas imediações e na igreja. As pessoas comiam em casa ou com seus familiares, preparando os alimentos comprados no começo da semana. Para os devotos, o tempo era gasto em meditação ou devoção. Os menos devotos podiam usar as horas livres para ler, brincar, ou com outras formas de diversão.

Mas, então, as pessoas começaram a buscar, no fim de semana, atividades estruturadas que custavam dinheiro — o que, por sua vez, exigia que outras pessoas trabalhassem, seja vendendo ingressos de cinema ou como atendentes nas bombonieres. E, quando um número suficiente dessas pessoas começa a trabalhar, ainda *mais* pessoas são atraídas para explorar o mercado, desde funcionários de lojas de conveniência até estoquistas de mercearias. A necessidade por serviços públicos também aumenta: é necessário um funcionário para abrir os banheiros do parque e muitos mais para conduzir ônibus e metrôs.

O desejo por serviços se torna a normalização deles. Hoje, 31% dos funcionários que trabalham em tempo integral — e 56% de pessoas com vários empregos — atuam nos fins de semana. Apenas alguns feriados do governo (Quatro de Julho, Dia de Ação de Graças, Natal, Ano-Novo) são "observados" de forma significativa e, *mesmo assim*, muitos funcionários do serviço de varejo trabalham. Na época do Natal, até os carteiros começaram a atuar aos domingos. Não porque precisamos que nossos presentes de Natal cheguem mais rápido, mas porque o Serviço Postal dos Estados Unidos vê isso como uma possível maneira de competir com seus concorrentes privados.

E enquanto pessoas com empregos estáveis (ou protegidas por sindicatos) ainda podem se recusar a trabalhar em certos dias ou épocas, aqueles sem poder ou influência — em particular os imigrantes ilegais, os que têm baixa escolaridade ou múltiplos empregos — mutilam o compasso de suas vidas para corresponder às demandas do capital. A cada vez mais ampla divisão entre classes não é apenas entre quem tem e quem não tem, ou entre os produtivos e os que facilitam sua produtividade, mas entre aqueles que podem proteger uma quantidade módica de horas dedicadas ao sono e aqueles que não podem.

O trabalho não colonizou nossos fins de semana e feriados porque nós simplesmente não nos cansamos dele. Antes, os domingos tinham sido isolados da lógica do capitalismo por lei. Agora, essa lógica foi liberada em todo o nosso "tempo de lazer" — e nossas atitudes sobre o "potencial" desse tempo mudou da mesma forma. Estudiosos do lazer apontam *The Harried Leisure Class*, do economista Staffan B. Linder, publicado em 1970, como o primeiro texto a identificar as consequências de um mercado que busca crescer cada vez mais, busca mercados cada vez maiores e cada vez mais consumo para abastecê-los. Dentro desse modelo, cada hora de cada dia se torna progressivamente valiosa: não só para uma empresa, mas também para as pessoas.

Dessa forma, qualquer tempo gasto sem trabalhar — ou seja, tempo de lazer — é dinheiro perdido, na verdade. Para nos reconciliarmos com essa ideia, colocamos tantas atividades e tanto consumo quanto possíveis em nosso tempo de lazer, de maneira a torná-lo valioso de algum modo. Para evocar esse estilo de consumo maníaco, Linder descreve o homem que, após o jantar, preenche seu lazer "bebendo café brasileiro, bebericando um conhaque francês, lendo o *The New York Times*, ouvindo um Concerto de Brandenburgo e conversando com sua esposa sueca — tudo ao mesmo tempo, com variados graus de sucesso". A versão atual disso poderia ser a mulher que bebe seu café gelado de sete dólares, com uma água de coco de quatro dólares dentro da bolsa, a caminho da ioga, enquanto ouve ao *The Daily* nos fones de ouvido e envia GIFs apropriados para reagir às mensagens no grupo sobre o fim de semana com as amigas.

A estratégia de "maximizar" o lazer que temos — para nós mesmos, para nossas famílias, com nossos colegas — tem tudo a ver com, que surpresa, ansiedade de classe. Em *The Sum of Small Things: A Theory of the Aspirational Class* [A soma das pequenas coisas: Uma teoria da classe aspiracional], Elizabeth Currid-Halkett argumenta que uma pequena parte de americanos se tornou cada vez mais preocupada em expressar sua classe social por meio de "símbolos culturais que transmitem sua aquisição de conhecimento e seu sistema de valores".[10] Em outras palavras, estamos falando sobre postar no Instagram e mostrar que consumimos os tipos de atividades de lazer, produtos de mídia e compras que destacam o status de "elite". Você é o que você come, lê, assiste e veste, mas não para por aí. Você também é a academia que frequenta, os filtros que usa para postar as fotos das férias, aonde você vai nessas férias.

Não é o suficiente ouvir à NPR, ler o ganhador mais recente do National Book Award na categoria não ficção ou correr uma meia maratona. Você tem que se certificar de que *outros* saibam que você é o tipo de pessoa que faz uso desse tipo produtivo, autoedificante e otimizado de lazer. E, embora muitos dos produtos e experiências associados à "classe aspiracional" sejam bastante pseudointelectuais e antiquados (ler ficção best-seller, assistir a filmes do Oscar), a marca atual da cultura burguesa é um gosto pelo intelectual e popular, o balé e os melhores dançarinos do TikTok, o melhor da televisão de qualidade e as reviravoltas de toda a franquia de *Real Housewives*. Ser culto é ser culturalmente onívoro, não importa quanto tempo isso leve.

Quando as pessoas reclamam sobre "televisão demais", isto é parte do que elas estão reclamando: não que haja abundância de opções, para todos os gostos, disponíveis no mercado, mas sim que a quantidade de consumo necessária para acompanhar as conversas não para de crescer. Episódios, podcasts, até eventos esportivos parecem checklists. Não importa tanto se você de fato gosta de qualquer uma dessas coisas, ou se até consome todas elas; importa mais, nas redes sociais e pessoalmente, sinalizar que você é o tipo de pessoa que as consome. E quando você tem pouco tempo para se dedicar ao lazer, há uma demanda constante para fazer o melhor uso desse tempo, consumindo os produtos e se engajando nos tipos de lazer que demonstram de maneira mais eficaz seu status como um onívoro cultural. Você abre (e, então, de forma aspiracional, salva os links para ler mais tarde) dezenas de artigos recomendados por outras pessoas. Compra o material e um livro que ensina a tricotar, mas nunca dá um ponto. Começa a ler um livro, então se pergunta se deveria estar lendo aquele outro mais legal. Tenta alguma coisa, e então olha ao redor — ou entra no Instagram — em busca de algo melhor.

Como Currid-Halkett indica, essa prática transcende os níveis de renda — professores adjuntos com PhDs que mal se sustentam geralmente consomem e postam os mesmos materiais aspiracionais de classe que os advogados formados por universidades da Ivy League. Isso obscurece o tipo de estabilidade econômica que um diploma pode realmente fornecer, mas fornece um tipo diferente de bálsamo de classe: é aceitável você dever centenas de milhares de dólares, nunca comprar uma casa e estar com medo da catástrofe que uma emergência médica poderia causar, desde que você ainda possa se misturar com pessoas de rendas mais altas em um ambiente social. Em um perfil de Michael Barbaro, o apresentador do *The Daily* — o superpopular podcast do *The New York Times* e um exemplo perfeito de consumo aspiracional —, a produtora Jenna Weiss-Berman identifica o apelo do programa: "Você ouve *The Daily* e fica melhor equipado para conversar em um jantar", explicou ela. "E isso é tudo o que você realmente quer."

Adoramos pensar que nossos gostos culturais e de lazer são, até certo ponto, "naturais" — eu me inscrevo nesse triatlo, eu assisto a esse programa, eu ouço esse podcast *porque eu gosto!* —, mas cada escolha se torna confusa por causa da nossa compreensão do que ela diz sobre nós e por causa das conversas das quais seremos excluídos se escolhermos ficar de fora. É aceitável deixar de assistir a um programa de TV ou a uma franquia de filmes, ou deixar de participar de uma tendência, mas pare de acompanhar tudo e você estará fora do circuito na próxima vez que sair com seus amigos que aspiram a uma mesma classe social. Afinal de contas, não é suficiente apenas sair: tem que haver um propósito. A popularidade dos clubes de livros não significa apenas que as pessoas estão lendo mais. Diz respeito também à necessidade de afixar um significado produtivo ao simples desejo de ser como as outras pessoas.

Uma dinâmica semelhante acontece com viagens e exercícios: se você não tem dinheiro suficiente para planejar uma viagem ao Japão, ainda pode falar sobre o melhor novo restaurante japonês da cidade; se você não pode pagar a academia SoulCycle ou uma *road bike*, ainda pode falar sobre o treinamento para sua corrida semanal de sábado; se você não pode doar para uma campanha política, ainda pode falar com autoridade sobre a estratégia de um candidato depois de ouvir *Pod Save America*. Esse é um dos motivos pelos quais newsletters como a *Skimm*, que atualmente tem mais de 7 milhões de assinantes e foi avaliada pela última vez em mais de 55 milhões de dólares, tornaram-se tão populares: são uma forma de colar no consumo aspiracional, oferecendo breves instruções sobre cada tópico que poderia surgir no happy hour do trabalho. Elas tornam mais fácil, como o slogan da *Skimm* diz, "viver de maneira mais inteligente" ou, pelo menos, fingir que se vive.[11]

Assistir a filmes, ir à ioga e ouvir podcasts é trabalho? Claro que não, não tecnicamente. Muitas pessoas adorariam se sentir pressionadas para ver mais televisão em vez de serem forçadas a ficar horas no emprego. Mas, quando esse tipo de consumo cultural se torna o único modo de comprar um ingresso para a sua classe aspiracional, parece mais uma obrigação e menos uma escolha: uma forma de trabalho não remunerado. Isso explica por que "relaxar" se engajando nessas atividades pode ser tão desgastante, tão insatisfatório, tão frustrantemente não restaurador.

Abarrotar seu lazer com valor de classe aspiracional pode acalmar algumas ansiedades sobre a segurança de classe. Porém, uma maneira ainda mais eficaz de se sentir seguro em uma classe é *ganhar mais dinheiro* — especificamente, ao monetizar seu hobby.

Um hobby é, na teoria, uma atividade realizada durante o tempo livre pelo simples propósito de obter prazer. Se você tenta fazer uma atividade uma vez, está experimentando; quando faz aquilo repetidas vezes, essa atividade se torna um hobby. Muitos dos hobbies atuais envolvem cultivar habilidades que as máquinas tornaram obsoletas ou, ao menos, tecnicamente desnecessárias: tricô, panificação, mecânica simples. Outras proporcionam o prazer de coletar e categorizar, ou incríveis concentração e atenção aos detalhes, ou harmonia, literal e figurativa, com outros. Cantar em um coral é um hobby. Assim como fazer parte de uma liga de boliche, de um grupo de costura, de um clube de corrida. Jogar videogame pode, definitivamente, ser um hobby — em especial jogos de construção de comunidades e de refinamento de estratégia, como *Minecraft* e *The Sims*.

Alguns hobbies, principalmente aqueles que envolvem exercícios, também funcionam como meios de construir capital aspiracional. Na maioria dos lugares do país, ser uma pessoa que pratica esqui alpino salienta que você tem os meios para se equipar e pagar cem dólares por um ingresso para ser levado ao topo da montanha. Mas muitos hobbies, em particular aqueles relacionados ao artesanato, parecem ser retrocessos, legais apenas na medida em que são orgulhosamente *não legais*. Às vezes, nós os começamos já adultos, mas muitos se iniciam quando somos crianças, herdados da família e da comunidade. Eu caminho e acampo porque meu pai faz caminhadas e acampa. Eu faço jardinagem porque minha mãe faz jardinagem; ela faz isso porque sua mãe fazia jardinagem.

Hobbies são desprovidos de ambição; qualquer "propósito" é secundário. São praticados por simples prazer. Mas, quando toda sua vida tem sido voltada para a construção de valor para a faculdade, os hobbies parecem sonhos estranhos, quase obscenos: toda atividade deve ser um meio para um fim. Durante parte de sua vida, meu parceiro só lia livros para a aula, só cantava em corais quando isso ficaria bem em seu currículo, só fazia remo porque as melhores faculdades exigiam um esporte. Foi só quando chegou aos trinta anos e nos mudamos para Montana que ele finalmente encontrou o espaço para tentar descobrir o que de fato gostava de fazer em vez do que *deveria* fazer para agregar valor a si mesmo. Hoje, ele descreve o processo como "repleto de culpa e dúvidas".

Para muitos Millennials, existe um desejo de fazer qualquer coisa à qual você se dedica da melhor maneira possível. "Eu não posso ser uma ciclista, dançarina ou alpinista medíocre", me disse Aly, uma mulher branca em trajetória para a classe média-alta. "Eu tenho que ser loucamente incrível nisso." Lara, que se identifica como judia e de classe média, lembra-se de uma época em seus vinte anos, quando tinha hobbies: "Cantei em bandas, aprendi violão e comecei a aprender a tocar bateria". "Mas, então, entrei na pós-graduação e percebi que não teria tempo ou recursos para manter meus hobbies. Me senti culpada por dedicar tempo a algo que não estava ajudando na minha carreira de escritora". Recentemente, ela montou sua bateria em casa de novo, mas ainda assim luta para encontrar o tempo que gostaria de dedicar ao instrumento. "Eu não gosto de fazer qualquer coisa pela metade", disse ela. "Mas é claro que isso exigiria muito mais tempo livre do que tenho."

Algumas das pessoas que têm mais tempo para o lazer — e sentem menos pressão para monetizar seus hobbies — são aquelas que têm o que uns podem chamar de serviços mais chatos. Ethan, que é branco e atualmente mora em Nashville, é avaliador de sinistros em uma grande seguradora. Ele trabalha exatas quarenta horas por semana e se considera de classe média-baixa. Há um delineamento claro entre quando ele está em expediente e quando não está, e isso permite que ele proteja suas horas de lazer, que em grande parte dedica a jogar e a escrever sobre *Dungeons and Dragons.*

Quando as pessoas encontram tempo e espaço mental para cultivar um hobby, especialmente se forem "boas" nele, a pressão para monetizá-lo passa a se acumular. Se alguém gosta de fazer bolos e pães e começa a levar suas criações para festas, a única maneira que conhecemos de elogiar é sugerir: "Você poderia ganhar dinheiro com isso!". Janique, que tem 31 anos, é negra e de classe média, se orgulha de separar tempo para cantar e compor, mas, desde que entrou para uma banda, a pressão de outras pessoas para que seja paga por isso de alguma forma aumentou de modo considerável.

Gina, que se identifica como sino-americana e de classe média, sabe que a ideia de que você deve ganhar dinheiro com as coisas que lhe dão prazer é social. "Aprendi muito sobre a exploração que esse tipo de mentalidade permite", ela me disse, "e eu não quero que o amor 'puro' que tenho por meus hobbies seja poluído pela falsa promessa de que eu poderia ganhar algum dinheiro com meus esforços. Tenho visto amigos tentando monetizar os hobbies e tenho visto amigos que tiveram *sucesso* ao monetizá-los, tenho visto amigos odiando ou se sentindo acorrentados pelo que antes lhes trazia alegria. Não, obrigada!".

Na economia atual, porém, muitas vezes é um privilégio "proteger" os hobbies da monetização. Jimmie, que mora no sul de Wisconsin e descreve sua classe social como "não sou mais sem-teto e tenho uma casa agora", trabalha de oitenta a cem horas por semana em diferentes bicos, em rádios, mídias sociais, criação de conteúdo digital e design. "Eu monetizei quase todos os aspectos da minha vida, exceto ser pai, e estou a algumas despesas médicas de começar um blog sobre paternidade", explicou ele. "Eu até transmiti meus torneios de videogame." Ele adoraria manter as coisas para si mesmo, mas tem dois filhos para sustentar. "Precisamos de dinheiro e não tenho tempo a perder sendo improdutivo", ele me disse. "Não é tão divertido, mas temos uma casa onde morar."

Jimmie estima que tem cerca de cinco a sete horas de tempo livre por semana: seu deslocamento diário e a meia hora que passa desmaiado no sofá quando chega em casa do trabalho. Ele não considera lazer a transmissão de torneios de videogame, nem mesmo um hobby. Quando monetizou isso, ele mudou a natureza da atividade. Um hobby monetizado pode ser agradável às vezes, mas, quando a atividade se torna um meio para um fim — seja lucro, perfeição ou ingresso na faculdade —, perde sua qualidade essencial e, essencialmente, restauradora.

Eu descobri que as pessoas que têm hobbies — e que encontram alegria neles — são aquelas que deram a si mesmas ampla permissão para falhas e imperfeições. Elas se divertem enquanto constroem uma mesa, em vez de sentir pressão para vendê-la depois que a terminam, ou apenas aproveitam a experiência de uma caminhada em vez da foto da paisagem no Instagram e da fetichização de ser o tipo de pessoa que faz caminhadas. Elas entendem que ler um livro importa não porque outros sabem disso, mas porque isso dá prazer a elas. Esse comportamento pode parecer simples ou talvez apenas óbvio. Mas, para muitos Millennials, com frequência parece impossível.

Um enorme número de Millennials parou de ir a cerimônias religiosas. Assistimos à Netflix em casa em vez de ir ao cinema. Os country clubs, o Elks Club, o corpo de bombeiros voluntário, os comitês governamentais não remunerados que fazem o governo local funcionar — todos estão em dificuldades.[12] Em vez disso, marcamos encontros no Tinder em vez de simplesmente aparecer no bar. Nós nos falamos por grupos de mensagens de texto em vez de sair com nosso grupo de amigos, porque encontrar um tempo na agenda de todos significa um planejamento com quatro meses de antecedência. Em 2000, o livro *Bowling Alone* [Boliche sozinho], escrito pelo cientista político Robert Putnam, argumentou que a participação americana em grupos, clubes e organizações — religiosas, culturais ou qualquer outra — caiu vertiginosamente, assim como a "coesão social" que surgia da participação regular nessas organizações. As descobertas de Putnam foram controversas e contestadas, e muitos defenderam que a comunidade apenas mudou de lugar: talvez ninguém estivesse participando da liga de boliche, mas as pessoas estavam interagindo online (nas salas de bate-papo da AOL, em painéis de mensagens). Vinte anos depois, e com nossos níveis de burnout, assim como nossa polarização política e cultural, a presciência das descobertas de Putnam volta à pauta.

Depois da publicação de *Bowling Alone*, vários dos críticos de Putnam iniciaram suas próprias pesquisas, procurando contrariar ou confirmar as afirmações do cientista político. Em 2011, eles encontraram uma diminuição significativa nas redes familiares e não familiares — mas, acima de tudo, nas não familiares. "As redes sociais dos americanos estão entrando em colapso de dentro para fora", escreveu Putnam em 2015, no livro *Our Kids* [Nossas crianças], "e agora consistem em laços em menor quantidade, mais densos, mais homogêneos, mais familiares (e menos não aparentados)."[13]

Mas por que não estamos saindo com outras pessoas? Parte do problema é que a capacidade de coordenar agendas facilmente se desintegrou juntamente com as horas de trabalho padronizadas. Se seu horário muda de semana para semana — seja devido a recálculos do algoritmo ou à sua própria inclinação para esticar o expediente —, pode parecer impossível fazer planos ou ter compromissos semanais. Adicione a isso a crescente pressão para arranjar e supervisionar as atividades das crianças, e torna-se ainda mais difícil conciliar suas horas disponíveis com as de outras pessoas. Ninguém quer admitir o quão árduo será fazer os planos acontecerem, então as pessoas externam suas melhores intenções para se encontrar — para uma bebida, para um dia de brincadeira entre as crianças, para jantar — e, em seguida, entram em um ciclo interminável de "Não vai dar para mim, pode ser na próxima semana?" e cancelamentos de última hora.

Em *Palaces for the People* [Palácios para o povo], Eric Klinenberg sugere que parte do declínio nos laços sociais tem origem na nossa predileção pela eficiência: ele menciona um estudo que descobriu que, quando uma creche fez com que a hora de buscar as crianças fosse a mais rápida possível, isso resultou em pais que mal se conheciam. Porém, quando os pais foram forçados a entrar na creche, esperar e pegar seus filhos ao mesmo tempo, as conexões sociais começaram a se formar.[14] Mas parte do problema também é um declínio da infraestrutura social: os espaços, públicos e privados, de bibliotecas a clubes e sinagogas, que facilitavam o cultivo de laços informais e não monetizados.

Esses lugares ainda existem, é claro, porém se tornaram menos centrais, menos vitais e, o mais importante, menos acessíveis. Por causa de questões de responsabilidade, mais e mais igrejas estão limitando a capacidade dos membros de usar o espaço fora do expediente, mesmo que paguem por isso. Muitas praias e parques públicos cobram taxas excludentes — para estacionamento e entrada — em áreas sem acesso por transporte público. Quadras e pistas públicas agora estão bloqueadas ou monopolizadas por equipes que pagaram para treinar. Uma mulher no interior do estado Nova York decidiu formar um clube do livro com pessoas com interesses parecidos que conheceu na internet. Ela não queria fazer o encontro em sua casa — e passou semanas tentando encontrar um espaço que fosse acessível e financeiramente viável a todos.

"Gostávamos de ver os times de beisebol AAA no centro", um pai me disse. "Então eles transformaram a 'zona familiar' (campos de gramado aberto onde as crianças gostavam de brincar) em 'áreas para grupos/festas' pagas. Depois, se mudaram para um novo estádio no lado rico da cidade. Então, paramos de ir." Uma mulher na área de Washington, capital, me disse que o supermercado Wegmans em um bairro de classe média-alta, predominantemente negro, tinha uma pequena área na frente para tomar café e comer. "As pessoas costumavam usar esses espaços para encontros da igreja, jogos de tabuleiro e grupos de estudo", disse ela. "Agora existem placas desencorajando isso."

Teresa, uma pesquisadora de pós-doutorado em Boston, escolheu conscientemente se juntar a um grupo de jogos porque havia um horário de reunião definido a cada semana, sempre no mesmo lugar. "De outra forma, meus amigos e eu só jogaríamos uma vez por mês", disse ela, "porque é necessário muito esforço para encontrar uma hora e um lugar que funcionem". Isso é o que infraestrutura social ajuda a fornecer: um alívio para o planejamento e replanejamento sem fim. As reuniões do Lions, Eagles, Moose ou Elks Club eram como um relógio e em um espaço — com estacionamento! — que estava sempre disponível. O mesmo acontece com a igreja e o estudo da Bíblia, as PEO*, a Liga Júnior, o NAACP (National Association for the Advancement of Colored People, ou seja, Associação Nacional para o Avanço das Pessoas Negras) e a Liga

---

*   PEO, sigla em inglês para organização de empregadores profissionais, é uma empresa de terceirização que fornece serviços para pequenas e médias empresas. (*N do E.*)

de Eleitoras. Sua confiabilidade era parte do que os tornava mais fáceis de frequentar.

Mas, à medida que as expectativas em relação ao trabalho e à criação dos filhos continuaram a crescer e as prioridades continuaram a transicionar para a vida privada, os compromissos de grupo foram uma das atividades que consumiam tempo mais fáceis de descartar. Como cada vez menos pessoas passaram a frequentar, os próprios grupos começaram a desaparecer, com poucas opções para substituí-los — pelo menos poucas opções economicamente acessíveis, com reuniões regulares, sem religião específica ou que não fossem para crianças. Podemos falar sobre o valor dos esportes coletivos o quanto quisermos, mas assistir a um jogo de futebol infantil — e passar a maior parte do seu tempo na margem do campo, respondendo a e-mails de trabalho — não é o mesmo que você mesmo jogar.

Não sou a primeira pessoa a dizer isso. A maioria de nós leu diversos estudos que mostram que o voluntariado faz com que você fique mais feliz, que conversar e rir pessoalmente nos nutrem mais do que a comunicação digital, que tirar um tempo para a contemplação, religiosa ou não, nos faz sentir mais equilibrados e menos ansiosos. Sabemos que o lazer, especialmente o tipo que Putnam descreve como a base para os laços sociais, nos faz sentir melhor.

Porém, para muitas pessoas, apenas a *ideia* de qualquer uma dessas atividades parece exigir um gasto implacável de energia. Em resumo, estamos muito cansados para de fato descansar e nos restaurar. Meghan, que é branca e mora em Albany, tem um emprego de tempo integral como assistente administrativa e outro de meio período como livreira. Ela encontra uma hora ou mais por dia, mais um dia no fim de semana, para o lazer, mas cada vez mais acha interações pessoais, em especial sair para encontros, "emocionalmente assustadores e desgastantes". Até sair com sua melhor amiga a deixa esgotada.

Rosie, uma agente literária de Nova York, não consegue separar as atividades de lazer de seus custos: "Olhar o Twitter deitada na cama é de graça", ela ressalta, "e morar em Nova York requer mais energia, tanto física (caminhar a qualquer lugar) como mental (pesquisar as mudanças dos serviços de metrô e ônibus)". Além disso, ela diz, "se eu não faço um bom post no Instagram de uma atividade de lazer, é quase como se eu nem tivesse feito nada". Laura, que mora em Chicago e trabalha como professora de educação especial, nunca quer ver os amigos, ir a encontros ou cozinhar — ela está tão cansada que só quer ficar no sofá. "Mas, então, não consigo me concentrar no que estou assistindo e acabo perdendo o foco de novo, e não fico completamente relaxada", explicou ela. "Estou eu aqui dizendo que nem mesmo relaxo direito! Eu me sinto mal por me sentir mal! Mas quando tenho tempo livre, só quero ficar sozinha!"

E a pressão parece aumentar ainda mais quando se tem filhos. Claire, de 29 anos, mora com o marido e os dois filhos no leste da Pensilvânia. Seu marido tem dois empregos (em um escritório e como redator freelancer), enquanto ela trabalha em meio período (doze a dezesseis horas por semana) e fica em casa para cuidar dos filhos. Claire também está aprendendo um novo ofício em paralelo (sistemas de informação), já que, em seu trabalho atual, não há chance de crescimento. Ela sai de casa a cada poucas semanas para encontrar amigos, mas houve períodos em que não os viu por meses: era simplesmente muito difícil de coordenar. Uma, talvez duas vezes por mês, ela e o marido contratam uma babá para poderem sair. "Eu tenho que me esforçar muito e planejar com antecedência se quero participar de um encontro ou evento, porque as ondas de choque que isso causa na minha rotina são muito difíceis de absorver", ela admitiu. "Com muita frequência, cancelo no último minuto porque estou exausta."

É importante fazer uma pausa nesse cenário — algo sobre o qual ouvi várias vezes e o qual eu mesma já falei. Estar com nossos amigos, as pessoas que nos amam e estimam, atrapalha muito nossos horários. Mas nossos horários *são* nossas vidas. E o que são nossas vidas sem as outras pessoas?

Assistimos à televisão, fumamos mais maconha e bebemos para *forçar* nosso corpo a relaxar. Exaltamos e celebramos o comportamento introvertido com camisetas que dizem "me desculpe o atraso. não queria ter vindo". Tentamos nos sentir bem com a maneira como as coisas estão. Mas o que me deixa assustada é que, na realidade, o que você faz com seu tempo de lazer agora, quando ele é tão raro, tão sobredeterminado e tão sobrecarregado de exaustão, não é — pelo menos não necessariamente — o que você faria se tivesse mais tempo. Muitas das nossas melhores intenções, nossos eus mais curiosos, criativos e compassivos estão bem ali, mais próximos da superfície de nossas vidas do que imaginamos. Só precisamos de espaço, tempo e descanso para torná-los realidade.

Às vezes, eu escolho a fila mais longa de propósito no supermercado e me vejo reagindo à minha impaciência — minha incapacidade de ficar, mesmo que por apenas alguns minutos extras, com a minha própria mente. Sou viciada em estímulos. Eu não só esqueci como esperar, mas até como deixar minha mente vagar e brincar. Em *How to Do Nothing: Resisting the Attention Economy* [Como não fazer nada: Resistindo à economia da atenção], Jenny Odell traz um argumento profundamente convincente para ignorar todos os impulsos em direção à produtividade e à perfeição que vêm impregnar nossas vidas, nosso lazer e qualquer outra coisa. Isso significa fazer, bem, *nada* — pelo menos nada que seja considerado como gerador de valor no capitalismo.

Odell descreve os profundos prazeres em aprender os nomes da flora e da fauna em seu parque local. Aprender seus nomes significa ser capaz de notar de fato esses seres — vê-los e passar o tempo reconhecendo-os, simplesmente porque ocupam o mesmo espaço que nós. Eles são importantes e valiosos, apenas porque *são* — não porque nos tornam trabalhadores melhores, parceiros mais desejáveis ou pessoas mais economicamente seguras.

Existem várias maneiras de fazer "nada", e não (necessariamente) envolvem nos isolarmos da internet ou escolher de propósito a fila mais longa do supermercado. Cuidar dos outros, orar, cantar, conversar e passar tempo com sua própria mente — tudo isso pode ser feliz e radicalmente improdutivo. É importante porque nutre você e outras pessoas. Ponto-final.

Odell argumenta que chegamos ao ponto em que minimizamos todas as forças concorrentes por nossa atenção, usando palavras como "irritante" ou "perturbador" para descrever o fabricado vício em mídia social, o medo de perder um e-mail importante, a compulsão por tornar o lazer de alguma forma financeira e pessoalmente "produtivo". Mas as distrações, escreve Odell, "nos impedem de fazer as coisas que queremos fazer" — que então "se acumulam e nos impedem de viver as vidas que queremos viver". Dessa forma, "as melhores, as partes mais vivas" de nós mesmos são "pavimentadas por uma lógica implacável de uso".

Um acerto de contas com o burnout é, muitas vezes, um acerto de contas com o fato de que as coisas com as quais você preenche o seu dia — *as coisas com as quais você preenche a sua vida* — parecem impossivelmente distantes do tipo de vida que se deseja viver e do tipo de significado que você deseja dar a ela. É por isso que a condição do burnout é mais do que apenas o vício em trabalhar. É uma alienação de si mesmo e do desejo. Se você subtrair sua capacidade de trabalhar, quem é você? Sobra um eu para escavar? Você sabe do que gosta e do que não gosta quando não há ninguém lá para assistir, sem a exaustão para forçá-lo a escolher o caminho de menos resistência? Sabe como se mover sem andar sempre em frente?

Um novo compromisso e a valorização de si mesmo não é autocuidado ou egocentrismo, pelo menos não nas conotações contemporâneas dessas palavras. Em vez disso, é uma declaração de valor: não porque você trabalha, não porque você consome, não porque você produz, mas simplesmente porque você é. Emergir do burnout e, no fim das contas, resistir ao seu retorno, é se lembrar disso.

9
OS PAIS MILLENNIALS EXAUSTOS

É fácil ver como ter um filho pode exacerbar todas as tendências, ansiedades e exaustão que caracterizam o burnout dos Millennials. Mas é outra coisa, especialmente se você não tem filhos, tentar entender qual é essa *sensação*.

"Você acha que tem tudo sob controle até que surge alguma coisa que bagunça tudo e você se desespera", conta Lisa, que tem dois filhos no subúrbio da Pensilvânia. "De repente percebe que os sapatos do seu filho estão dois tamanhos apertados e começa a chorar desesperadamente: é uma mãe horrível que maltratou sua criança porque estava ocupada demais com o dia a dia. Crianças pequenas não dizem que o sapato está apertado. Você concorda em dividir o fim de semana com o seu marido e ele passa sete horas jogando golfe. Então você fica tão enraivecida quando ele chega em casa que nem se importa que amanhã seja o 'seu dia', porque não tem nada planejado e não sabe o que fazer, já que não existem hobbies femininos que durem sete horas."

"É o tipo de exaustão que não permite sentir mais nada", explicou Lauren, que recentemente se mudou dos Estados Unidos para a Inglaterra. "Eu acordo alguns dias e fico olhando pela janela, querendo chorar, mas em geral nem tenho o luxo de *ter* sentimentos. Ou as pessoas me falam 'É assim que é ser mãe!', ou algum tipo de autoridade aparece com olhares preocupados e faz perguntas sobre depressão pós-parto. Não acho que eu tenha sido um perigo para os meus filhos em momento algum. Acho que eu só estava exausta, não tinha ajuda e me sentia culpada por todos os ressentimentos na minha vida."

"O burnout de mãe me faz sentir que não quero cuidar de ninguém nunca mais", disse Amy, que é branca e mora em uma grande cidade americana. "Eu não quero ter que lembrar os detalhes do dia de ninguém. Eu me pego irritada e estourada com meus filhos pelas menores coisas. Tendo a perder a perspectiva por conta de meias que ficaram largadas no meio da sala por tempo demais, e é fácil perder a cabeça quando alguém me pede para fazer mais uma coisa no meio das sete que já estou fazendo. Odeio o ressentimento que sinto do meu marido por ele trabalhar fora e ter o privilégio de esquecer que era para estar em casa em tal horário porque se enrolou com o serviço. Às vezes eu me sinto pequena demais para o título grandioso de Mãe."

"Eu não compro muito o conceito de burnout", explicou Jenny, que cria seus filhos em uma cidade pequena em um estado do Oeste dos Estados Unidos. "É como aquela citação do David Foster Wallace sobre peixes-dourados e água. Um peixe pergunta para o outro: 'Como está a água?'. E o outro peixe responde: 'Que diabos é água?'".

Historicamente, pais já foram forçados a tomar decisões sobre que filho teria que largar a escola para trabalhar ou que filho receberia mais comida. Essas escolhas são terríveis e nunca foram fáceis — mas também sempre foram reconhecidas como árduas. A cultura de criação de filhos contemporânea, porém, tem uma dificuldade particularmente complicada e enganosa, piorada por costumar ser tão negada ou ignorada. Ela reforça ideais impossíveis de alcançar no nosso cenário atual e culpa os pais individualmente por falhas sociais. Isso causa ressentimento e desespero — em especial para mulheres que apostaram na ideia de uma parceria igualitária. De modo similar ao paradigma do excesso de trabalho, isso equipara exaustão com habilidade, aptidão ou devoção: os "melhores" pais são os que se doam até não sobrar nada de si mesmos. E o pior de tudo é que não há evidência de que esse tipo de comportamento melhore a vida das crianças.

Em vez do "problema que não tem nome", notadamente descrito no marcante livro de 1963, de Betty Friedan, *A mística feminina*, esse problema tem um nome, e esse nome é burnout parental. É o resultado de mudanças de ideias sobre o que constitui uma "boa criação", ideias teimosas de que o trabalho é "válido", além de um excesso de trabalho fora do ambiente profissional. Mas em primeiro lugar, é uma superação do fato de que a sociedade americana ainda é organizada como se todas as famílias tivessem um cuidador que fica em casa, quando cada vez menos famílias têm esse tipo de arranjo.

O burnout parental não afeta somente mães. Porém, como elas continuam a executar a vasta maioria do trabalho em lares com mães e pais, são elas que são *mais* afetadas. O fardo só piora quando você considera os níveis crescentes de casas com um só cuidador: em 2017, em torno de um quinto das crianças dos Estados Unidos morava só com a mãe.[1] Apesar de as mulheres terem se libertado de muitas das formas explícitas de subjugo e sexismo que acompanhavam a vida doméstica, outras formas continuam a acontecer, sublimadas nas ideologias de feminilidade contemporânea atual. Espera-se que as mães de hoje gerenciem e mantenham um emprego de alta pressão, seus filhos, seu relacionamento, seu espaço doméstico e seu corpo. Elas têm "liberdade" de serem pressionadas a ser tudo para todos o tempo todo, com exceção de si mesmas.

Mas como as coisas chegaram a esse ponto? Se você prestar atenção às práticas de criação dos seus pais, vai ver a silhueta do que se tornou a prática cara, ansiosa e paranoica da criação atual. Primeiro, havia o medo de um mundo cada vez mais perigoso — e as consequentes ameaças ao bem-estar das crianças. Essas ameaças podiam ser neutralizadas, mas só por meio de supervisão constante e conhecimento, que gradualmente se transformaram em uma vigilância total — dos nossos filhos, mas também das práticas de criação das outras pessoas. Em segundo lugar, havia o medo da mobilidade descendente: que a posição de classe da família era algo instável e que derramar recursos, literais ou figurados, nas crianças era a única forma de proteção contra essa queda.

Pais Boomers com burnout sentiam isso; agora seus filhos Millennials com burnout sentem também. Considere versões ainda mais exageradas do "cultivo combinado" que guiou tantas infâncias de classe média, repletas de agendas lotadas, aprimoramento extra e planejamento de faculdades que começa antes mesmo do parto, cuja necessidade é reforçada por contas no Instagram, grupos de pais no Facebook, blogs, newsletters, podcasts e livros sobre criação de filhos que lotam o consumo de mídia de pais da burguesia.

No entanto, isso não responde na totalidade como as coisas ficaram tão ruins para mães em especial. A resposta, é claro, é o patriarcado — mas o patriarcado disfarçado na linguagem enganosa da igualdade e progresso. Como vários historiadores mostraram, as mulheres há muito se ressentem das tarefas mundanas e enfadonhas da domesticidade, mas raramente ousavam contradizer a compreensão pública da mãe alegre e abnegada. Quando elas começaram a entrar no mercado de trabalho nos anos 1960 e 1970, a liberdade e a escolha que havia muito se reservava aos homens surgiu para elas também, um alívio. Nem todas as mulheres queriam ter vidas além da esfera doméstica, mas muitas queriam ter essa *escolha*.

É claro que milhões de mulheres pobres, em especial negras e de outras minorias étnicas, já trabalhavam fora de casa por gerações. Elas só faziam isso, como muitas pessoas pobres ainda fazem, em locais de trabalho informais (na casa de alguém) ou instáveis (em fazendas de imigrantes). Mas, quando as mulheres brancas de classe média começaram a fazer isso, e nos mesmos espaços que homens brancos de classe média, bem, foi motivo de alarme.

Alarme, mas também estabilidade: para muitas famílias, a renda suplementar foi um alívio. Mas essa estabilidade era desequilibrada pela vergonha que o marido sentia por não ser mais capaz de prover sozinho para a família e por todo o tipo de manifestações de fragilidade masculina. E como fazer os homens se sentirem melhor sobre sua masculinidade? Você os assegura de que, na verdade, nada vai mudar: a mulher pode estar trabalhando oito horas por dia no escritório, mas ainda vai ser feminina e arrumada, o jantar ainda vai ser servido no mesmo horário e as crianças não vão nem perceber. Em outras palavras, ela ainda vai ser uma dona de casa em tempo integral — mesmo que também seja uma trabalhadora em tempo integral fora de casa. Daí que vem a "dupla jornada", um termo popularizado por Arlie Russell Hochschild em seu livro *Second Shift* [Segundo turno], de 1989, para descrever o fato de que essas mães estavam na verdade fazendo duas jornadas de trabalho todos os dias: um no ambiente profissional "formal" e outra em casa.

Hochschild argumenta que a entrada das mulheres na economia paga foi "a revolução social básica" da nossa época.[2] Mas, como ela aponta, o componente feminista dessa revolução foi, em grande parte, "atrasado": só porque as mulheres estavam lidando com quantidades iguais de trabalho fora de casa não significava que o serviço dentro de casa era dividido igualmente também. O resultado era que o "primeiro" turno (o emprego da mãe fora de casa) muitas vezes era comprometido ou desvalorizado de forma a manter em ordem o segundo turno em casa. Pais com uma só jornada de trabalho, em contraste, puderam continuar suas carreiras sem preocupações.

Tudo bem que esses pais faziam mais tarefas domésticas do que os próprios pais: entre 1965, a porção do trabalho doméstico não pago feito pelos homens cresceu de menos de 20% para quase 30%.[3] Mas, desde 2003, esse valor permaneceu teimosamente parado. Estudos de uso de tempo do Bureau of Labor Statistics descobriram que mulheres que trabalham fora de casa ainda são responsáveis por atender a 65% das necessidades das crianças.[4] Pais, em outras palavras, nunca sequer chegaram perto de dividir igualmente o serviço doméstico.

Programas sociais não lidaram com a mudança em direção ao modelo de dois pais trabalhando fora, mesmo que cada vez menos famílias tenham pais em casa hoje. Nos Estados Unidos, ainda não existe uma lei que obrigue empresas a fornecer licença parental remunerada; creches subsidiadas e baratas são difíceis, se não impossíveis de encontrar; escolas funcionam só por três quartos do ano e em dois terços do dia útil. Em resumo, os ritmos criados pela sociedade para o dia e o ano das crianças são incompatíveis com os da vida da maioria dos pais que trabalham fora.

No passado, mesmo quando os Millennials eram pequenos, essa incompatibilidade era mais facilmente contornada: a criança podia voltar da escola e ficar com os avós ou com um irmão um pouco mais velho, ou ir para a casa de vizinhos. Algumas eram chamadas nos Estados Unidos de "latchkey kids", crianças que tinham a chave de casa e passavam horas sozinhas depois da escola enquanto os pais não voltavam do trabalho. Os estereótipos culturais em torno dessas crianças logo foram tomados por considerações generalistas de que esse tempo sem supervisão poderia corromper o caráter delas. Crianças sozinhas colocavam fogo na casa. Ficavam solitárias. Assistiam demais à televisão. Acabavam indo na direção da delinquência juvenil. E com essa imagem veio uma visão cada vez mais crítica dos pais que deixavam seus filhos em casa sozinhos.

Hoje, temos ainda mais mães que trabalham fora e uma escassez de opções para o cuidado infantil. Mas, em vez de voltar a padrões mais relaxados de supervisão, ou mudar os horários do expediente, resolvemos exigir *constante* supervisão. Muitas escolas de ensino fundamental não liberam crianças depois das aulas — nem sequer permitem que saiam em um ônibus escolar — sem um adulto autorizado presente. Deixar que seu filho no fim do ensino fundamental fique em casa sozinho é, de acordo com várias pessoas em todo o país, arriscar uma denúncia para o Conselho Tutelar.

Não importa que você, pai ou mãe, ache que seu filho tem a capacidade de ficar em casa sozinho. Outros adultos vão denunciá-lo. Como Kim Brooks aponta em *Small Animals: Parenthood in the Age of Fear* [Pequenos animais: Paternidade na era do medo], quando Barbara W. Sarnecka, uma cientista cognitiva da USC-Irvine, deixou que seu filho de oito anos brincasse depois da escola em um parque próximo — com muitos adultos presentes, mas não ela —, outro pai mandou um e-mail para o marido dela, e o diretor da escola mandou um e-mail para ela. Brooks também se lembra do que aconteceu depois que ela tomou a decisão de deixar seu filho de quatro anos no carro por cinco minutos enquanto corria até uma loja para comprar fones de ouvido.[5] Não foi a polícia que a flagrou. Alguém no estacionamento, alguém que ela nunca conheceu nem nunca vai conhecer, filmou a cena no celular e enviou as imagens para a polícia.

Como tudo em relação à criação de filhos, os padrões são mais reforçados entre pais de classe média, urbanos e suburbanos. E, enquanto pais (brancos) de classe média muitas vezes fazem esse policiamento, também são os que têm mais chance de escapar das consequências criminais de seu comportamento. Como Brooks aponta, quando foi acusada de "contribuir para a delinquência de um menor" no estado da Virgínia, ela também podia comprar as roupas arrumadas que indicavam para o juiz e o promotor que "Não sou uma ameaça para os meus filhos ou para a sociedade". Ela também podia pagar um bom advogado, que tornou o processo o mais tranquilo possível — e lhe garantiu uma sentença de serviço comunitário e aulas de cuidados infantis. Ela teve que suportar a censura social e a vergonha, mas isso não é nada comparado ao que poderia ter acontecido com ela ou com seus filhos se ela não fosse uma mulher branca de classe média.

É por isso que o novo padrão, reforçado por professores, diretores, pais e outros adultos, determina que, se um pai não pode mudar seus horários para pegar ou supervisionar seu filho depois da escola, a ideia é que pague alguém ou algum serviço para para fazê-lo. As estatísticas demonstram isso: os dados do censo mostram que, entre 1997 e 2013, o número de crianças americanas no ensino fundamental que passaram algum tempo sozinhas depois da escola caiu quase 40% — de uma em cada cinco em 1997 para uma em cada nove em 2013. Parte dessa mudança pode ser vinculada ao aumento da flexibilidade do serviço (os empregos dos pais ocupam mais horas, mas algumas podem ser alteradas — o que, na prática, geralmente só gera mais trabalho ou pais distraídos). E parte disso pode ser atribuída ao aumento da disponibilidade de programas de cuidados depois da escola, muitos financiados por parcerias público-privadas, como a Afterschool Alliance, que foi fundada em 2000.

Para deixar claro: não tem nada de errado com programas depois da escola. São ótimos! Em muitas áreas de baixa renda, são totalmente gratuitos. Mas, para milhões de famílias americanas, pagar por eles é um fardo. Em um distrito escolar de Nova Jersey, um pai me contou que não tem controle para escolher o turno de estudo do seu filho, que está no jardim de infância; se as crianças precisam de um turno integral, isso custa mais seiscentos dólares por mês, além do custo do programa depois da escola. No bairro Ballard, em Seattle, o programa depois da escola tem uma lista de espera de três anos; uma semana de cuidado (por três horas e meia por dia) custa pouco menos de quinhentos dólares. Em uma ACM no Kansas, uma semana de cuidado (por volta de três horas por dia) ainda custa 105 dólares.

Em outras palavras, é muito caro para ambos os pais trabalharem fora de casa: o custo nacional médio de cuidados infantis, de acordo com um grupo de advocacia, é de quase 8.700 dólares por ano. Em alguns estados, o gasto médio por um ano de cuidados pré-escolares é de aproximadamente 13 mil dólares; em geral, as despesas com cuidados infantis para uma família em que a mãe trabalha fora subiu 70% entre 1985 e 2012. É ainda mais difícil para mães e pais solo: em média, 36% de renda dos pais vão para o pagamento de terceiros para cuidar de suas crianças.[6]

É claro que as famílias *fazem* dar certo. Fazem isso juntando dinheiro, contando com amigos e familiares, trabalhando como freelancer, parando de separar fundos para poupança ou deixando de pagar os empréstimos estudantis. Mas nem todo mundo tem amigos confiáveis ou familiares disponíveis — e trabalho freelance não é a mesma coisa que um emprego de carteira assinada. E é por isso que algumas mães que gostariam de trabalhar não veem opção a não ser pedir demissão.

Por anos, a ideia aceita era a de que uma mulher deveria ficar em casa durante os primeiros anos do filho, então voltar para o mercado de trabalho, se quisesse, quando a criança chegasse em idade escolar. Mas, com o custo do cuidado infantil tão mais baixo, essa decisão raramente era uma exigência financeira; era só o que muitas mulheres (de classe média) faziam.

Muitos Millennials que cresceram nessas casas — inclusive eu mesma — viram esse cenário com os próprios pais. Em 2015, como parte de um artigo maior, ouvi de centenas de mulheres Millennials o que elas haviam internalizado sobre ter filhos, dividir os cuidados deles com um parceiro e trabalhar ao observarem suas mães Boomers. Elas falavam não só de trabalhar duro e fazer muitas coisas ao mesmo tempo, mas também do arrependimento das mães: "Eu sei que ela deixou para depois muitas coisas que queria fazer na vida (faculdade) ou que não deu tanta atenção (carreira) porque teve filhos", contou uma mulher que cresceu no Wyoming. "Eu sempre jurei que comigo não seria assim."

Algumas de nós viram as mães saindo do divórcio sem qualquer perspectiva de carreira. Outras só ouviam as mães contar, com um arrependimento mal disfarçado ou aberto, o que deixou de ser possível para elas depois que saíram do mercado de trabalho. Outras ainda viram como era difícil manter uma casa com um salário só, especialmente quando esse salário parava de vir por qualquer motivo. E algumas de nós decidiram adiar a maternidade ou não ter filhos. Porém, a maioria das mulheres que eu conheço apenas decidiu que evitaria o arrependimento de suas mães fazendo as coisas de forma diferente. Elas manteriam suas carreiras *e* teriam filhos — mesmo que isso significasse que a maior parte do salário, pelo menos nos primeiros anos, fosse para creches ou babás. Pelo menos elas teriam *opções*.

Conforme o tempo dos pais no trabalho aumentou, o paradigma do que era "possível", "aceitável" ou até mesmo "acessível" para esses pais não mudou junto. Não houve uma mudança ampla na legislação para acompanhar essas transformações; a maioria dos empregadores não alterou suas políticas para acomodar as necessidades dos pais. Em vez disso, as infinitas expectativas de como ser um "bom" pai ou mãe — um cujos filhos seriam bem-sucedidos e felizes e alcançariam ou ultrapassariam seu atual status de classe — aumentaram. Mais trabalho fora de casa gerou mais tarefas *dentro* de casa.

Permita que eu repita, porque é de fato enlouquecedor. Em vez de sermos mais lenientes quanto ao que era exigido de nós como pais, considerando todas as mudanças de expectativas no trabalho, nossa posição de classe cada vez mais angustiante e as dívidas imensas que fizemos para manter esse status, permitimos que as expectativas *aumentassem*. Ter mais opções sobre como criar os filhos não foi libertador; se tornou insuportavelmente claustrofóbico.

Isso era verdade, um pouco, para pais Boomers — mas é ainda pior, em muitos casos, para os Millennials com filhos. Há mais informação do que nunca sobre como criar "bem" seus filhos, e portanto mais formas de falhar. Há mais especulação sobre as maneiras como você pode estragar as crianças e, portanto, mais medo em cada ação. É mais caro criar filhos, e as famílias têm menos dinheiro para dedicar a eles depois de pagar as contas básicas. Práticas de criação são mais públicas e mais avaliadas. Empregadores podem aparentemente oferecer mais flexibilidade, mas também podem exigir mais trabalho em troca.

E contradições — *opções!* — estão por toda a parte. Você tem que se envolver, mas não se envolver *demais*; deve indicar aos seus filhos que eles precisam fazer faculdade a qualquer custo, mesmo que se sinta ambivalente sobre sua própria experiência no ensino superior; deve cultivar a independência dos seus filhos, mas nunca deixá-los sem supervisão; precisa aplaudir o empoderamento feminino mesmo que o trabalho das mulheres seja desvalorizado no lar; deve elogiar o valor da diversidade e ao mesmo tempo ficar obcecado sobre colocar seus filhos na escola "certa"; tem que ensiná-los a ter uma relação saudável com a tecnologia enquanto você mesmo mantém relações nada saudáveis com ela. E isso considerando que tenha tempo, para começo de conversa, para se preocupar com essas coisas: como Elizabeth Currid-Halkett aponta: "Efetivamente falar sobre as nuances e escolhas da maternidade (em vez de simplesmente ser mãe e cuidar dos seus filhos) já implica ter o luxo de fazer isso".[7]

A parentalidade moderna sempre teve a ver, de alguma forma, com duvidar da sua própria competência. Mas nunca antes essas dúvidas chegaram com tanta força de tantos vetores. Como todas as expectativas, todos ideais e ideologias, a questão de quem está fazendo cumprir esses padrões de parentalidade é complicada. Ninguém gosta deles, mas mesmo assim eles permanecem, fornecendo um estado de vigilância parental informal, manifestado em forma de fofocas e comentários passivo-agressivos no Facebook e conversas "bem-intencionadas" no grupo de pais.

Pelo menos esse é o caso entre a classe média-alta burguesa, a população em grande parte branca que funciona como o verdadeiro árbitro e criador dessas normas — a régua com a qual a criação de filhos contemporânea é medida e considerada abaixo da expectativa. Não importa que você não tenha dinheiro sobrando para comprar alimentos orgânicos, guardar para pagar a faculdade ou fornecer constante supervisão fora da escola. Não importa se sua recusa é por princípios ou por falta de recursos — se você quer coisas diferentes para si ou para seus filhos. Se recusar a *lutar* por isso é se declarar, aos olhos da sociedade, como um pai ruim.

Considere o muito debatido assunto da amamentação: a "melhor" prática de maternagem, elogiada, pelo menos em parte, porque é "de graça" — e, exceto em caso de dificuldades médicas, teoricamente possível para todas as mães. Porém, o acesso a consultores de lactação não é de graça. Nem são de graça bombas de leite, absorventes de peito, mamadeiras, frigobares e sutiãs e tops especiais que tornam a amamentação em longo prazo uma realidade para mães que não podem ficar com seus filhos durante o dia. Amamentar toma muito tempo — um luxo que muitas mães que trabalham, em especial as mais pobres, simplesmente não têm. De acordo com Cynthia Colen, uma socióloga de saúde pública, só 12% das mulheres que trabalham e 5% das mulheres de baixa renda têm acesso a qualquer tipo de licença remunerada; o resultado é que "a maioria das mulheres é obrigada a sacrificar a renda para poder amamentar".[8]

Ou, depois do período da amamentação, existe uma expectativa de fornecer às crianças uma alimentação saudável. A socióloga Caitlin Daniel descobriu que pais pobres sabem exatamente que tipo de comida é mais saudável para as crianças. Mas, como qualquer pai sabe, apresentar novos alimentos ou expandir o paladar de uma criança exige uma quantidade significativa de comida desperdiçada — o que, quando seu orçamento para isso é determinado por cupons de desconto de alimentação, é um grande risco. Em sua pesquisa, Daniel aponta uma mãe de baixa renda que tentou, da melhor forma que pôde, dar uma alimentação saudável e dentro do orçamento aos filhos. Ela procurava os vegetais mais feios, que podia comprar com desconto, e os servia com arroz, feijão ou macarrão. "Essas refeições custam relativamente pouco — se forem consumidas", explica Daniel. "Mas, quando seus filhos as rejeitavam, um prato barato se tornava um fardo financeiro. Contra sua vontade, essa mãe recorreu aos burritos congelados e nuggets de frango que a família preferia."[9]

Não é que pais pobres não saibam o que devem fazer. É que inúmeras forças tornam esses comportamentos indisponíveis para eles. Para pessoas de classe média, uma recusa em participar dessas práticas pode causar um ostracismo social. Mas, para um pai negro ou de outras minorias étnicas, tal recusa contribui para o estigma social: a ideia de que sua etnia é preguiçosa ou ignorante. E, em alguns casos, pode ser usada como evidência de crime de negligência. Em 2014, uma mulher da Carolina do Sul permitiu que sua filha de nove anos, de férias da escola, brincasse em um parque público enquanto estava no trabalho.[10] Antes, ela deixava a filha brincar em um laptop em seu local de trabalho, mas, quando o computador foi roubado, a menina pediu para ir ao parque. Quando uma adulta perguntou onde a mãe dela estava, a menina respondeu: "No trabalho". A mulher chamou a polícia, a mãe foi presa por "conduta ilegal com uma criança" e a filha foi colocada em um lar temporário.

É a mesma história, de muitas maneiras, da professora da USC-Irvine que deixou o filho ir ao parque depois da escola. Porém, as consequências foram muito diferentes: a professora só teve que lidar com um e-mail passivo-agressivo para o seu marido e uma ligação do diretor. A mulher da Carolina do Sul foi indiciada por um crime e perdeu a guarda da filha. Essas diferenças têm tudo a ver com etnia e classe: a mãe da Carolina do Sul é negra, e sua filha estava no parque enquanto ela trabalhava no McDonald's. A professora é branca e, bem, professora universitária.

Todos, teoricamente, têm o direito de descobrir como querem criar seus filhos, contanto que não coloquem as crianças em risco. Mas, na nossa sociedade atual, pessoas brancas de classe média ainda determinam os padrões de que tipo de criação é a *melhor*. Só porque as regras fazem com que seja impossível vencer não significa que esses pais não forcem a todos — inclusive a si mesmos — a segui-las até a exaustão.

O burnout acontece quando a distância entre o ideal e a realidade possível e vivida se torna grande demais para suportar. Isso é verdade no ambiente de trabalho e é verdade com filhos. O denominador comum entre os Millennials, então, é que fomos inoculados por essa ideia de que o fracasso — como nosso insucesso em encontrar trabalho, em guardar dinheiro suficiente para comprar uma casa ou em evitar uma avalanche de dívidas após uma emergência médica — pode ser explicado simplesmente pelo fato de você não ter se esforçado o bastante. Como a socióloga Veronica Tichenor explica: "O trabalho não mudou. As empresas ainda agem como se todo mundo tivesse uma esposa em casa. Todos precisam ser trabalhadores ideais sem precisar sair mais cedo para cuidar de uma criança doente. Se uma família tem dificuldade de equilibrar tudo isso, é um problema pessoal. Todas essas famílias com o mesmo problema? Esse é um problema social".[11]

Mesmo assim, continuamos tratando esse problema social como um problema pessoal. Mais especificamente, como um problema das mães. As mulheres há muito se assustam com a tarefa de reconciliar ou acalmar as ansiedades que acompanham mudanças sociais, e mães contemporâneas não são diferentes. Quando elas começaram a entrar no mercado de trabalho, a ansiedade causada por crianças "sem mães", lares bagunçados e pais donos de casa emasculados tinha que ser acalmada de alguma forma de modo a evitar que a repercussão negativa apagasse os poucos progressos alcançados. O acordo tácito:

as mulheres poderiam entrar no mercado de trabalho, mas só se também cumprissem *todas as outras* expectativas sociais. Poderiam ser ambiciosas, mas ainda tinham que ser legais; poderosas, mas gostosas; esforçadas, mas ainda boas cozinheiras; eficientes, mas ainda boas donas de casa; líderes, mas ainda femininas; workaholics, mas ainda mães devotadas. Para deixar claro, muitas dessas expectativas também foram colocadas sobre as mães Boomers — mas havia uma expectativa menor de performar e demonstrar essas qualidades online e para o consumo geral.

Homens participam e reforçam esses ideais, mas os principais árbitros de sucesso ou falha são outras mulheres. Esse é um dos elementos mais terríveis do controle patriarcal: ele transforma as próprias mulheres que subjuga nas principais carrascas de sua ideologia. E isso se manifesta principalmente no que muitas delas descreveram, com variados níveis de desgosto, como um sacrifício competitivo: "Mulheres brancas e de classe média e alta parecem viciadas no martírio como filosofia de criação de filhos", me falou Kaili, uma mulher branca de Chicago. "Desde COMPRAR TUDO até a tirania da amamentação e o peso do bebê, há inúmeras maneiras de se sentir culpada. Acho que a gente rapidamente faz com que as coisas sejam o mais difíceis possível para a gente mesma em vez de só viver."

Agir dessa forma — reforçando sem parar os mesmos padrões que tornam a vida *difícil* de um modo tão desnecessário — é psicologicamente escroto. Além disso, é muito *exaustivo*, ainda mais quando toda a frustração não processada não tem aonde ir a não ser em direção a uma competição com outras mães: "Em vez de oferecer uma demonstração legítima de senso de comunidade ou resolução de problemas, elas quase que universalmente tentam superar as fontes de sua frustração materna com as próprias lutas semelhantes, mas evidentemente muito piores", explicou Lauren, que se identifica como "uma estudante universitária branca e dura" do norte da Costa Oeste. "Seria fácil as mães se oferecerem para cuidarem do filho de outra para que essa outra pudesse tirar algumas horas para si, mas aí teríamos que admitir que precisamos de ajuda — e que claramente não estamos à altura de sermos mães. É melhor se agarrar à tocha do martírio e não soltar nunca mais."

Katie, que mora em um subúrbio de New England, vê o caráter do sacrifício misturado com o que chama de "criação de Instagram": "quando você posta todas as coisas lindas, as ótimas férias, as crianças sorrindo, mas nunca a loucura". Tirando quando você posta sobre a loucura — "aí isso tem que ser enfatizado". O Instagram e o Facebook se tornaram os principais meios pelos quais amigos e familiares acompanham uma família. São lugares para documentar o cotidiano (sempre bem-iluminado e fofo), mas são criados para mostrar o que é espetacular: as viagens, as festas de aniversário chiques, as roupinhas mais fofas, a familiaridade mais unida. Sasha, uma mãe branca de classe média-alta do Brooklyn, descreve a Mãe do Instagram como a "mãe maneira e tranquila que mantém um calendário superorganizado com os compromissos da família, quer transar não importa que horas as crianças foram dormir, consegue separar as preocupações do trabalho e da família e nunca deixa os filhos assistirem à TV ou comerem cereal no jantar".

Mas a criação de Instagram é só a manifestação contemporânea do culto a ser ocupado que a estudiosa de comunicação Ann Burnett acompanha há anos por meio de cartas familiares de boas festas: os longos e descritivos resumos do ano de uma família enviados perto das festas de fim de ano. Conforme ela acumulava mais e mais cartas, percebeu uma tendência na forma como os autores — quase sempre as mães — retratavam a vida da família: como um fluxo constante, infinito e frenético de *ocupações*. "Tem a ver com status", Burnett contou a Brigid Schulte, autora de *Overwhelmed* [Sobrecarregado]. "Significa que, se você é ocupado, é importante. Tem uma vida cheia e valiosa."[12] Estar ocupado, em outras palavras, é um tipo muito específico de *classe*.

Há um denominador comum aqui, entre todas as Mães do Instagram e o Martírio da Mamãe. Tudo isso é trabalho. Primeiro, você apaga esse trabalho fazendo a maternidade parecer muito ocupada, mas fácil — "que aventura!" —, e sempre bela e sem esforço. Então, porque não é legal *não* trabalhar, você enfatiza isso, explicando para si mesma, seu parceiro, sua família e seus amigos o quanto está realmente trabalhando. É contraditório, e lidar com essa contradição (além de todo o esforço para ser uma mãe perfeita e se sacrificar de modo exaustivo) só cria *mais* trabalho.

As tarefas se acumulam de uma forma que a deixa tão esgotada que você não tem energia para resistir, mesmo quando sabe que não faz sentido. Celia, que se identifica como latina e pessoa com deficiência, mora em uma cidade do Meio-Oeste com o marido e o filho. "Muitas das exigências da vida da dona de casa me parecem coisas inúteis para ocupar o tempo", disse ela. "Nunca deixar seu filho olhar para uma tela só significa que você nunca consegue esvaziar a lava-louças ou lavar o cabelo sem isso ser um problema. Ou a ideia de que, se deixar seu filho chorando no berço até dormir, isso vai estragar sua relação com ele para sempre, ou que tem que fazer o desmame guiado pelo bebê, porque se der papinha ele nunca vai desenvolver um paladar complexo e vai ficar gordo de comer besteira, embora você não tenha tempo de cortar todos os alimentos em cubinhos minúsculos." Celia consegue articular tudo isso claramente, mas ainda assim admite que se sente apavorada, todos os dias, com a possibilidade de estar estragando o filho de algum jeito.

Muitas mulheres conseguem listar, em detalhes, o mundo de tarefas, atitudes e hábitos que acompanham a "boa" maternidade — e, na mesma frase, admitir que simplesmente não há horas suficientes no dia nem mesmo para chegar perto de fazer tudo isso. Mesmo assim, aquelas que têm essa possibilidade tentam. É assim que Millennials são: se o sistema é manipulado contra você, é preciso se esforçar mais. Isso ajuda a explicar um dos dados mais curiosos sobre os últimos quarenta anos:

mulheres com empregos passam tanto tempo cuidando dos filhos quanto mães donas de casa passavam nos anos 1970. A metáfora da segunda jornada não é nada metafórica: elas têm mesmo dois empregos.[13] E, para ter tempo para esses dois empregos, elas dormem menos — e passam períodos muito menores consigo mesmas ou se divertindo.

Na verdade, estão passando mais tempo na "nova domesticidade", mais bem explicada pelo que Rachel, que tem um filho de cinco anos com a esposa nos arredores de Memphis, chama de "A CACETA DA PORRA DO PINTEREST".[14] "Além dos quatro alimentos mais ou menos saudáveis que meu filho come, era para eu fazer borboletas comestíveis para o lanche dele todo dia", conta ela. "E aí tem os dias da fantasia no colégio, artesanatos fofos que teoricamente melhoram o controle motor fino e evitam tempo de tela e a necessidade de tudo ter um tema." Se uma atividade de lazer tradicional como, digamos, tricô, for de fato agradável, as mães sentem a pressão de monetizá-la: Erika, que mora no subúrbio de Boston e descreve a família como "com dificuldades financeiras", se vê lendo artigos infinitos no Pinterest, como "21 maneiras ótimas de ganhar um dinheiro extra para donas de casa". "Eu passo o tempo todo me perguntando se deveria começar um negócio de tricô", diz ela, "em vez de relaxar com um hobby que me diverte".

"Estudos sobre tempo descobriram que mães, especialmente as que trabalham fora, estão entre as pessoas que menos têm tempo no planeta", escreve Schulte em *Overwhelmed*, "em especial mães solo, suportando não só a sobrecarga de papéis, mas também do que sociólogos chamam de 'densidade de tarefas' — a intensa responsabilidade que ela carrega e o grande número de trabalhos que desempenha em cada um desses papéis".[15] Mariëlle Cloin, que estuda o uso do tempo das famílias na Holanda, explica o problema para Schulte como sendo "overdose de papéis": "a constante troca entre um papel e outro".[16] Em cinco minutos, uma mulher pode mandar uma mensagem para uma amiga que está com dificuldades, cortar frutas para o lanche das crianças, verificar uma receita na internet, separar uma discussão entre os filhos na sala e tentar ouvir o parceiro contando sobre o dia no trabalho.

Qualquer tempo de lazer que sobre é cada vez mais passado com crianças ou é constantemente interrompido por elas. As mulheres se exercitam — com as crianças. As mulheres socializam — com as crianças. "Sou tão desesperada por ter um tempo sozinha que acabo ficando acordada até mais tarde do que deveria só para tentar ter alguns momentos comigo mesma", explicou Katie, que mora nos arredores de Atlanta. "No fim, eu fico mais cansada tentando tirar um tempo para mim mesma." Marie é branca, se identifica como de classe média e mora em Pomona, Califórnia, com o marido, que é indiano, e a sogra. Ela se vê o tempo todo discutindo sobre a duração dos seus banhos: "Meu marido reclama que passo meia hora, 45 minutos no banheiro, e percebo que o que quero realmente dizer quando falo que vou tomar um banho é que quero um tempo sozinha — para me arrumar, para relaxar, para pensar".

Se você trabalha fora, se sente culpada por não estar passando todo o tempo que sobra com seus filhos. Amy, que tem um emprego de período integral como bibliotecária, ficou chocada ao perceber como era difícil voltar ao serviço, que muitas vezes exige que ela trabalhe à noite e aos fins de semana. "Eu me pressiono muito para tirar tudo que posso do tempo que passamos juntos, e me sinto culpada quando separo algum tempo para mim em vez de ficar com o meu filho", diz ela. Além disso, o período que não passa cuidando das crianças, passa *falando* das crianças. "Eu não quero falar sobre os meus filhos e seus problemas quando estou com meus vizinhos ou amigos", diz Christine, que mora em Atlanta. "Tenho uma vida além dos meus filhos e outros interesses. Minha mãe com certeza não passava as festas da vizinhança discutindo minhas atividades, e cá estou eu, fazendo exatamente isso. Os maridos não caem nessa merda."

É claro que se espera dos pais de hoje em dia que sejam presentes e participativos — mas os padrões são bem menos exigentes. "Meu marido não precisa se esforçar/se superar constantemente/tentar melhorar para ser considerado um ótimo professor/marido/pai/vizinho", explica Brooke, que é branca, de classe média e mora na área rural da Carolina do Norte. "E talvez eu também não precise fazer isso, mas sempre sinto que preciso. A pior coisa é essa sensação ininterrupta de não ser suficiente."

Pais, comparativamente, podem se sentir suficientes tentando alcançar um nível de envolvimento melhor resumido como "mais do que seus pais fizeram". Isso pode envolver um espectro que vai de um simples trocar uma fralda a aceitar o papel de pai dono de casa. Na média, ainda parece que fazem só 35% do trabalho de cuidado, embora não queiram admitir: 41% deles acreditam que suas responsabilidades parentais são "divididas igualmente".[17]

Como Darcy Lockman explica em *All the Rage: Mothers, Fathers, and the Myth of Equal Partnership* [Toda a raiva: Mães, pais e o mito da igualdade de parceria]: "Relatos sobre o pai moderno e participativo foram exagerados em muito".[18] A *cultura* de paternidade mudou, mas isso não significa que os pais, mesmo aqueles comprometidos com a igualdade antes da chegada dos filhos, estão colocando-a em prática em casa. Um estudo de 2015 do Families and Work Institute descobriu que só 35% dos homens Millennials empregados e sem filhos acreditavam em papéis familiares "tradicionais", que "homens deveriam ser os provedores financeiros e que as mulheres deveriam ser responsáveis pelos cuidados com a família".[19] Para aqueles que já tinham filhos, esse número saltou para *53%*. Como Alissa, que se identifica como hispânica, branca e nativo-americana, diz: "Eu não sabia que meu marido liberal não era liberal até a gente efetivamente ter que dividir os cuidados com as crianças".

Há uma infinidade de explicações para essa distribuição desigual de trabalho: homens não são tão bons em fazer várias coisas ao mesmo tempo, não amamentam e por isso não podem ter o mesmo papel de cuidado com bebês pequenos, mulheres têm expectativas irreais sobre como eles devem completar tarefas. Lockman desmonta de forma metódica — e convence do contrário os leitores — cada uma dessas ideias. Os homens não são "naturalmente" piores em fazer várias coisas ao mesmo tempo, por exemplo. Os homens são *condicionados* a não precisarem fazer várias coisas ao mesmo tempo; mulheres são *condicionadas* a isso. "Tudo que dizemos que é uma diferença entre gêneros, se você pensar de uma perspectiva diferente — qual o ângulo do poder aqui —, em geral explica as coisas", diz a neurocientista Lise Eliot para Lockman. "É muito útil para os homens supor que essas diferenças entre homens e mulheres são naturais."[20]

Isso não é inteiramente culpa dos homens: como as mulheres, a maioria teve poucos modelos de parcerias de fato igualitárias. Uma vez que padrões de cuidado (e de "especialidade" naquele cuidado) são estabelecidos, é muito difícil alterá-los. Porém, até homens que tentam fazer sua parte do trabalho doméstico — cuidando da hora de dormir ou colocando a roupa para lavar — raramente carregam o que parece ser o maior fardo de todos: "a carga mental". A carga mental, como a cartunista francesa Emma descreve, é carregada pela pessoa da família (quase sempre a mulher) que tem o papel parecido com o de "gerente de projetos da casa".

A gerente não só completa as tarefas; ela mantém toda a agenda da casa em mente. É responsável pela saúde da família, pela manutenção da casa e dos corpos, mantendo a vida sexual, cultivando laços emocionais com os filhos, supervisionando o cuidado com os pais idosos, certificando-se de que as contas foram pagas, que os vizinhos foram bem recebidos, que alguém estará em casa para uma visita técnica, que os cartões de Natal serão enviados, que as férias serão planejadas com seis meses de antecedência, que as milhas não estejam vencendo, que o cachorro esteja se exercitando. A carga é muito pesada, e isso piora com o fato de que, não importa quantas tarefas você termine, ela nunca parece ficar mais leve.

Mulheres me contaram que ler o quadrinho de Emma, que já viralizou muitas vezes, as levou às lágrimas: elas nunca tinham visto o trabalho específico que fazem ser descrito, muito menos reconhecido. Esse trabalho é, em grande parte, invisível, mas também é incrivelmente difícil, bem, *descarregá-lo*, mesmo com o mais bem-intencionado dos parceiros. "Eu chamo o fenômeno de 'Você deveria ter pedido'", conta Debbie, uma mãe de classe alta da Flórida. "Eu amo meu marido e acho que ele é um homem maravilhoso, mas ele só faz as coisas quando eu peço. Só lava a louça depois do jantar se eu explicitamente peço, e mesmo assim ele nunca limpa a cozinha de verdade. Mesmo que eu peça explicitamente para ele fazer alguma coisa, não sei se é incompetência seletiva ou só incompetência normal, mas ele sempre faz errado."

Como Michael Kimmel, autor de *Manhood in America*, descreveu para Lockman, homens encontram muitas maneiras de "se safar" da divisão igualitária do trabalho. "Muitas vezes eles me dizem: 'Minha esposa fica me enchendo o saco porque eu não passo o aspirador, e eu estou vendo um jogo de beisebol, e ela entra e fala que eu poderia pelo menos passar o aspirador. Aí eu faço isso e ela volta e diz que eu não passei direito. Aí eu resolvo que simplesmente não vou mais fazer isso'. E eu digo a eles: 'Bom, essa é uma resposta interessante! Se eu fosse seu supervisor no trabalho, pedisse para você fazer um relatório, não ficasse satisfeito com o que entregou e falasse isso, sua resposta seria: *Bom, então não vou mais fazer isso!*'?"

Quando conto essa história, pessoalmente ou online, algumas pessoas respondem que o problema está em ver um parceiro (a mãe) como o chefe e o outro (o pai) como um empregado. É verdade: não é um cenário ideal, mas é o que acontece quando um parceiro reluta, ou ativamente se recusa, a dividir de forma igualitária o trabalho doméstico.

"Homens encontram maneiras de dificultar tanto que não vale a pena", explica a socióloga Lisa Wade.[21] Então muitas mulheres apenas aceitam a desigualdade. "Não há justiça na maternidade", uma amiga me falou. "Você vai pirar se tentar. Eu só tento me concentrar no que preciso para ter uma vida completa e deixo o desequilíbrio para lá tanto quanto é possível." Você se sente grata por ele ser "um homem maravilhoso", embora essa postura, como Lockman escreve, "disfarce um tipo de subordinação feminina que, de outra forma, seria intolerável em muitos lares do século xxi... Ele-fica-feliz-de-fazer-se-eu-pedir é só mais uma tarefa, não é uma parceria".

Muitas mulheres sentem que, por terem uma situação melhor que a de outras, não têm "direito" de reclamar. Lockman pega emprestada a "teoria da privação relativa" da sociologia para explicar essa reticência: "Só quando uma pessoa se sente mais privada do que outros membros do seu grupo de referência é que ela se sente no direito de reclamar abertamente". Seu parceiro não é o pior; ele faz mais que o pai dele ou que o marido da sua amiga, que é o pior *de verdade*. Como Sara, uma mãe de classe média da capital, Washington, me falou: "Nossa divisão de trabalho é 70/30 e eu já me considero com sorte (o que é escroto)". Jill, que mora em um subúrbio do Meio-Oeste, lutou muito para conseguir uma divisão de 55/45. "Precisei discutir muito e argumentar muito para chegar a esse ponto, e mesmo assim sei que ainda não é totalmente igualitário", disse ela. "Mas sei que tenho uma parceria melhor na criação dos meus filhos do que quase todo mundo que conheço, então não ouso arriscar minha sorte muito mais."

O fato de que problemas estruturais são *piores* para pessoas com menos dinheiro, menos ajuda ou menos flexibilidade também faz com que algumas mulheres se sintam ingratas por comentar sobre as formas como o sistema ainda as faz se sentirem uma merda. "É aí que eu me odeio de verdade", explicou Sarah, uma mulher de classe média-alta de um subúrbio no Meio-Oeste. "Somos muito privilegiados. Temos empregos razoavelmente seguros, ganhamos mais de 200 mil dólares por ano e quase não temos dívidas. Sinto que não posso reclamar de burnout porque muitas pessoas estão em situações piores que a minha.

Não estou preocupada com contas ou contando centavos. Eu me sinto muito culpada por reclamar, então engulo muito da minha raiva."

Só porque a desigualdade não é tão grave não significa que não seja sentida. "Eu poderia falar sobre burnout por horas e como sinto que estou falhando *todo santo dia*", me disse Renee, que é de classe média e mora em Nova Jersey. "Eu fico com raiva de todo mundo que tem ajuda e apoio da família. E odeio meu marido como nunca antes, porque muito do cotidiano e das coisas maiores caem sobre mim. Nós dois trabalhamos em período integral, mas tudo é comigo. Eu tenho tanta, tanta raiva." Raiva que parece explodir em especial em momentos de lazer do parceiro: "A maior diferença na nossa parceria é no tempo que não tenho para ficar sentada nos fins de semana em comparação ao tempo que ele fica sentado", explicou Sara, do subúrbio da Filadélfia. "E tira sonecas."

Lockman aponta para uma abundância de pesquisas sobre o "privilégio do lazer" dos homens: mães que trabalham fora e têm crianças em idade pré-escolar, por exemplo, tem 2,5 vezes mais chance de ser quem acorda com o filho no meio da noite. Pais de bebês passam o *dobro* de tempo em "lazer" nos fins de semana que as mães.[22] Lembro de um amigo que, enquanto seu filho era um recém-nascido, passava pelo menos um dia de cada fim de semana durante o outono assistindo a jogos de futebol nos estádios — e ficou indignado que sua esposa não queria que ele fizesse isso aos sábados *e* domingos. Não é uma questão de se pais merecem tempo de lazer; é que muitos consideram esse tempo de lazer um "direito", mesmo que o lazer das mães acabe sendo quase zero.

Às vezes a raiva se acumula de maneira gradual — conforme você percebe que uma decisão que era para beneficiar a família na verdade beneficia principalmente seu parceiro. Jennifer, que mora em um subúrbio do Sul, se identifica como uma mulher queer cisgênera que passou os quatro primeiros anos de maternidade casada com um homem hétero cisgênero. Antes de terem filhos, ela achava que ele seria um bom pai

— como muitos outros maridos, ele compartilhava com ela um desejo de dividir de modo igual o trabalho com as crianças. Quando tiveram o primeiro filho, o marido estava na faculdade de medicina e Jennifer, que é advogada, encontrou um emprego flexível com uma carga horária relativamente baixa, o que permitia que ela cuidasse da maior parte das tarefas domésticas. Mais tarde, quando eles tiveram dificuldade para encontrar creches ou babás que se encaixassem na agenda dela, Jennifer foi forçada a pedir demissão. "Parecia a escolha certa para a nossa família", explicou ela, "embora significasse basicamente abandonar minha carreira no direito".

Mas quanto mais ela abria mão de sua carreira, mais precisava trabalhar em casa — em especial depois do nascimento do segundo filho. "As expectativas sobre o que eu fazia só aumentaram, e as contribuições do meu parceiro só diminuíram, porque ele insistia que estava cansado demais para ajudar." Ele se recusava a levantar, em qualquer momento, se uma das crianças acordava no meio da noite, insistindo que ele precisava de uma noite inteira de sono para trabalhar.

A lógica que guia esse cenário é, de muitas maneiras, bem-intencionada — e reproduzida em lares por todo o país que rejeitariam o rótulo de "tradicionais". Um pai fica em casa por necessidade; o outro permanece no emprego com muito estresse e muitas horas de trabalho, esperando que um dia isso vá trazer recompensas: "Você tende a obedecer seu cônjuge e seguir em frente", explica Jennifer, "imaginando que um dia você vai ficar mais relaxado, confortável e estável, torcendo para que ele não peça o divórcio antes disso".

O marido de Jennifer, como muitos parceiros de quem é dona de casa, via todas as tarefas domésticas como o "trabalho" dela. Mas como Jennifer aponta, era um serviço que não pagava, que exigia que ela trabalhasse sete dias por semana, 24 horas por dia, sem folgas. E, se ela pedia a ajuda dele ou não fazia alguma coisa, a suposição de que ela apenas não estava se esforçando o suficiente apenas ficava lá, pairando de forma silenciosa no ar. Ela estava tirando sonecas durante o serviço? Vendo televisão demais? Ela se sentia desacreditada, desvalorizada e, principalmente, exausta.

"Vi essa dinâmica acontecer no meu próprio casamento, embora eu tivesse sido a principal provedora por anos e era quem tinha melhores perspectivas de emprego imediatas", disse Jennifer. "Mas também já vi acontecer com minhas amigas, muitas das quais ainda estão casadas porque não conseguem imaginar como viver de outra maneira." Afinal, não importa o quão irritada ou cansada você se sente quando parece que não há outras opções. E é difícil para outras pessoas entenderem por que você está tão irritada e cansada quando não veem que seu trabalho, dentro ou fora de casa, tem valor.

A insegurança econômica faz com que os pais fiquem *inseguros*. O que eles fazem para lutar contra essa insegurança tende a depender da sua classe econômica — e, consequentemente, do nível de insegurança que eles sentem. Tem uma diferença entre se preocupar se seu filho vai ter comida para a semana, por exemplo, e se preocupar porque seu filho não vai poder ir para o mesmo acampamento preparatório de férias caro que seus amigos.

Na prática, ambas as estratégias são justificadas pelo burnout e também o causam. Mas ser pobre é um tipo especial de burnout. Lidar com programas sociais criados para ajudar, mas que em geral só geram vergonha, é exaustivo se estigmatizado pela sociedade. Um assistente social uma vez me contou que sente que a burocracia americana nos programas sociais é intencional e infinitamente tediosa de modo a atrapalhar as pessoas que mais precisam. Todas as decisões e mil coisas a fazer que já são difíceis de aguentar quando você tem comida na mesa e um lugar seguro e confiável para morar se tornam imensuravelmente mais difíceis quando você não tem acesso a essas coisas.

Pesquisadores descobriram que a pobreza impõe um "peso cognitivo" aos pobres — tanta energia mental é dedicada a conseguir e manter as necessidades básicas da vida que pouco sobra para, digamos, pesquisas, guardar dinheiro, se inscrever e estudar em uma faculdade noturna, quanto mais encontrar ânimo para fazer o dever de casa.[23] Pagar as contas em dia é difícil para pessoas de classe média com burnout; imagine quão mais difícil é quando você não tem um computador ou dinheiro extra para um selo.

Em *Scarcity: Why Having So Little Means So Much* [Escassez: Por que ter tão pouco significa tanto], o economista Sendhil Mullainathan e o psicólogo Eldar Shafir numeram as maneiras como a "escassez captura a mente". Como Shafir explicou em uma entrevista para o *CityLab*: "Quando você está sobrecarregado, no caso das pessoas pobres, é mais provável que não perceba coisas, que não resista a coisas a que deveria resistir, que esqueça coisas, que tenha menos paciência e dê menos atenção aos seus filhos quando eles voltam da escola". Pais pobres não desenvolvem burnout; eles estão fora do estado de burnout.

Lorraine, que é branca e se identifica como sendo de classe baixa, se tornou uma dona de casa quando ela e o marido não conseguiram mais pagar uma creche. Eles conseguiram uma diminuição do aluguel, mas dependem muito de cupons de desconto e programas sociais. "Não posso pagar pelas aulinhas pré-escolares da minha filha e não fazemos viagens", conta ela. "Eu me preocupo constantemente se vou ter fraldas o suficiente. O lugar em que moro não tem muito transporte público ou áreas de caminhada, e muitas vezes eu nem tenho um carro para levá-la ao parque." Tudo isso a faz se sentir mais cansada, especialmente quando outras pessoas da comunidade comentam sobre os machucados normais da filha dela — e os relacionam ao fato de que às vezes a criança fica em creches domésticas ou da igreja. Não importa o quanto Lorraine se esforce para ser a mãe "certa"; os outros sempre a envergonham por não fazer mais.

Nana, que se identifica como judia israelense e mora em um pequeno subúrbio, descreve "medo, estresse, ansiedade e isolamento constantes" por ser mãe solo e pobre. Ela escolheu uma carreira que permitiria que ficasse mais tempo com o filho, mas agora se pega trabalhando mais para poder pagar as contas. "O trabalho nunca termina", ela diz. "O dinheiro nunca é certo. Isso faz com que seja muito mais difícil estar presente com meu filho." Lauren é uma estudante universitária em tempo integral de "classe baixa" no Noroeste Pacífico, mãe de dois filhos e casada com um homem que trabalha à noite e dorme durante o dia. Seu burnout se intensifica com "o estresse extra de tentar descobrir como as contas serão pagas, como enxugar o orçamento e o quão distante vou estar de pagar tudo que tenho que pagar no fim do mês".

E quando você não só está "tentando ser de classe média", mas também tentando criar um filho com necessidades especiais, qualquer tarefa parece ainda mais difícil. "Você quer falar sobre burnout de pais?", perguntou Meredith, que é branca e mora próximo a Pittsburgh.

"Fale com pais de crianças com necessidades especiais. Nós inventamos o burnout parental."

Meredith descreve o burnout como sendo a sensação de "ter cem bolas no ar e saber que você vai deixar algumas delas caírem, mas não saber quais e quão vitais elas serão e as consequências dessa queda". Ela está constantemente tentando descobrir como encaixar "mais uma terapia" para o filho na agenda, além de também estar se perguntando: "Será que esse tratamento vale a pena? Podemos pagar? Com quem terei que brigar para conseguir isso?". Cheryl, que se descreve como branca, queer e neurodivergente e cuida em tempo integral dos filhos com necessidades especiais, sente que está o tempo todo lutando contra o desejo de desistir, porque de jeito algum ela vai conseguir "fazer isso direito". "E o que é que isso significa, no fim?", ela pergunta. "Mas continuar tentando demais pode literalmente me matar — posso cair de exaustão ou com um ataque cardíaco."

O dinheiro pode ajudar a aliviar os sintomas do burnout exacerbado pela situação econômica. Mas o alívio de sintomas é diferente da cura. Stephanie, uma professora universitária latina, culpa o burnout pela destruição do seu casamento. Quando ganhou estabilidade (e um status firme de classe média-alta), conseguiu se divorciar, encontrar um terapeuta e evitar, nas suas palavras, "uma explosão". Mas ela mantém a ansiedade da insegurança financeira consigo. "Crescer na classe baixa significa que estou sempre preocupada com a poupança e com o fato de que não acho que vou conseguir ajudar meus filhos com muita coisa depois da faculdade", contou ela. "E ainda estou muito cansada e acordo preocupada pensando em como vou pagar por acampamentos de férias e aparelhos dentários."

Pais de classe média-alta como Stephanie não estão preocupados em cobrir despesas básicas. Estão preocupados com a mobilidade descendente: se os filhos de Stephanie não forem para o acampamento de férias ou não colocarem aparelho nos dentes, será que suas chances de manter o status de classe média diminuem? Pode parecer bobo, mas é um medo real e motivador: cair de status de classe é reverter a mobilidade ascendente arduamente conquistada pelos seus avós, seus pais ou por você mesmo. Isso parece muito não americano. E é por isso que muitos pais acabam piorando seu burnout tentando evitar isso.

Pegue o exemplo de Casey, que mora no subúrbio da Filadélfia e se identifica como branca e de classe média. Ela trabalha como procuradora e seu marido é enfermeiro. Mas eles têm quatro filhos, e recentemente declararam falência. "Se não temos dinheiro, como vamos mandar nossos filhos para acampamentos no verão e conseguir professores para nosso filho com necessidades especiais?", perguntou ela. "Como vamos a festas de aniversário e fazemos planos de socialização se não temos dinheiro para isso?" O que eles fizeram, como milhões de outras pessoas que mal conseguem manter o estilo de vida da classe média, foi mergulhar em dívidas.

Meredith, que se descreve como "uma mulher branca com estudo demais", explica seu burnout em termos de raiva, "em geral da infinitude do trabalho profissional somada à infinitude do trabalho doméstico", além da "irritante" tarefa de manter as aparências na vizinhança. "Temos que manter a casa bem-arrumada para não irritar a associação de moradores", explicou ela, "e se os amigos das crianças estão fazendo a atividade X, meu marido se sente culpado se nossos filhos também não fizerem isso, então eu concordo que o meu marido pare de encher o saco sobre a atividade X, mas aí me vejo na situação em que eu sou a única responsável por guardar e limpar os equipamentos da atividade X". Aí ela diz: "Eu me sinto mal por ter burnout por conta de #problemasdegentebrancarica, porque são tão triviais comparados aos problemas de outras pessoas".

Apesar da segurança econômica deles, Meredith diz que todas as suas decisões maternas "passam pela questão de 'Isso torna mais ou menos provável que meu filho vá querer morar no meu porão com trinta anos?'". Em outras palavras: como seus filhos podem chegar a um ponto, financeira e psicologicamente, de serem independentes? Para Alexa, que mora em uma cidadezinha no norte de Idaho, seu burnout diminuiu de maneira substancial quando sua família se mudou da Costa Leste, onde "havia muito mais pressão para ter as coisas certas e para poder pagar escolas particulares". Em Idaho, eles ganham o suficiente para trabalhar menos e pagar mais pelos cuidados infantis, incluindo uma babá. "A gente se sente seguro", disse ela, "mas guardar dinheiro suficiente para pagar a faculdade ainda é estressante."

Essa ansiedade muitas vezes se apresenta na forma de *mais* atividades. Alguns Millennials de classe média cresceram com agendas lotadas — mas isso não chega nem aos pés do que os Millennials de classe média agora se sentem impelidos a fazer com seus próprios filhos, desde a primeira infância. Em *The Playdate: Parents, Children, and the New Expectations of Play* [*Playdate*: Pais, filhos e as novas expectativas da brincadeira], Tamara R. Mose entrevistou pais na cidade de Nova York sobre "*playdates*" e as "regras" implícitas que os guiam. Não é surpreendente que ela tenha descoberto que os principais instigadores de *playdates* não são as crianças, e sim os pais — que, apesar das agendas já lotadas, sempre arrumam tempo para esses encontros. Não porque eles diminuem o fardo do seu trabalho (em muitos casos, os pais das duas crianças estão presentes), mas por causa de uma "conexão social", ou uma conexão de *classe*, para os filhos e para os pais.

A transformação de "ir brincar" em "*playdate*" formaliza o que já foi um componente casual da vida de uma criança. Deixa de ser algo motivado pela criança ("Eu vou brincar na casa da Emily") e se torna um compromisso marcado pelos pais, com expectativas de atividades, lanches e socialização organizados pelos adultos. E, como é algo guiado pelos pais, são eles que decidem que outros pais são os "corretos" com quem socializar: quase sempre são pais da mesma classe econômica, mesmo nível de educação e estilo de criação. Dessa forma, Mose argumenta, o *playdate* se torna uma importante ferramenta de "reprodução" de classe social de elite — mesmo em um lugar socialmente diverso como Nova York.

Pais de classe média podem ser horrivelmente (mesmo de forma inconsciente) esnobes — mas seu medo dos hábitos "ruins" de criação de outras famílias é só outra versão da mesma ansiedade e instabilidade de classe. Quando um pai tenta fazer conexões com o tipo "certo" de família, o que está de fato querendo fazer é criar uma apólice de seguro que garanta que seu filho vá manter conexões, hábitos e reconhecimento burgueses pelo resto da vida. Nessa lógica, passar tempo com o tipo "errado" de família é como se expor ao contágio, ameaçando infectar de modo permanente a criança com a doença da mobilidade descendente.

Dependendo do lugar dos pais no espectro econômico, eles podem gastar energia demais marcando *playdates* "apropriados" — ou tentando esconder que sua família não tem o status correto para participar. Amy, uma mulher branca que mora em Toronto, me conta que *odeia* fazer *playdates* para os filhos na própria casa — não por causa das crianças, mas pelo que pode acontecer se os outros pais descobrirem o status de classe deles. "Eu temo o que as crianças vão dizer para os pais, porque alugamos um apartamento e não somos donos de uma casa própria", diz ela. "Fico estressada sobre o que fazer para as crianças comerem para poder parecer que sigo normas de preparação de alimentos, e fico estressada por causa limpeza da minha casa e dos nossos móveis baratos." Ela sempre se oferece para pegar e deixar as crianças — gerando mais trabalho para si mesma — para evitar que os outros pais vejam sua situação de moradia.

Em uma entrevista com Malcolm Harris, a própria Mose descreve a pressão, sendo negra e mãe, de garantir que seus filhos brinquem "do jeito certo". "Eu sempre quero que a gente se apresente como uma família negra direita, porque conheço todos os estereótipos que existem sobre famílias negras e crianças negras", contou ela. "Então sempre quis me certificar de que minha casa estivesse limpa, de que comidas apropriadas fossem servidas, e por apropriadas quero dizer comidas orgânicas ou frutas e legumes, sem lanches industrializados ou fast food."[24] É um trabalho, em outras palavras, provar a pais brancos burgueses que seu filho merece ser associado ao deles.

Harris compara o evento de *playdate* com escolas particulares, em que "pais mais ricos tiram os filhos do ensino público e os escondem em um lugar com uma lista de convidados e entrada paga". O que é uma ótima forma, inclusive, de descrever a nova festa de aniversário infantil da burguesia. Quando eu era criança, tive uma festa em um rinque de patinação e outra com o tema do meu livro favorito (*The Eleventh Hour* [A décima primeira hora]). Minha mãe ainda reclama delas. Mas era eu quem queria essas festas — e era eu quem fazia a lista de convidados. A festa contemporânea, em especial para crianças pequenas, é quase ridiculamente transparente em sua tentativa de reprodução de classe.

"A festa de aniversário não é necessariamente para a criança, embora muitos tentem retratar a festa como algo voltado para ela", escreve Mose. Em vez disso, é uma manifestação de "pânico": "uma obrigação de manter a identidade e o papel da mãe na comunidade" e de demonstrar "vantagem econômica e, logo, vantagem de classe".[25] Em *Big Little Lies* — um seriado que, na superfície, se trata de um assassinato, mas que na verdade é sobre manutenção de classe —, quando Renata Klein (Laura Dern) descobre que o marido foi preso por fraude e que todos os seus bens serão leiloados, ela responde dando uma festa de aniversário exuberante com tema dos anos 1970 para a filha pequena. Não há dúvidas de para quem aquela festa foi feita — nem do que ela quer comunicar.

Big Little Lies é um melodrama, mas seu roteiro se baseia em versões só levemente exageradas de ansiedades parentais modernas. Conversei com uma mulher chamada Julie, que descreve sua família como sendo branca e de classe média e que recentemente se mudou de uma cidade perto de Westchester, no estado de Nova York, onde "todo mundo era só demais". Uma compra típica de mãe por lá: conjuntos de almofadas gigantes da marca Yogibo para o quarto de brincar do filho (preço: cem dólares cada). "Eu simplesmente decidi que não ia seguir nessa e ia tentar fazer as coisas do meu jeito", disse ela. "Mas aí é claro que meu filho quis fazer a festa de aniversário em um daqueles salões com castelos infláveis. Acabamos gastando mais de setecentos dólares em uma festa para doze crianças."

Até pais como Julie, que tentam resistir a participar do "ritual social" dos aniversários são atraídos contra a sua vontade. As crianças, afinal, só acham que estão indo para uma festa — não para uma demonstração parcamente disfarçada de insegurança de classe que faz todos os adultos envolvidos se odiarem.

Se criar filhos — como trabalhar e lidar com a tecnologia — se tornou tão difícil, por que não fazemos nada para mudar isso? Se é de forma tão clara um problema social compartilhado, por que continuamos a nos enganar e pensar que é uma falha pessoal? Pense no exemplo de creches acessíveis e confiáveis. São ridiculamente difíceis de encontrar. Se são confiáveis, é muito raro que sejam acessíveis; se são acessíveis, é muito raro que seja confiáveis. O estresse de cuidar das crianças, com frequência, faz com que um dos pais peça demissão de um trabalho que ama; faz com que o outro pai trabalhe muito mais do que gostaria só para cobrir os custos.

Ter uma rede de cuidados infantis acessíveis e universalmente disponíveis — para crianças pequenas, mas também para aquelas que precisam de cuidados antes e depois da escola — seria transformador. Tiraria um fardo imenso de tantos pais, e de mães em especial. Nós subsidiamos fazendeiros, subsidiamos o crescimento de empresas locais, financiamos a educação pública. Então por que isso não acontece?

Parece haver duas razões interligadas e profundamente deprimentes: eles ainda não valorizam o trabalho doméstico como trabalho e eles ainda são predominantes no legislativo e na vasta maioria das corporações. Eles não tratam a criação de filhos contemporânea — seu custo ou o burnout que a acompanha — como um problema, muito menos como uma crise, porque não conseguem, ou se recusam, a se colocar nesse lugar. Não importa se esses políticos se identificam como conversadores, "pró-mulher" ou até mesmo como "feministas"; o que importa é que essa não se tornou uma prioridade legislativa ou corporativa.

E se por um lado existem mulheres na política e no mundo dos negócios que defendem essas políticas, ou elas não ocupam posições de poder para reforçá-las, ou, se ocupam, muitas vezes usam sua plataforma para demonstrar que não é necessário mudar nada. Marissa Meyer, a ex-CEO do Yahoo!, publicamente se recusou a tirar mais de duas semanas de licença-maternidade depois de ter o primeiro filho — não só um sintoma de uma cultura de trabalho que não aceita a realidade da maternidade, mas também um sintoma de sua disposição de seguir e fortalecer de maneira implícita essa cultura.

Existem exceções, é claro: a marca de roupas esportivas Patagonia tomou a dianteira e estabeleceu creches subsidiadas pela empresa na sede; na Gates Foundation, todos os funcionários recebem um ano inteiro de licença parental (que recentemente foi cortada para seis meses, mais 20 mil dólares para pagar cuidados infantis). Mas as soluções no nível corporativo não são suficientes: como vimos, a fragmentação do mercado de trabalho garante que essas mudanças só estejam disponíveis a certas classes e certos tipos de trabalhadores. O alívio do burnout parental não deveria ser um privilégio da classe média. Afinal, se você oferece alívio exclusivamente para a classe média-alta, o medo de "piorar" para a classe inferior permanece. Em outras palavras: você pode se livrar dos custos com creches ou babás, mas isso não significa que vai se livrar da infinita performance de classe das festas de aniversário ou da perfeição do Instagram.

As causas são sistêmicas, e é por isso que as soluções têm que ser holísticas. É bem direto, na verdade: mude a estrutura fundamental em que a criação de filhos ocorre, e isso vai transformar o *sentimento* causado por elas. E é por isso que a solução para o burnout parental não virá de livros como *Mommy Burnout*, escrito por uma psicóloga e terapeuta familiar, ou de *Girl, Stop Apologizing* [Garota, pare de se desculpar], de uma especialista em empoderamento como Rachel Hollis. Esses livros não apenas lidam com os sintomas da exaustão ("Você não precisa ser perfeita! Deixe essa culpa materna para lá!"), mas evitam as causas maiores e estruturais dessa exaustão. Como Lockman argumenta de forma muito persuasiva, uma das principais maneiras de garantir uma distribuição duradoura e igualitária de trabalho é quando o adulto que não deu à luz tira uma licença significativa, de preferência sozinho.[26] Durante esse tempo, o trabalho que de outra forma permaneceria invisível — incluindo, de forma mais importante, o trabalho de suportar a carga mental — se torna visível.

Mas para isso é preciso mudanças estruturais. Você não consegue resolver o burnout parental abrindo um espaço na agenda para o grupo de estudos bíblicos ou para escrever no diário de manhã, como Jessica Turner sugere em *The Fringe Hours*, ou aprendendo a brigar como um adulto, como Jancee Dunn defende em *How Not to Hate Your Husband After Kids* [Como não odiar seu marido depois dos filhos]. Você não consegue resolver isso com "autocuidado", um conceito criado por Audre Lorde para descrever como uma pessoa precisa se dar o espaço para se recuperar da luta exaustiva contra a opressão sistêmica, mas que foi cooptado por mulheres brancas privilegiadas para se dar permissão de escapar de muitos dos padrões e compromissos que elas ajudaram a perpetuar (seja de forma consciente ou não). Você pode se sentir melhor (temporariamente), mas o mundo ainda vai parecer errado.

Criar filhos nunca será algo sem preocupações, comparações ou estresse. Mas é possível sentir menos dessas coisas. Para que isso aconteça, temos que admitir que não é suficiente ter ideais progressistas sobre parentalidade. Nossa versão atual do capitalismo patriarcal destrói esses ideais, não importa o quanto eles sejam sinceros ou profundos, e os substitui com o oposto conservador: uma distribuição dramaticamente desigual do trabalho doméstico, desvalorização generalizada do trabalho feminino e empregos pensados para dar preferência àqueles que não carregam o fardo das responsabilidades com crianças.

Isso não significa que ter um tempo para escrever no diário, fazer terapia de casal para discutir a divisão do trabalho com seu parceiro ou abrir o coração com seus amigos não vão fazer com que você se sinta melhor. Mas isso não vai facilitar a vida de outros pais — ou de seus filhos, quando eles tiverem os filhos deles. Eu me vejo voltando a um dos melhores conselhos que já recebi sobre como efetivamente diminuir o burnout: pense não só em como diminuir o seu, mas como suas ações reverberam e espalham burnout para os outros.

Esse é um conselho útil não só para parceiros homens que estão lendo este capítulo, mas também para todos, não importa o quanto você mesmo sofra com o burnout nem seu status como pai. Se quiser se sentir menos exausto, menos ressentido, menos preenchido por uma raiva impronunciável, menos destruído, menos como sua pior versão, então precisa agir, votar e defender soluções que tornarão a vida melhor não só para *você* — ou para pessoas que parecem com você, falam e agem como você e têm famílias como a sua —, mas para *todos*.

CONCLUSÃO: QUE ARDA CONCLUSÃO
ARDA CONCLUSÃO: QUE ARDA CONC
QUE ARDA CONCLUSÃO: QUE ARDA C
SÃO: QUE ARDA CONCLUSÃO: QUE AR
CLUSÃO: QUE ARDA CONCLUSÃO: QU
CONCLUSÃO: QUE ARDA CONCLUSÃO
ARDA CONCLUSÃO: QUE ARDA CONC
QUE ARDA CONCLUSÃO: QUE ARDA C
SÃO: QUE ARDA CONCLUSÃO: QUE AR
CLUSÃO: QUE ARDA CONCLUSÃO: QU
CONCLUSÃO: QUE ARDA CONCLUSÃO
ARDA CONCLUSÃO: QUE ARDA CONC
QUE ARDA CONCLUSÃO: QUE ARDA C

Tem algo faltando no último capítulo: eu. Não tenho filhos e, com a exceção de alguma mudança dramática na minha vida, não terei. As pessoas têm muitos motivos para não ter filhos: não podem, não gostam muito de crianças, não acham que seriam bons pais ou que têm estabilidade para isso, simplesmente não *querem*. Eu não tenho filhos por muitos motivos — todos podem ser relacionados ao burnout e à cultura que ele promove.

Como um número cada vez maior de Millennials, eu "atrasei" muitos marcos da vida adulta: só fiz uma conta de 401K aos 31 anos. Só comprei uma casa com 37, e só porque saí de Nova York. Ainda não sou casada e não planejo me casar. Não porque não tenho planos em longo prazo com meu parceiro, mas simplesmente porque não vejo necessidade. E tem a questão dos filhos — se eu engravidasse agora, minha gestação seria considerada "geriátrica".

Mas será que fui eu que escolhi atrasar essas coisas ou a realidade social tornou difícil fazer qualquer outra coisa *que não* atrasá-las? Você pode discordar da decisão de fazer uma pós-graduação, mas eu decidi fazê-la com a ideia estabelecida de que isso culminaria em um emprego estável. Terminei meu mestrado o mais rápido que pude, mas não antes de completar trinta anos. Eu conheço pessoas que tiveram filhos durante a pós-graduação — *Aproveite que você ainda tem o plano de saúde! Você pode escrever a dissertação enquanto o bebê dorme!* —, mas eu já estava trabalhando o tempo todo; fazer a mesma quantidade de trabalho e além disso cuidar de um bebê me parecia simplesmente um milagre.

Eu me formei e passei os anos seguintes perseguindo empregos pelo país com pouco mais de mil dólares na poupança — também não era o momento ideal para ter um bebê. E aí eu virei jornalista, morando em Nova York, em um apartamento em que mal cabia um cachorro, pagando um quarto do meu salário em empréstimos estudantis todo mês. Enquanto isso, minhas amigas começaram a engravidar. Elas falavam sobre carrinhos (caros) e planos de parto (mais caros ainda). Eu mal tinha dinheiro guardado para pagar uma coisa, imagine a outra. Então elas começaram a falar sobre planos de creche e como seus pais cuidariam das crianças por um ou dois dias da semana. Percebi que eu não tinha nada disso. Elas falavam sobre babás e preços de babás, pagando o dobro do que eu recebia quando trabalhava como babá apenas uma década antes. Como eu poderia pagar ao menos uma fração desses custos, o aluguel em Nova York e meus empréstimos?

Uma amiga simplesmente parou de trabalhar. Outra começou a fazer um expediente de quatro dias semanais, mas fazendo a mesma quantidade de trabalho. Não havia um lugar apropriado para tirar leite na empresa. Até as minhas amigas mais ardentemente feministas pareciam resignadas a deixar os maridos fazerem bem menos trabalhos domésticos que elas. Vi o quanto elas trabalhavam, todos os dias, e o quanto a exaustão se acumulava. Elas amavam muito seus filhos — assim como eu. Eu amo crianças! Trabalhava como babá! Elas davam um jeito. Por que eu não daria?

A questão é que ter filhos dá *trabalho*. Mais trabalho, um trabalho infinito, um trabalho multiplicado. Filhos costumavam ser uma necessidade laboral: uma boca para alimentar, mas que também *diminuía* a quantidade de trabalho a ser feita. Mas os padrões de criação contemporâneos significam que as crianças *se tornam* um trabalho. Você precisa trabalhar fora para ganhar dinheiro suficiente para pagar pelo seu cultivo combinado, mas também fazer todo o trabalho real do cultivo combinado em si. Os livros que eu precisaria ler, os grupos de que precisaria participar, as aulas de música entediantes a que precisaria assistir, o estresse de escolher uma escola ao qual eu teria que resistir, o julgamento que eu internalizaria e deixaria expandir dentro de mim até me devorar por completo. Trabalho, trabalho e mais trabalho.

É por isso que eu não conseguia me ver fazendo tudo isso. Eu já estava trabalhando até o limite, me esforçando mais do que podia, mal conseguindo viver. Mais trabalho — sem ajuda, sem rede de apoio, sem compreensão. Parecia que aquilo poderia me fazer simplesmente desaparecer.

Eu sei bem quais são os argumentos contrários: as pessoas tornam seus filhos a prioridade. E se você está nessa posição, simplesmente dá um jeito. Mas no meu mercado de trabalho, e na minha especialização, tudo já era muito precário. Sem minha habilidade de trabalhar o tempo todo, eu não tenho como me distinguir. Claro, eu teria um bebê que eu amaria, mas provavelmente também estaria desempregada.

Quando as pessoas pensam em ter filhos, muitas vezes pensam em "fazer as contas fecharem" para ver se é possível. Se pararem de gastar dinheiro com tal item ou pedirem a ajuda de um familiar para substituir um dia de creche... Ou elas se convencem, com níveis variados de ilusão conveniente, que não vai ser *tão* difícil assim — ou que a parte difícil só vai durar pouco tempo.

Eu simplesmente não conseguia fazer as contas fecharem. Financeiramente, em especial, mas mesmo depois que saí de Nova York e me vi em uma situação financeira mais estável, não conseguia fazer as contas funcionarem de outro jeito. Eu trabalhei tanto, por tantos anos, e por fim alcancei, com muita sorte, um ponto de relativa segurança: no meu trabalho, na minha vida pessoal, com o meu parceiro. Eu li o suficiente, e observei o suficiente, para saber que, no meu caso em particular, filhos explodiriam tudo isso.

Quero deixar uma coisa muito clara, porém: crianças, em si, não são problemas sociais. Crianças são *incríveis*. Quando conversei com pais sobre burnout, sempre fiz questão de perguntar também o que lhes traz grandes alegrias, e as respostas foram sublimes. Mas a organização atual da nossa sociedade — de escolas, de trabalhos, da forma como questões de gênero atravessam ambos — transforma filhos em minibombas na vida das pessoas. Não eles, exatamente, mas sim as expectativas e realidades financeiras e trabalhistas que os acompanham.

Todos os dias, as pessoas decidem que essa explosão vale a pena. E, para ser sincera, eu tinha decidido, dez anos antes, que outro tipo de explosão — a de uma dívida estudantil imensa — valia a pena. Hoje em dia, filhos são uma bomba muito mais valiosa do que um doutorado, mas os impulsos que nos guiam em direção a essas decisões permanecem os mesmos: elas simplesmente parecem *certas*, como a melhor escolha que poderíamos tomar, como algo de que não nos arrependeríamos. Nosso ímpeto de reprodução, assim como nosso ímpeto por conhecimento, cria uma amnésia temporária, a habilidade de negar que a dura realidade vivida será tão difícil ou tão real para você.

Você pode chamar esse modo de pensar de típico de Millennials (*Eu sou excepcional, e se eu me esforçar mais, as coisas vão ser diferentes para mim*), de americano ou apenas biologicamente humano, como se nossas mentes nos enganassem para reproduzir a espécie. Nossos corpos, afinal, fazem algo semelhante há milênios: de outra forma, como você convenceria as mulheres a suportar o parto? Mas a história da civilização moderna também é a história de mulheres descobrindo aos poucos que podem ter as mesmas escolhas que os homens: primeiro, de não ter *tantos* filhos, e hoje, de não ter filho algum.

Eu tomei a decisão de não ter filhos. Compreendo que algumas pessoas diriam que isso é egoísmo — e que a autoindulgência se tornou a forma necessária de encarar a autopreservação. Mas, se nossa sociedade continuar tornando a vida hostil para pais em geral e para as mães em especial, é uma decisão que cada vez mais Millennials vão tomar.

Em agosto de 2019, a NPR fez uma matéria sobre Millennials chamada "Less Sex, Fewer Babies" [Menos sexo, menos bebês]. A matéria, como tantas do gênero, coloca a culpa desse declínio em aplicativos de namoro online, mais tempo passado na internet e em homens e mulheres jovens priorizando suas carreiras. Rashmi Venkatesh, que tem trinta anos, é casada e doutora em ciência, disse à NPR que tinha imaginado "uma vida profissional e familiar completa". Mas ela simplesmente não consegue imaginar o que tirar três ou quatro meses de licença-maternidade faria com sua carreira — ou como ela pagaria pelos cuidados infantis depois disso. Essa ideia de uma vida familiar completa "foi pelo ralo".[1]

Histórias como a de Rashmi — e como a minha — são cada vez mais familiares. Não são só contos; elas se acumulam e criam uma mudança estatística significativa. Só entre 2017 e 2018, a taxa de natalidade nos Estados Unidos caiu 2%. O número total de nascimentos é o menor em 32 anos. Essas pessoas que não estão tendo filhos — e aguentando uma "seca sexual"? São Millennials. E, se por um lado, mais tempo na internet, aplicativos de encontros e ambições profissionais talvez sejam a causa *direta* de menos sexo e menos bebês, a causa real é o burnout.

Passamos mais tempo na internet porque estar na internet é o nosso trabalho — ou porque estamos tão exaustos que a única coisa que queremos fazer, durante nosso suposto tempo livre, é olhar as mídias sociais ou as notícias. Não ficamos presos aos aplicativos de namoro porque eles tornam os relacionamentos *melhores*, mas porque são *otimizáveis*: um item simples com que podemos lidar nos cinco minutos entre uma tarefa e outra. O número de encontros diminui não porque as pessoas não sabem interpretar comunicações online, como alguns sugerem, mas porque encontros de verdade — tirar um tempo considerável para conhecer alguém, ou vários alguéns — ocupam o tempo em que você poderia estar trabalhando. Ou é isso, ou você tem dificuldade de se convencer, depois de um longo dia encarando o computador, de que tem energia para interagir com qualquer um além do seu bichinho de estimação em um nível pessoal. Não fazemos menos sexo porque somos menos sexuais; fazemos menos sexo porque estamos *exaustos*.

Não esperamos ou decidimos não ter filhos porque amamos mais nossas carreiras do que amamos bebês. Só temos dificuldade para ver como nossa sociedade, na nossa configuração atual, vai nos permitir fazer as duas coisas sem nos perder no caminho. As mulheres já são cidadãos de segunda classe. Quando se tornam mães, isso só piora — e elas precisam se esforçar ainda mais para provar o contrário, ou viver de forma a recusar esse destino.

Por anos, americanos se resignaram ao burnout. Muitos dos nossos pais faziam isso desejando vidas melhores, mais seguras e com menos burnout para nós — e mesmo assim fazemos o mesmo hoje. Trabalhamos mais para ganhar menos e nos culpamos por nossa fadiga e precariedade como se fossem falhas nossas, não da sociedade. Mas a recusa de lidar com o burnout tem consequências — no indivíduo, é claro, mas também no país como um todo.

Isso não é especulação. É só olhar para o Japão, em que a taxa de natalidade, em 2018, era de apenas 1,42. Para manter a população do país estável — nem crescendo, só *estável* — era necessária uma taxa de 2,07. Mas, ano após ano, o número de nascimentos no Japão diminui. A taxa de natalidade em 2018 foi a mais baixa desde que o país começou a manter registro disso, lá em 1899.

Em 1995, só 10% das mulheres japonesas entre 35 e 39 anos nunca tinham sido casadas. Em 2015, quase *um quarto* das mulheres nessa faixa etária eram solteiras. Se você olhar o panorama mais amplo, é fácil ver o motivo: depois de casadas, ainda se espera que as mulheres que trabalham fora realizem a maioria do trabalho doméstico e com os filhos. Elas passam horas pendurando roupas, lavando pratos e cozinhando, além de ter que preencher a papelada interminável necessária para a pré-escola das crianças: registros diários de atividades e refeições, assinaturas em todos os deveres de casa. A versão japonesa da maternidade do Pinterest é um elaborado almoço embalado à mão, com tema e tudo.

De acordo com um estudo de dados governamentais, mulheres japonesas que trabalham mais de 49 horas semanais continuam fazendo perto de 25 horas de tarefas domésticas por semana. Os maridos ainda fazem uma média de menos de cinco horas. E mesmo que um homem queira contribuir mais para os deveres domésticos, a cultura corporativa de trabalho excessivo torna isso quase impossível. Espera-se que empregados de todos os campos lidem com clientes e chefes com regularidade de um jeito que supera loucamente os padrões americanos.[2] Não fazer isso, bem, não é uma opção — o que explica por que, em 2018, só 6% dos homens japoneses que atuavam no setor privado tiraram licença-paternidade. Do período de um ano que é disponibilizado para os pais que trabalham, o homem tirou em média só *cinco dias*.[3] Como Kumiko Nemoto, professora de sociologia na Universidade de Kyoto, disse ao *The New York Times*, "É bem óbvio para grande parte das mulheres que têm emprego que é muito difícil encontrar um homem que esteja disponível para cuidar da família".[4]

E o burnout predomina: em 2017, funcionários em um quarto das empresas japonesas trabalhavam mais de oitenta horas *extras* mensais, muitas vezes sem receber por isso.[5] Os empregados recebem vinte dias de férias por ano, mas 35% deles não tiram um único dia. Existe até uma palavra em japonês — *karoshi* — para descrever especificamente a morte por excesso de trabalho. Essa palavra se tornou amplamente usada nos anos 1980, quando o Japão estava no caminho para a proeminência global. Porém, antigamente, trabalhar demais também significava uma segurança vitalícia: você se dedicava a uma empresa que, por sua vez, se dedicava a você e à sua família em longo prazo. Esse não é mais o caso, mas o expediente dos trabalhadores e a pressão corporativa permanecem iguais.

Em anos recentes, o governo japonês colocou em prática planos para controlar o que passou a ser visto como uma crise de natalidade *e* trabalhista que ameaça o futuro da nação. Houve campanhas de incentivo a casamentos e à natalidade, além de leis estabelecendo "Sextas-feiras Premium", que forçam empregadores a permitir que seus funcionários saiam às três da tarde na última semana do mês sem desconto no salário, além de tentativas de controlar horas extras não pagas.[6] Em janeiro de 2019, o ministro do Meio Ambiente japonês gerou manchetes depois de anunciar que planejava tirar algum tempo de licença após o nascimento do filho: incríveis duas semanas, ao longo de três meses. Mas muitos japoneses permanecem céticos de que qualquer uma dessas ações vá causar mudanças significativas. Mães japonesas que trabalham fora não precisam mais trabalhar até as dez da noite, mas isso não significa que seus maridos não trabalhem — ou que essas mesmas mulheres não serão preteridas em promoções ou outras oportunidades profissionais simplesmente porque não podem demonstrar sua dedicação da mesma forma que os colegas homens.

O Japão esperou chegar a uma crise — e só então decidiu agir. Mas essas ações falham em lidar de forma holística tanto com a cultura do burnout quanto com a desigualdade de gênero que a acompanha. Encarando a possibilidade de ter que se exaurir de trabalhar sozinhas — e se dar bem — ou se exaurir de trabalhar e *ao mesmo tempo* ter que fazer todos os afazeres domésticos enquanto suas carreiras sofrem constantemente, não é de surpreender que tantas mulheres japonesas fujam disso tudo: do casamento, da maternidade e da ideia de que ser mulher faz com que essas coisas sejam *necessárias*.

"O Japão é um caso único", as pessoas dizem. "Isso não vai acontecer aqui." Mas os escrúpulos e contradições ideológicas do Japão não são mais ou menos únicos do que os dos Estados Unidos ou de qualquer outro país. O que aconteceu no Japão não é único, e sim instrutivo: um sinal claro de que, quando uma sociedade ignora, incentiva, exige ou naturaliza o burnout, ela se coloca em risco. O desequilíbrio resultante pode não ser aparente de imediato. Mas, com o passar do tempo, rachaduras nas fundações ideológicas mais caras a uma nação — de que o trabalho árduo é recompensado, de que os melhores são bem-sucedidos, de que a educação é essencial, de que *as coisas vão dar certo* — crescem e se tornam insustentáveis. Nos Estados Unidos, tentamos preencher essas rachaduras com soluções rápidas de *mais trabalho*: mais e-mails, mais atividades infantis, mais posts nas mídias sociais. Seguimos em frente, além do ponto da exaustão, porque o que aconteceria se não fizéssemos isso?

Porém, lentamente, algo tem que começar a mudar. Talvez você tenha tido uma síncope, mas é mais provável que não. Talvez tenha se cansado de ler tantos posts com *"life hacks"* ("truques úteis para facilitar a vida") e queira jogar o telefone pela janela. Talvez tenha saído de férias e não tenha sentido nada. Talvez tenha percebido que estava entrando no Instagram sem motivo em um sinal de trânsito. Seja qual for essa mudança na sua própria vida, a conclusão permanece a mesma: *As coisas não precisam ser assim.*

Essa é uma ideia que é libertadora de maneira incrível: que o que entendemos como "simplesmente a maneira como as coisas são" não precisa ser assim. Só porque fizemos as pazes com a nossa realidade atual não significa que ela esteja correta. Porque esta é a verdade, que não se torna menos verdade se outros precisam suportá-la: não deveríamos ter que escolher entre uma vida profissional de excelência e nossa felicidade como indivíduos. Deveríamos nos sentir bem quando ouvimos nossos corpos dizerem, de todas as maneiras possíveis, que precisamos *parar*. Ter filhos não deveria ser uma competição. Momentos de lazer não deveriam ser tão raros. O trabalho doméstico não deveria ser nem de longe tão desigual. Nós não deveríamos estar tão preocupados, tão apavorados, tão ansiosos sobre *tudo*.

E se nós não nos resignássemos a trabalhar até nós ou o planeta morrermos? Ou se nos recusássemos a aceitar que salários de merda são só o que merecemos por nosso trabalho importante? E se nos negássemos a permitir que o trabalho se intrometesse em todos os cantos de nossas vidas? A bolsa de valores não deveria ser o indicador de saúde econômica de um país. O investimento privado em empresas estabelecidas deveria ser banido ou altamente regulado. Os ricos não deveriam ser tão ricos e os pobres não deveriam ser nem de longe tão pobres. E nós não deveríamos perdoar qualquer uma dessa realidades imperdoáveis em nome de mitos antigos e errados sobre quem somos e o que simbolizamos — em especial quando a permanência deles só beneficia quem já tem poder.

Não precisamos de anarquia, exatamente, mas precisamos, sim, perceber o quão próximos estamos do colapso — e o quanto estamos prontos para uma mudança significativa. Ambas as tendências, afinal, podem ser exploradas com facilidade. É possível desenhar uma linha torta entre o burnout, as crises existenciais e o desespero que o acompanham e o nacionalismo branco, a misoginia violenta na internet e o neofascismo. Em vez de identificar a causa real de nossa precariedade emocional e financeira, os Millennials muitas vezes voltaram seu olhar e a culpa para onde lhes apontam. Para outras mães, para imigrantes, para pessoas diferentes de nós ou mais assustadas do que nós. O desespero faz as pessoas tomarem decisões que no momento fazem algum sentido e prometem algum tipo de alívio. Só porque são imperdoáveis não significa que sejam inexplicáveis.

O burnout envelopou nossa versão atual do capitalismo. Ele transforma e infecta todas as interações, assombra todas as decisões. Ele nos embota e nos sufoca; é tão familiar que nos esquecemos de temê-lo. Só agora estamos começando a ver seus efeitos de longo prazo e a tratá-los com seriedade. O que significa que agora também é o momento de agir.

Mas eu não tenho uma lista específica de ações para você. Estou tentando, da melhor maneira que consigo, demonstrar, e não mandar.

Todos os livros que leio sobre a economia, sobre nosso vício involuntário nos celulares ou sobre a exaustão da maternidade — todos terminam com *soluções*. Alguns incluem listas práticas e caixinhas de "dicas do dia a dia" que podem mudar seu cotidiano; alguns têm sugestões longas e detalhadas de mudanças necessárias em políticas públicas. Todas essas ideias são atraentes, interessantes e profundamente inúteis. Só mais uma maneira, no fim, de falhar consigo mesmo e com o mundo.

E é por isso que este projeto, desde sua concepção original como artigo até agora, nunca teve a intenção de dizer a você o que fazer. Eu não posso consertar você quando foi a sociedade que o destruiu. Em vez disso, tentei fornecer uma lente através da qual você pode se enxergar e enxergar o mundo ao seu redor com clareza. Então olhe para a sua vida. Para suas ideias sobre trabalho, sobre seu relacionamento com seus filhos. Olhe para seus medos, seu celular e sua caixa de entrada de e-mail. Olhe bem para a sua fadiga e lembre a si mesmo que não há aplicativo, livro de autoajuda ou estratégia de planejamento de refeições que possa resolvê-la. É um sintoma de ser um Millennial no mundo atual. E, dependendo da cor, da etnia, da classe, do emprego, da situação financeira e do status de imigração, isso só é exacerbado. Mas você não é impotente para mudar isso. Você não pode se otimizar para superar isso, ou se esforçar mais para fazer isso passar mais rápido. Porque você pode encontrar e se solidarizar com tantos outros que se sentem — se não exatamente igual — de maneira similar.

Então, aqui está o que *podemos* fazer. Podemos nos unir e resistir à forma como as coisas são. Podemos nos recusar a nos culparmos por fracassos sociais de larga escala e também compreender como o medo de perder a base já tênue que temos nos torna superprotetores dos nossos privilégios. Podemos reconhecer que não é o suficiente tentar melhorar as coisas só para nós mesmos. Temos que melhorar as coisas para *todos*. E é por isso que mudanças significativas e verdadeiras precisam vir do setor público — e precisamos votar *em massa* para eleger políticos que defenderão essas políticas incansavelmente.

Não temos que valorizar a nós mesmos e os outros pela quantidade de trabalho que fazemos. Não temos que nos ressentir dos nossos pais ou avós por terem vidas mais fáceis que as nossas. Não temos que nos submeter à ideia de que o racismo e o machismo estarão presentes sempre. Podemos chegar à espetacular e radical conclusão de que temos valor, cada um de nós, simplesmente por *existirmos*. Podemos nos sentir muito menos solitários, muito menos exaustos, muito mais *vivos*. Mas é necessário bastante esforço para compreender que a forma de alcançar isso tudo não é, na verdade, trabalhando mais.

Os Millennials foram mal falados e desprezados, culpados por terem dificuldade em situações criadas para nos levar ao fracasso. Mas, se tivemos a resistência, a habilidade e os recursos para mergulharmos tão fundo nesse buraco, então também temos a força para lutar. Temos pouco dinheiro e ainda menos estabilidade. Mal conseguimos conter a raiva. Somos uma pilha de brasas fumegando, uma lembrança ruim das melhores versões de nós mesmos. Subestime-nos por sua conta e risco: temos muito, muito pouco a perder.

AGRADECIMENTOS

Minha gratidão eterna aos seguintes: Karolina Waclawiak e Rachel Sanders, minhas editoras no *BuzzFeed*, por acompanhar o artigo original sobre burnout da concepção à conclusão, e em geral refinar minhas ideias mais loucas; ao restante da equipe de Cultura do *BuzzFeed*, do passado e do presente (Scaachi Koul, Pier Dominguez, Alison Willmore, Bim Adewunmi, Tomi Obaro, Michael Blackmon, Shannon Keating); à minha agente dedicada, Allison Hunter, que esteve comigo desde o início e me ajudou a encontrar o conhecimento editorial e a paciência da minha editora, Kate Napolitano, que iluminou o caminho de três livros diferentes. Obrigada, também, às equipes da Janklow & Nesbit e da HMH, que facilitaram todos os passos do processo e toleraram minha inabilidade intermitente de lidar com a minha Caixa de Entrada da Vergonha. Aos meus amigos dos dias pré-burnout, ou pelo menos dos dias do burnout-em-treinamento, que me mantêm de pés no chão em uma vida longe da internet (Alaina Fuld, Anna Pepper, Beth Randall, Lauren Stratford, Gretchen Fauske, Meghan Frazier, Lauren Hamilton, Keely Rankin, Kate Belchers) e às minhas feministas de mensagem favoritas (Doree Shafrir, Julie Gerstein, Jenna Weiss-Berman). A Jason Williams, que me ajudou a escavar as memórias de classe e criação de filhos nos anos 1980 no norte de Idaho, e aos meus verificadores de fatos,

Clementine Ford e Ian Stevenson, cujo trabalho parece invisível, mas absolutamente inestimável. Ao meu grupo de Facebook de longa data — vocês sabem quem são —, que me ajudaram a trabalhar tantas dessas ideias, e às literalmente milhares de pessoas que responderam pesquisas, tweets e perguntas sobre como o burnout se tornou o plano de fundo de suas vidas. Este livro é o que é por causa de seus testemunhos. Para a minha mãe, Laura Bracken, uma editora devastadora e talentosa que ajudou a melhorar todas as frases deste livro, e ao meu irmão, Charles Petersen, um excelente historiador de verdade do século xx, que puxou minha orelha por causa de minhas declarações mais bombásticas e me ajudou a retrabalhá-las e a lhes dar substância. Ao meu parceiro, Charlie Warzel, que, além de ter vivido a história que conto aqui, leu todas as palavras, e me fez, e a este livro, melhor de muitas maneiras. Você é a minha pessoa.

NOTAS

NOTA DA AUTORA

1. Annie Lowrey, "Millennials Don't Stand a Chance", *The Atlantic*, 13 de abril de 2020.

INTRODUÇÃO

1. H. J. Freudenberger, "Staff Burn-Out", *Journal of Social Issues*, vol. 30, nº 1, inverno de 1974, pp. 159-65.
2. *Ibidem*.
3. "Burn-out an 'occupational phenomenon': International Classification of Diseases", World Health Organization, 28 de maio de 2019.
4. Richard Fry, "Millennials Projected to Overtake Baby Boomers as America's Largest Generation", *Pew Research Center*, 1º de março de 2018.
5. Eric Klinenberg, *Palaces for the People: How Social Infrastructure Can Help Fight Inequality, Polarization, and the Decline of Civic Life* (Nova York: The Crown Publishing Group, 2018).
6. Kristen Bialik e Richard Fry, "Millennial Life: How Young Adulthood Today Compares with Prior Generations", *Pew Research Center*, 30 de janeiro de 2019.
7. Tiana Clark, "This Is What Black Burnout Feels Like", *BuzzFeed News*, 11 de janeiro de 2019.
8. Tressie McMillan Cottom, "Nearly Six Decades After the Civil Rights Movement, Why Do Black Workers Still Have to Hustle to Get Ahead?", *Time*, fevereiro de 2020.
9. Judith Scott-Clayton, "What Accounts for Gaps in Student Loan Default, and What Happens After", *Brookings*, 21 de junho de 2018.

1. NOSSOS PAIS COM BURNOUT

1. Hunter Schwarz, "Old Economy Steve Is a New Meme That Will Enrage All Millennials Everywhere", *BuzzFeed*, 25 de maio de 2013.

2. Taylor Lorenz, "'OK Boomer' Marks the End of Friendly Generational Relations", *The New York Times*, 15 de janeiro de 2020.
3. Tom Wolfe, "The 'Me' Decade and the Third Great Awakening", *New York Magazine*, 23 de agosto de 1976.
4. Marc Levinson, *An Extraordinary Time: The End of the Postwar Boom and the Return of the Ordinary Economy* (Nova York: Basic Books, 2016).
5. Elliot Blair Smith e Phil Kuntz, "CEO Pay 1,795-to-1 Multiple of Wages Skirts U.S. Law", *Bloomberg*, 29 de abril de 2013.
6. Louis Hyman, *Temp: How American Work, American Business, and the American Dream Became Temporary* (Nova York: Viking, 2018).
7. Jacob S. Hacker, *The Great Risk Shift: The New Economic Insecurity and the Decline of the American Dream* (Nova York: Oxford University Press, 2019).
8. Robert Putnam, *Our Kids: The American Dream in Crisis* (Nova York: Simon & Schuster, 2015), 1.
9. Marc Levinson, *An Extraordinary Time: The End of the Postwar Boom and the Return of the Ordinary Economy* (Nova York: Basic Books, 2016).
10. Citado em Barbara Ehrenreich, *Fear of Falling: The Inner Life of the Middle Class* (Nova York: Pantheon, 1989), pp. 68-9.
11. Midge Decter, *Liberal Parents, Radical Children* (Nova York: Coward, McCann & Geoghegan, 1975).
12. Barbara Ehrenreich, *Fear of Falling: The Inner Life of the Middle Class* (Nova York: Pantheon, 1989).
13. *Ibidem*.
14. Jacob S. Hacker, *The Great Risk Shift: The New Economic Insecurity and the Decline of the American Dream* (Nova York: Oxford University Press, 2019), 40.
15. *Ibidem*, cap. 27.
16. Joseph C. Sternberg, *The Theft of a Decade: How Baby Boomers Stole the Millennials' Economic Future* (Nova York: Public Affairs, 2019).
17. "Workplace Flexibility 2010: A Timeline of the Evolution of Retirement in the United States", Georgetown University Law Center; "Employee Benefits Survey", U.S. Bureau of Labor and Statistics.
18. Michael Hiltzik, "Two Rival Experts Agree — 401(k) Plans Haven't Helped You Save Enough for Retirement", *Los Angeles Times*, 5 de novembro de 2019.
19. Maurice A. St. Pierre, "Reaganomics and Its Implications for African-American Family Life", *Journal of Black Studies*, vol. 21, nº 3, março de 1991, pp. 325-40.
20. Barbara Ehrenreich, *Fear of Falling: The Inner Life of the Middle Class* (Nova York: Pantheon, 1989).
21. Matthias Doepke e Fabrizio Zilibotti, *Love, Money, and Parenting: How Economics Explains the Way We Raise Our Kids* (Princeton: Princeton University Press, 2019).
22. Barbara Ehrenreich, *Fear of Falling: The Inner Life of the Middle Class* (Nova York: Pantheon, 1989).
23. Katherine S. Newman, *Falling from Grace: The Experience of Downward Mobility in the American Middle Class* (Nova York: The Free Press, 1988).
24. Barbara Ehrenreich, *Fear of Falling: The Inner Life of the Middle Class* (Nova York: Pantheon, 1989).

25. Dylan Gottlieb, "Yuppies: Young Urban Professionals and the Making of Postindustrial New York" (Dissertação de doutorado não publicada, Princeton University, maio de 2020).

2. MINIADULTOS EM CRESCIMENTO

1. Hanna Rosin, "The Overprotected Kid", *The Atlantic*, abril de 2014.
2. Sharon Hays, *The Cultural Contradictions of Motherhood* (New Haven: Yale University Press, 1996).
3. Matthias Doepke e Fabrizio Zilibotti, *Love, Money, and Parenting: How Economics Explains the Way We Raise Our Kids* (Princeton, NJ: Princeton University Press, 2019).
4. Katherine S Newman, *Falling from Grace: The Experience of Downward Mobility in the American Middle Class* (Nova York: The Free Press, 1988), p. 229.
5. *Ibidem*, p. 202.

3. FACULDADE, A QUALQUER CUSTO

1. Alexandra Robbins, *The Overachievers: The Secret Lives of Driven Kids* (Nova York: Hyperion Books, 2006).
2. "Percentage of the U.S. Population Who Have Completed Four Years of College or More from 1940 to 2018, by Gender", *Statista*.
3. "Educational Attainment in the United States: 2018", United States Census Bureau, 21 de fevereiro de 2019.
4. Ellen Ruppel Shell, "College May Not Be Worth It Anymore", *The New York Times*, 16 de maio de 2018.
5. W. Norton Grubb e Marvin Lazerson, *The Education Gospel: The Economic Power of Schooling* (Cambridge: Harvard University Press, 2004).
6. Malcolm Harris, *Kids These Days: Human Capital and the Making of Millennials* (Nova York: Little, Brown & Company, 2017).
7. *Ibidem*.

4. FAÇA O QUE VOCÊ AMA E AINDA VAI TER QUE TRABALHAR TODOS OS DIAS PELO RESTO DA SUA VIDA

1. Amanda Mull, "America's Job Listings Have Gone Off the Deep End", *The Atlantic*, 13 de junho de 2019.
2. *Ibidem*.
3. Miya Tokumitsu, *Do What You Love: And Others Lies About Success and Happiness* (Nova York: Regan Arts, 2015).
4. Sara Robinson, "Why We Have to Go Back to a 40-Hour Work Week to Keep Our Sanity", *AlterNet*, abril de 2018.
5. Miya Tokumitsu, *Do What You Love: And Others Lies About Success and Happiness* (Nova York: Regan Arts, 2015).

6. *Ibidem.*
7. "Great Recession, Great Recovery? Trends from the Current Population Survey", *Monthly Labor Review*, U.S. Bureau of Labor Statistics, abril de 2018.
8. Christopher Kurz, Geng Li e Daniel J. Vine, "Are Millennials Different?", *Finance and Economics Discussion Series*, Board of Governors of the Federal Reserve System, novembro de 2018.
9. Miya Tokumitsu, *Do What You Love: And Others Lies About Success and Happiness* (Nova York: Regan Arts, 2015).
10. J. Stuart Bunderson e Jeffery A. Thompson, "The Call of the Wild: Zookeepers, Callings, and the Double-Edged Sword of Deeply Meaningful Work", *Administrative Science Quarterly*, vol, 54, nº 1, março de 2009, pp. 32-57.
11. Ellen Ruppell Shell, *The Job: Work and Its Future in a Time of Radical Change* (Nova York: Currency, 2018).

5. COMO O TRABALHO FICOU TÃO MERDA

1. Guy Standing, *The Precariat: The New Dangerous Class* (Nova York: Bloomsbury Academic, 2014).
2. *Ibidem.*
3. *Ibidem.*
4. Louis Hyman, *Temp: How American Work, American Business, and the American Dream Became Temporary* (Nova York: Viking, 2018).
5. David Weil, *The Fissured Workplace: Why Work Became So Bad for So Many and What Can Be Done to Improve It* (Cambridge: Harvard University Press, 2014), 50.
6. *Ibidem.*
7. *Ibidem.*
8. Laurel Wamsley, "'Denver Post' Calls Out Its 'Vulture' Hedge Fund Owners in Searing Editorial", NPR, 9 de abril de 2018.
9. Tara Lachapelle, "Lessons Learned from the Downfall of Toys 'R' Us", *Bloomberg Businessweek*, 9 de março de 2018.
10. Matt Stoller, "Why Private Equity Should Not Exist", BIG, 30 de julho de 2019.
11. Abha Bhattarai, "Private Equity's Role in Retail Has Killed 1.3 Million Jobs, Study Says", *The Washington Post*, 24 de julho de 2019.
12. Sarah Todd, "The Short but Destructive History of Mass Layoffs", *Quartz at Work*, 12 de julho de 2019.
13. Daisuke Wakabayashi, "Google's Shadow Work Force: Temps Who Outnumber Full-Time Employees", *The New York Times*, 28 de maio de 2019.
14. *Ibidem.*
15. David Weil, *The Fissured Workplace: Why Work Became So Bad for So Many and What Can Be Done to Improve It* (Cambridge: Harvard University Press, 2014).
16. "Survey Shows Two in Five Women in Fast-Food Industry Face Sexual Harassment on the Job", *National Partnership for Women and Families*, 5 de outubro de 2016.
17. David Weil, *The Fissured Workplace: Why Work Became So Bad for So Many and What Can Be Done to Improve It* (Cambridge: Harvard University Press, 2014).

18. Samantha Raphelson, "Advocates Push for Stronger Measures to Protect Hotel Workers from Sexual Harassment", NPR, 29 de junho de 2018.
19. "Hands Off, Pants On: Harassment in Chicago's Hospitality Industry", Unite Here Local 1, julho de 2016.
20. A decisão está em apelação e o resultado era desconhecido no momento em que este livro foi escrito.
21. David Weil, *The Fissured Workplace: Why Work Became So Bad for So Many and What Can Be Done to Improve It* (Cambridge: Harvard University Press, 2014).
22. Louis Hyman, *Temp: How American Work, American Business, and the American Dream Became Temporary* (Nova York: Viking, 2018), 270.
23. Karen Zouwen Ho, *Liquidated: An Ethnography of Wall Street* (Durham: Duke University Press, 2009).
24. Louis Jacobson, "What Percentage of Americans Own Stocks?", *Politifact*, 18 de setembro de 2018.
25. Alex Rosenblat, *Uberland: How Algorithms Are Rewriting the Rules of Work* (Oakland: University of California Press, 2018).
26. Zeynep Ton, *The Good Jobs Strategy: How the Smartest Companies Invest in Employees to Lower Costs and Boost Profits* (Boston: New Harvest/Houghton Mifflin Harcourt, 2014).
27. Ibidem.
28. Ibidem.

6. COMO O TRABALHO CONTINUA TÃO MERDA

1. Louis Hyman, *Temp: How American Work, American Business, and the American Dream Became Temporary* (Nova York: Viking, 2018).
2. Ibidem.
3. Ibidem.
4. Karen Zouwen Ho, *Liquidated: An Ethnography of Wall Street* (Durham: Duke University Press, 2009).
5. Ibidem.
6. Ibidem.
7. Ibidem.
8. Jodi Kantor e David Streitfeld, "Inside Amazon: Wrestling Big Ideas in a Bruising Workplace", *The New York Times*, 15 de agosto de 2015.
9. Jonathan Crary, *24/7: Late Capitalism and the End of Sleep* (Nova York: Verso, 2014).
10. Jia Tolentino, "The Gig Economy Celebrates Working Yourself to Death", *The New Yorker*, 22 de março de 2017.
11. Sarah Krouse, "The New Ways Your Boss Is Spying on You", *The Wall Street Journal*, 19 de julho de 2019.
12. Ibidem.
13. Ellen Ruppell Shell, *The Job: Work and Its Future in a Time of Radical Change* (Nova York: Currency, 2018), 128.
14. Ceylan Yeginsu, "If Workers Slack Off, the Wristband Will Know. (And Amazon Has a Patent for It)". *The New York Times*, 1º de fevereiro de 2018.

15. Emily Guendelsberger, "I Was a Fast-Food Worker. Let Me Tell You About Burnout", *Vox*, 15 de julho de 2019.
16. "Key Findings from a Survey on Fast Food Worker Safety", Hart Research Associates, 16 de março de 2015.
17. Sarah Kessler, *Gigged: The End of the Job and the Future of Work* (Nova York: St. Martin's Press, 2018).
18. Alex Rosenblat, *Uberland: How Algorithms Are Rewriting the Rules of Work* (Oakland: University of California Press, 2018).
19. Farhad Manjoo, "The Tech Industry Is Building a Vast Digital Underclass", *The New York Times*, 24 de julho de 2019.
20. Sarah Kessler, *Gigged: The End of the Job and the Future of Work* (Nova York: St. Martin's Press, 2018).
21. *Ibidem*.
22. Aaron Smith, "The Gig Economy: Work, Online Selling, and Home Sharing", *Pew Research Center*, 17 de novembro de 2016.
23. Sarah Kessler, *Gigged: The End of the Job and the Future of Work* (Nova York: St. Martin's Press, 2018).
24. Ellen Ruppell Shell, *The Job: Work and Its Future in a Time of Radical Change* (Nova York: Currency, 2018).
25. Alex Rosenblat, "The Network Uber Drivers Built", *Fast Company*, 9 de janeiro de 2018.
26. *Ibidem*.
27. Eric Johnson, "Full Q&A: DoorDash CEO Tony Xu and COO ChristoperPayne on Recode Decode", *Recode*, 9 de janeiro de 2019.

7. TECNOLOGIA FAZ TUDO FUNCIONAR BEM

1. Joanna Stern, "Cell Phone Users Check Phones 150x/Day and Other Internet Fun Facts", ABCNews, 29 de maio de 2013; Jonah Engel Bromwich, "Generation X More Addicted to Social Media Than Millennials, Report Finds", *The New York Times*, 27 de janeiro de 2017.
2. Rina Raphael, "Netflix CEO Reed Hastings: Sleep Is Our Competition", *Fast Company*, 6 de novembro de 2017.
3. Paul Lewis, "'Our Minds Can Be Hijacked': The Tech Insiders Who Fear a Smartphone Dystopia", *The Guardian*, 6 de outubro de 2017.
4. Cal Newport, *Digital Minimalism: Choosing a Focused Life in a Noisy World* (Nova York: Portfolio/Penguin, 2019).
5. Katherine Miller, "President Trump and America's National Nervous Breakdown", *BuzzFeed News*, 26 de março de 2017.
6. Brad Stulberg, "Step Away from the 24-Hour News Cycle", *Outside*, 1º de dezembro de 2018.
7. Nick Stockton, "The New Fomo: Who Cares About My Friends? I'm Missing the News!", *Wired*, setembro de 2017.
8. Rani Molla, "The Productivity Pit: How Slack Is Ruining Work", *Recode*, 1º de maio de 2019.

9. John Herrman, "Slack Wants to Replace Email. Is That What We Really Want?", *The New York Times*, 19 de junho de 2019.
10. John Herrman, "Are You Just LARPing Your Job?", *The Awl*, 20 de abril de 2015.

8. O QUE É UM FIM DE SEMANA?

1. "American Time Use Survey – 2018 Results", Bureau of Labor Statistics, 19 de junho de 2019.
2. Juliet Schor, *The Overworked American: The Unexpected Decline of Leisure* (Nova York: Basic Books, 1993).
3. *Ibidem*.
4. Anna Wiener, *Uncanny Valley: A Memoir* (Nova York: MCD/Farrar, Straus & Giroux, 2020).
5. Andrew Barnes, *The 4-Day Week: How the Flexible Work Revolution Can Increase Productivity, Profitability, and Wellbeing, and Help Create a Sustainable Future* (Londres: Piatkus, 2020).
6. Bill Chappell, "4-Day Workweek Boosted Workers' Productivity By 40%, Microsoft Japan Says", NPR, 4 de novembro de 2019.
7. Robert Booth, "Four-Day Week: Trial Finds Lower Stress and Increased Productivity", *The Guardian*, 19 de fevereiro 2019.
8. *Ex Parte Newman*, 9 Cal. 502 (1º janeiro de 1858).
9. Judith Shulevitz, *The Sabbath World: Glimpses of a Different Order of Time* (Nova York: Random House, 2010).
10. Elizabeth Currid-Halkett, *The Sum of Small Things: A Theory of the Aspirational Class* (Princeton: Princeton University Press, 2017).
11. Noreen Malone, "The Skimm Brains: 7 Million People Wake UP to Their Newsletter, and Their Voice, Every Morning", *The Cut*, 28 de outubro de 2018.
12. Kelsey Lawrence, "Why Won't Millennials Join Country Clubs", *Bloomberg CityLab*, 2 de julho de 2018; "New NFPA Report Finds Significant Decline in Volunteer Firefighter Numbers", National Volunteer Fire Council, 16 de abril de 2019; Linda Poon, "Why Americans Stopped Volunteering", *Bloomberg CityLab*, 11 de setembro de 2019.
13. Robert Putnam, *Our Kids: The American Dream in Crisis* (New York: Simon & Schuster, 2015).
14. Eric Klinenberg, *Palaces for the People: How Social Infrastructure Can Help Fight Inequality, Polarization, and the Decline of Civic Life* (Nova York: Crown, 2018).

9. OS PAIS MILLENNIALS EXAUSTOS

1. Gretchen Livingston, "About One-Third of U.S. Children Are Living with an Unmarried Parent", *Pew Research Center*, 27 de abril de 2018.
2. Arlie Russell Hochschild e Anne Machung, *The Second Shift: Working Parents and the revolution at Home* (Nova York: Penguin Books, 2003).
3. Darcy Lockman, *All the Rage: Mothers, Fathers, and the Myth of Equal Partnership* (Nova York: Harper, 2019).

4. "Table 10: Time Adults Spent in Primary Activities While Providing Childcare as a Secondary Activity by Sex, Age, and Day of Week, Average for the Combined Years 2014-18", U.S. Bureau of Labor Statistics.
5. Kim Brooks, *Small Animals: Parenthood in the Age of Fear* (Nova York: Flatiron Books/McMillan, 2018).
6. Elizabeth Chmurak, "The Rising Cost of Child Care Is Being Felt Across the Country", NBC News, 8 de março de 2018.
7. Elizabeth Currid-Halkett, *The Sum of Small Things: A Theory of the Aspirational Class* (Princeton: Princeton University Press, 2017).
8. *Ibidem*.
9. Caitlin Daniel, "A Hidden Cost to Giving Kids Their Vegetables", *The New York Times*, 16 de fevereiro de 2016.
10. Conor Friedersdorf, "Working Mom Arrested for Letting Her 9-Year-Old Play Alone in Park", *The Atlantic*, 15 de julho de 2014.
11. Darcy Lockman, *All the Rage: Mothers, Fathers, and the Myth of Equal Partnership* (Nova York: Harper, 2019).
12. Brigid Schulte, *Overwhelmed: Work, Love, and Play When No One Has the Time* (Nova York: Sarah Crichton Books/Farrar, Straus & Giroux, 2014).
13. Claire Cain Miller, "The Relentlessness of Modern Parenting", *The New York Times*, 25 de dezembro de 2018.
14. Veja Emily Matchar, *Homeward Bound: Why Women Are Embracing the New Domesticity* (Nova York: Simon & Schuster, 2013).
15. Brigid Schulte, *Overwhelmed: Work, Love, and Play When No One Has the Time* (Nova York: Sarah Crichton Books/Farrar, Straus & Giroux, 2014).
16. *Ibidem*.
17. "Raising Kids and Running a Household: How Working Parents Share the Load", *Pew Research Center*, 4 de novembro de 2015.
18. Darcy Lockman, *All the Rage: Mothers, Fathers, and the Myth of Equal Partnership* (Nova York: Harper, 2019).
19. Claire Cain Miller, "Millennial Men Aren't the Dads They Thought They'd Be", *The New York Times*, 30 de julho de 2015.
20. Darcy Lockman, *All the Rage: Mothers, Fathers, and the Myth of Equal Partnership* (Nova York: Harper, 2019).
21. *Ibidem*.
22. *Ibidem*.
23. Anadi Mani, Sendhil Mullainathan, Eldar Shafir e Jiaying Zhao, "Poverty Impedes Cognitive Function", *Science*, vol. 341, nº 6.149, 30 de Agosto de 2013, pp. 976-80.
24. Malcolm Harris, "The Privatization of Childhood Play", *Pacific Standard*, 14 de junho de 2017.
25. Tamara R. Mose, *The Playdate: Parents, Children, and the New Expectations of Play* (Nova York: New York University Press, 2016).
26. Darcy Lockman, *All the Rage: Mothers, Fathers, and the Myth of Equal Partnership* (Nova York: Harper, 2019).

CONCLUSÃO: QUE ARDA

1. Sam Sanders, "Less Sex, Fewer Babies: Blame the Internet and Career Priorities", NPR, 6 de agosto de 2019.
2. Makiko Inoue e Megan Specia, "Young Worker Clocked 159 Hours of Overtime in a Month. Then She Died", *The New York Times*, 5 de outubro de 2017.
3. Motoko Rich, "A Japanese Politician Is Taking Paternity Leave. It's a Big Deal", *The New York Times*, 15 de janeiro de 2020.
4. Motoko Rich, "Japanese Working Mothers: Record Responsibilities, Little Help from Dad", *New York Times*, 2 de fevereiro de 2019.
5. Tomoko Otake, "1 in 4 firms in Japan Say Workers Log over 80 Overtime Hours a Month", *The Japan Times*, 7 de outubro de 2016.
6. Philip Brasor, "Premium Friday Is Not About Taking a Holiday", *The Japan Times*, 25 de fevereiro de 2017.

Este livro foi impresso pela Gráfica Cruzado,
em 2022, para a HarperCollins Brasil.
O papel do miolo é Pólen Soft 80g/m²,
e o da capa é Cartão 250g/m².